D1215406

MORT
BRÛLANTE

MORT BRÛLANTE

Richard Castle

Traduit de l'anglais (États-Unis)
par Françoise Fauchet

City
THRILLERS

Également de Richard Castle :

- *Vague de chaleur* (2010)
- *Mise à nu* (2011)
- *Froid d'enfer* (2012)
- *Cœur de glace* (2012)
- *Avis de tempête* (2013)

———————————————

À KB.
Que la musique ne s'arrête jamais et que la danse continue.

———————————————

© **ABC Studios pour la traduction française.**
Publié en France par City Editions
© **2013 by ABC Studios**
Castle © ABC Studios. All rights reserved.
Couverture : © American Broadcasting Companies, Inc.
Publié aux États-Unis par Hyperion Books
sous le titre *Deadly Heat*

ISBN : 978-2-8246-0358-2
Code Hachette : 51 3175 0

Rayon : Thrillers
Collection dirigée par Christian English & Frédéric Thibaud

Catalogue et manuscrits : www.city-editions.com

Conformément au Code de la propriété intellectuelle, il est
interdit de reproduire intégralement ou partiellement le présent
ouvrage, et ce, par quelque moyen que ce soit, sans l'autorisation
préalable de l'éditeur.

Dépôt légal : octobre 2013
Imprimé en France par France Quercy, 46090 Mercuès - n° 31606/

UN

L'inspecteur Nikki Heat, de la brigade criminelle de New York, gara sa Crown Victoria grise en double file derrière le fourgon de la morgue et se dirigea d'un pas vif vers la pizzeria où l'attendait le corps. À son arrivée, un agent en chemisette souleva le ruban de balisage qu'elle franchit en se baissant. Lorsqu'elle se redressa, son regard se posa un instant sur Broadway. Au même moment, vingt rues plus bas, sur Times Square, on faisait des courbettes à son petit ami à la conférence de presse organisée pour la parution de son dernier reportage. L'article représentait une telle aubaine pour le magazine auquel contribuait Jameson Rook que son rédacteur en chef avait décidé de le mettre en une à l'occasion du lancement de la revue en ligne. Nikki aurait dû s'en réjouir ; pourtant, cette seule pensée lui retournait les tripes, car elle était le sujet même du reportage.

Elle fit un pas vers l'entrée du restaurant, puis s'arrêta. Après tout, ce mort n'irait pas plus loin, elle pouvait bien s'accorder un instant pour se maudire de sa participation à la rédaction de ce papier. Quelques semaines plus tôt, lorsqu'elle avait accepté que Rook raconte son enquête sur le meurtre de sa mère, cela lui avait paru une bonne idée. Ou en tout cas un moindre mal. La capture surprise du tueur plus de dix ans après les faits était une nouvelle dont les journalistes allaient forcément s'emparer. Alors, comme

Rook l'avait souligné sans ménagement, sans doute valait-il mieux confier l'histoire à un prix Pulitzer que la jeter en pâture à la presse à sensation. L'entretien préparatoire, intense, les avait occupés tout un week-end. Aidé de son dictaphone, Rook avait minutieusement consigné les faits. Le malheur l'avait frappée en 1999, la veille de Thanksgiving. Alors qu'elle cuisinait avec sa mère, Nikki avait dû se rendre au supermarché pour se procurer des épices.

Or, au moment où elle l'avait appelée au téléphone pour lui demander s'il fallait autre chose, elle avait entendu sa mère se faire attaquer et tuer à coups de couteau. Éperdue, Nikki avait couru jusqu'à l'appartement, en vain. Alors, abandonnant son rêve de devenir comédienne, elle avait décidé d'étudier le droit pénal, puis elle était entrée dans la police. « Un meurtre, avait-elle affirmé, ça change tout. »

Heat avait évoqué l'état de frustration dans lequel l'avait plongée sa quête de justice pendant les dix années qui avaient suivi. Puis, le choc suscité par la découverte sur les lieux d'un crime, un mois plus tôt, d'une valise volée chez sa mère le soir du meurtre…, laquelle renfermait le cadavre d'une femme. De fil en aiguille, l'enquête sur ce nouveau meurtre avait conduit Nikki à Paris, où, de manière inattendue, elle avait levé le voile sur un pan secret de la vie de sa mère.

À sa grande surprise, elle avait en effet appris que Cynthia Heat travaillait pour la CIA. Les leçons particulières de piano qu'elle dispensait lui permettaient d'espionner les diplomates et les industriels étrangers pour le compte des services de renseignements. C'est sur son lit de mort que Tyler Wynn, l'ancien superviseur de sa mère, avait avoué tout cela à Nikki. Toutefois, en bon espion, il n'avait feint la mort que pour se débarrasser d'elle. Nikki l'avait découvert à ses dépens le jour où il était venu, l'arme au poing, lui réclamer les documents secrets compromettants pour lesquels Cynthia Heat était morte. Pourquoi ? Parce qu'elle avait découvert que son grand ami et mentor n'était qu'un traître.

À Rook, Nikki avait confié n'imaginer que trop bien le sentiment qu'avait dû éprouver sa mère, car elle-même avait vu surgir de l'ombre aux côtés de Wynn son petit ami de la fac, Petar, l'arme braquée sur elle. Qui plus est, avant de s'éclipser avec la sacoche aux preuves accablantes, le vieil espion avait ordonné à ce Petar de la liquider... comme il l'avait déjà fait pour sa mère.

Rook avait alors décidé de faire une pause sous prétexte de changer les piles de son dictaphone, mais surtout pour permettre à Nikki de se ressaisir. À la reprise de l'entretien, elle avait reconnu que, contrairement à ce qu'elle avait toujours cru, l'arrestation de l'assassin de sa mère n'avait pas cicatrisé ses plaies. Loin de s'être atténuée, sa douleur en avait été ravivée. Certes, elle avait mis Petar sous les verrous, mais le cerveau de l'affaire lui avait échappé et s'était évanoui dans la nature. Or Petar ne risquait pas de l'aider à le localiser puisqu'il avait été effrontément empoisonné en prison par une autre complice de Wynn.

Un an plus tôt, Heat n'aurait pu imaginer se confier aussi intimement à Rook. Avant de se retrouver avec ce célèbre reporter sur les bras, qui l'accompagnait partout pour « se documenter », Nikki avait toujours pensé que les flics faisaient aussi mauvais ménage avec les journalistes qu'avec les voyous. Lorsqu'ils étaient tombés amoureux lors de leur première affaire, au cours de la vague de chaleur de l'été précédent, elle avait mis de l'eau dans son vin, mais leur relation n'en restait pas moins régulièrement mise à l'épreuve. La première occasion s'était présentée dès l'automne, lorsque le reportage que Rook avait tiré de son expérience au sein de la brigade criminelle avait été publié dans un magazine national et que le visage de Nikki s'était affiché en couverture dans tous les kiosques pendant un mois. Elle s'était sentie très mal à l'aise sous le feu des projecteurs, ainsi que dans ce rôle de muse. Voir sa vie personnelle ainsi dévoilée au grand public la troublait. Ce qu'ils partageaient était-il réel ou bien une simple source d'inspiration ?

Et voilà qu'un nouvel article allait faire les choux gras d'Internet. Cette fois, ce qui l'inquiétait n'était pas tant la publicité autour de sa personne que les éventuelles perturbations que cela risquait d'entraîner pour le déroulement de son enquête. Car, pour l'inspecteur Heat, cette affaire n'était pas terminée ; il restait nombre de points à résoudre, et la publicité était à ses yeux une entrave à la justice. Or, à Times Square, le génie allait justement sortir de sa lampe.

Nikki se félicitait d'avoir gardé le secret au moins sur un point. Un élément crucial dont elle n'avait même pas parlé à Rook.

— Vous venez ? fit Ochoa, la ramenant à la réalité.

L'enquêteur tenait la porte vitrée de la pizzeria ouverte pour elle. Heat hésita, puis, chassant ses préoccupations de son esprit, franchit le seuil.

— Voilà un meurtre pour les annales, annonça Sean Raley, l'équipier d'Ochoa.

Les deux enquêteurs, surnommés les « Gars », guidèrent leur supérieure parmi les tables vides en formica qui, sans le meurtre, se seraient remplies à l'heure du déjeuner.

— Prête pour une grande première ? demanda-t-il lorsqu'ils furent arrivés en cuisine.

D'une main gantée, il abaissa la porte supérieure du four à pizza et révéla la victime. Du moins ce qu'il en restait.

L'homme – puisque tel semblait le cas – avait été poussé à l'intérieur sur le flanc, jambes repliées afin qu'elles ne dépassent pas, et mis à cuire. Nikki jeta un regard à Raley, puis à Ochoa avant de poser de nouveau les yeux sur le cadavre. Le four était encore chaud et le corps ressemblait à une momie. Il avait été enfourné tout habillé. Des restes de tissu brûlé pendaient des bras, des jambes et du torse, pareils à une couverture désagrégée.

Raley perdit sa mine amusée et s'avança vers sa supérieure. Ochoa lui emboîta le pas.

— Vous n'allez pas être malade ? s'enquit l'enquêteur en la scrutant attentivement.

— Non, ça va. J'ai juste oublié un truc, assura-t-elle en enfilant une paire de gants bleus jetables.

Malgré le ton désinvolte de sa réponse, cette faute d'inattention ennuyait beaucoup Nikki, car elle concernait le rituel qu'elle observait en arrivant sur les lieux d'un crime : un recueillement de quelques secondes pour la victime qu'elle allait découvrir. Il s'agissait d'une marque d'empathie, d'une habitude aussi banale que la prière avant le repas. Or ce jour-là, pour la première fois de sa vie, Nikki Heat l'avait totalement oubliée.

Sans doute cela devait-il arriver. Ces derniers temps, la routine était devenue son meilleur allié pour ne pas se focaliser sur l'affaire de sa mère. Évidemment, elle ne pouvait parler à personne à la brigade de sa difficulté à clore ce chapitre alors qu'on ne cessait d'en ouvrir de nouveaux pour elle. Comme elle s'en était plainte à son compagnon, il lui avait alors rappelé la fameuse formule de John Lennon : « La vie, c'est le truc qui se passe pendant qu'on multiplie les projets. » « Le problème, avait-elle rétorqué, c'est que, pendant ce temps, il y en a qui meurent. »

— Ce sont les cuistots qui l'ont trouvé à l'ouverture ce matin, commença Raley.

— Ça leur a paru bizarre que le four soit encore chaud, enchaîna Ochoa. Et en ouvrant la porte, ils sont tombés sur ce…, ce truc qui ressemble à mes toasts de ce matin.

Les Gars échangèrent un large sourire d'autosatisfaction.

— Ce n'est pas parce que Rook n'est pas là qu'il faut vous sentir obligés de le remplacer, répondit Heat avant de tendre la paume vers le four, à peine tiède. Ils l'ont éteint ?

— Négatif, fit Raley. D'après le cuistot, il l'était déjà à leur arrivée.

— On sait qui est la victime ? demanda-t-elle en jetant un œil à l'intérieur.

Les dégâts provoqués par la chaleur n'allaient pas faciliter l'identification.

Ochoa parcourut ses notes.

— Un dénommé Roy Conklin, apparemment.

La légiste, qui examinait le corps, releva la tête.

— Mais il faudra attendre les résultats comparatifs du dossier dentaire et des relevés d'ADN pour confirmer cette hypothèse.

— Une hypothèse éclairée, fit remarquer Ochoa, réflexion dans laquelle Heat perçut une pointe de taquinerie à l'adresse du Dr Lauren Parry, sa petite amie, comme chacun le savait plus ou moins. Car on a trouvé un portefeuille, ajouta-t-il en indiquant, posé sur le plan de travail en inox, le sachet qui renfermait un amas de cuir et un permis de conduire tout déformé.

— Mais ce n'est pas le plus bizarre, reprit Raley en sortant de la poche de sa veste une petite lampe torche qu'il braqua sur le corps.

Heat se rapprocha.

— Bizarre, non ? fit-il.

— Très, acquiesça Nikki avec un hochement de tête.

Autour du cou, la victime portait un badge plastifié des services d'hygiène au nom de Roy Conklin.

Ochoa vint se poster à côté de Nikki.

— On a appelé l'hygiène. Et vous savez quoi ? Ce corps dans le four appartient à un inspecteur chargé de la restauration.

— Ça, c'est assurément contraire à la loi.

Toutes les têtes se retournèrent vers la voix familière. Et l'auteur de la vanne. Jameson Rook s'approchait d'un pas nonchalant, magnifique aux yeux de Nikki dans son costume sombre parfaitement coupé, agrémenté d'une chemise violette et blanche à col italien, sans oublier la cravate, gris anthracite et violet, qu'elle avait choisie pour lui.

— Cet établissement va se voir décerner une sale note d'ici ce soir, vous allez voir.

Heat alla à sa rencontre.

— Tiens, que nous vaut l'honneur ? Ne me dis pas qu'ils ont déjà remballé le tapis rouge.

— Pas du tout. Je comptais bien rester serrer quelques mains en petit comité, mais Raley m'a prévenu par SMS de ce qui se passait ici. Et il a bien fait. Pourquoi traîner dans un pince-fesses quand on a la chance de pouvoir voir ?...

Il regarda dans le four.

— Que le diable me brûle !... Un extraterrestre tout droit sorti de la zone cinquante et un.

Cet humour noir plaisait beaucoup aux Gars. Beaucoup moins à Lauren Parry.

— Que vois-je sur votre épaule ? Des paillettes ?! s'exclama la légiste. Allez, ouste, sortez avant de contaminer les lieux.

Rook arbora un large sourire.

— Si on me donnait une pièce chaque fois que j'entends ça...

Néanmoins, il quitta les cuisines et alla poser son manteau sur le dossier d'une chaise en salle. À son retour, deux techniciens de l'institut médicolégal sortaient le corps du four. Ochoa lui tendit une paire de gants en latex bleus.

— Regardez ce badge, fit Raley.

Heat vint s'agenouiller à côté de son enquêteur. Ni le badge de Conklin ni son cordon ne semblaient avoir brûlé ou fondu.

Rook se joignit à eux.

— Donc, celui qui l'a tué a dû attendre que le four refroidisse ou alors il est revenu plus tard lui passer ça autour du cou.

Nikki se retourna et le tança du regard.

— Non, ça, c'est la tête que tu fais devant mes folles conjectures. Tu ne vas quand même pas me reprocher aussi de savoir si bien résumer les faits.

— Inspecteur ? intervint Ochoa, debout devant le four.

Heat se leva pour suivre dès yeux le faisceau lumineux de sa lampe de poche. Au fond du four se trouvait un manteau plié précédemment occulté par le corps. Pas plus que le badge et le cordon, il ne portait de traces de brûlure.

À l'aide d'une longue pelle à pizza et dans un silence complet, l'inspecteur Ochoa le récupéra en le faisant glisser. Tout le monde fixait le manteau du regard et ce qui se trouvait dessus : une cordelette rouge soigneusement posée en spirale et un rat crevé. Lorsque Heat, Rook, Raley et Ochoa sortirent des cuisines, l'inspecteur Feller avait terminé d'interroger le cuisinier et le commis.

— Leur histoire tient la route, déclara-t-il. Ils ont servi leurs dernières pizzas à minuit, tout rangé et fermé vers une heure, et quand ils sont revenus à neuf, ils ont découvert la victime.

Il feuilleta ses notes.

— Aucune activité inhabituelle au cours des jours précédents, aucun signe de cambriolage ni d'effraction. Ils ont bien un système de caméra en circuit fermé, mais il est tombé en rade la semaine dernière. Aucune dispute avec des clients ou des fournisseurs. Quant à l'inspecteur de l'hygiène, ni le nom ni la photo de Conklin ne leur disaient quoi que ce soit. Je n'ai rien dit de l'endroit où vous aviez trouvé sa pièce d'identité, bien entendu, mais apparemment ni l'un ni l'autre n'a touché ni bougé le corps.

— On leur soumettra un meilleur portrait dès qu'on en aura obtenu un de la famille ou des services d'hygiène, indiqua Heat. D'ici là, ils peuvent partir.

Il n'allait pas être facile de déterminer l'heure et la cause exactes de la mort, car la chaleur du four avait altéré les structures cellulaires et la température du corps. C'est pourquoi, tandis que sa meilleure amie emportait la victime à l'institut médicolégal, dans la 30e Rue, pour procéder à l'autopsie, Heat réfléchit à la répartition des tâches pour sa brigade. Ochoa fut chargé d'envoyer des agents interroger le voisinage avec des photos de Conklin obtenues sur écran. Une fois cette équipe déployée, Ochoa se rendrait chez l'inspecteur pour annoncer son décès à la famille et voir ce qu'il pourrait y apprendre. Comme d'habitude, Raley s'occuperait de vérifier si les caméras de surveillance des environs avaient filmé quelque chose.

L'inspecteur Feller partait aux services de l'hygiène se procurer le relevé des différentes fonctions de la victime et interroger son supérieur sur ses dossiers en cours et ses collègues de travail. Quant à Rook, il proposa de mettre son cerveau au service de la brigade pour le briefing.

— Bien sûr, même si c'est un peu présomptueux de ta part, ne put retenir Nikki.

Lorsqu'ils sortirent de la pizzeria, Rook secoua la tête avec dédain en voyant la foule de badauds massés derrière le cordon de sécurité.

— On dirait une bande de vautours excités. Tu sais, Nikki, ça me dépasse, cette curiosité malsaine que suscite le spectacle macabre d'un corps qu'on enlève dans une housse mortuaire.

Une voix retentit dans la foule.

— Jameson ? Jameson Rook ?

Ils s'immobilisèrent.

— Par ici, ohé !

Le bras qui s'agitait appartenait à une jeune femme aux cheveux crêpés, affublée d'un pantalon de cuir noir et de talons dignes d'une équilibriste. Elle se fraya un chemin à l'avant de la foule pour se presser contre la rubalise jaune avec sa veste au motif léopard.

— Je peux avoir une photo avec vous…, s'il vous plaît ?

— J'avais oublié, murmura Rook, penaud. J'ai annoncé sur Twitter que je venais ici après Times Square…

— Ne traîne pas, coupa Nikki. Et c'est peut-être l'occasion d'utiliser ton gel désinfectant, ajouta-t-elle tandis que Rook se dirigeait vers son admiratrice.

Heat s'installa dans la voiture banalisée en attendant que Rook termine de prendre la pose avec sa bimbo, puis avec les trois autres qui avaient jailli de la foule. Au moins, il ne leur dédicaçait pas la poitrine cette fois...

Elle en profita pour regarder ses e-mails.

— Super ! s'exclama-t-elle tout haut en voyant le message d'un détective privé dont elle attendait des nouvelles. Tu as terminé ? demanda-t-elle à Rook qui prenait place sur le siège passager.

— Il n'y avait pas que la photo. Elle a voulu que je la poste moi-même sur #charmevoyou.

Il se cala contre l'appuie-tête.

— Apparemment, je suis déjà tendance.

Nikki démarra.

— Tu te souviens de Joe Flynn ? demanda-t-elle.

Rook se redressa.

— C'est ce privé qui en pince pour toi, non ?

— Bref, pour me rendre service, il a fouillé dans ses archives et retrouvé plusieurs photos qu'il avait prises pendant qu'il filait ma mère. Il suggère de déjeuner ensemble.

— Je croyais qu'on avait réunion à la brigade dans une heure au sujet de notre ami Crousti. Paix à son âme, s'empressa-t-il d'ajouter.

Heat tambourina du bout des doigts sur le volant. Se sentant une fois de plus happée par les exigences du train-train quotidien, elle se livra à un rapide calcul.

— On n'a qu'à lui proposer de manger sur le pouce.

— D'accord, mais si on pouvait éviter la pizza…, fit Rook en jetant un regard en coin aux lieux du crime.

***

Puisque Heat et Rook n'avaient pas le temps de passer deux heures à faire la causette au restaurant, Joe Flynn avait organisé un buffet dans la salle de conférences de Quantum Retrieval, le siège de sa grande agence installé au sommet du très sélect immeuble Sole. Chez le traiteur, il avait commandé un plateau de charcuterie, et on lui avait livré une appétissante sélection de jambons crus, accompagnée de tranches de rosbif et de fromages doux, avec moutarde à l'ancienne et mayonnaise aux fines herbes. Ils déclinèrent les bières artisanales mises au frais dans des seaux remplis de glace pilée et optèrent pour l'eau de source de Saratoga, que leur hôte servit lui-même.

— Vous êtes bien loin de chez vous, Joe, fit remarquer Rook en mâchonnant un cornichon, debout devant l'immense baie vitrée surplombant Manhattan.

— Vous parlez des adultères commis dans des motels à trois cents dollars la journée ?

Il vint se joindre à Rook pour admirer cette belle journée de printemps.

— J'avoue que le recouvrement d'œuvres d'art a mis du

beurre dans mes épinards. Et fini le sentiment de me salir les mains en encaissant mes honoraires.

Avant son ascension parmi l'élite – au propre comme au figuré –, Joe Flynn avait été chargé par le père de Nikki de suivre sa mère. Inquiet de voir sa femme mener une vie de plus en plus secrète, Jeffrey Heat avait engagé le privé en 1999 parce qu'il soupçonnait Cynthia d'entretenir une liaison. L'enquête n'avait nullement prouvé qu'elle était infidèle ; en revanche, les photos prises par Flynn au cours de ses filatures pouvaient se révéler utiles pour retrouver Tyler Wynn. Au moment où Nikki se glissait près d'eux, aimantée par la vue sur l'Empire State Building avec, au loin, entre les gratte-ciel, une partie de Staten Island, Rook reçut un appel sur son téléphone portable et sortit pour répondre.

— En voilà un qui a bien de la chance, affirma Joe Flynn dès que la porte fut refermée.

Nikki se retourna et le surprit qui la regardait comme un candidat de l'émission *Un trésor dans votre maison* attendant le verdict de l'expert. Nikki souhaita que son portable sonne à son tour. À défaut, elle aborda le sujet qui l'amenait.

— C'est gentil à vous d'avoir cherché ces photos.

— Mais de rien.

Flynn sortit une clé USB de sa poche et joua un instant avec, sans provocation mais sans la lui remettre.

— J'ai cherché le couple dont vous m'avez envoyé les photos la semaine dernière, dit-il en référence aux portraits de Wynn et de sa complice, Salena Kaye, que Nikki lui avait transmis. Je n'ai rien trouvé ici.

Puis, il lui adressa de nouveau un large sourire.

— Votre mère était une très belle femme.

— C'est vrai.

— Comme sa fille.

— Merci, répondit-elle de manière aussi neutre que possible.

Il finit par comprendre et lui tendit la clé USB.

— Je peux savoir qui sont ces deux-là.

— Désolée, mais c'est confidentiel. Affaire de police.

— Ne me jetez pas la pierre. La curiosité fait partie du boulot, n'est-ce pas ? Chassez le naturel…

Ça, Nikki ne le comprenait que trop bien.

Plus qu'une piste pour retrouver Tyler Wynn et Salena Kaye, elle espérait que ces photos lui apporteraient un indice pour résoudre l'énigme dont elle gardait le secret.

Quelques semaines auparavant, Nikki était tombée par hasard sur une série de curieuses annotations portées au crayon par sa mère sur une partition. Elle était convaincue qu'il s'agissait d'un message codé. Les points, les lignes et les gribouillis ne correspondaient en rien à ce qu'elle connaissait. Sur Internet, elle avait fait des recherches sur le morse, les hiéroglyphes égyptiens, l'alphabet maya, même les graffitis urbains… Sans succès. Par souci d'objectivité, elle était allée jusqu'à envisager la possibilité que ces symboles ne soient qu'une forme abrégée de notation musicale. Mais cela avait également abouti à une impasse.

Il lui fallait absolument déchiffrer ce code. Néanmoins, compte tenu de son caractère sensible – il était peut-être le mobile du meurtre de sa mère –, Heat savait qu'elle ne devait en parler à personne. Elle avait bien envisagé de mettre Rook au courant, car, connaissant son imagination débordante et son penchant pour les théories conspirationnistes, il se serait jeté corps et âme dans le décryptage du message. Toutefois, il lui avait semblé préférable de n'en rien dire pour le moment. C'était un secret par trop dangereux. À l'issue du rendez-vous, Heat signa le registre au bureau de la sécurité dans le hall, puis elle s'avança vers la sortie donnant sur la 6ᵉ Avenue, mais sentit Rook traîner la jambe.

— Changement de plan, annonça-t-il. Au téléphone, c'était Jeanne Callow. Tu sais, mon agent ?

— La bombe au maquillage outrancier un peu trop portée sur la muscu, l'Infatigable Jeanne, tu veux dire ?

L'ironie le fit sourire, mais il poursuivit :

— Exactement. Bref, je vais la rejoindre à son bureau, sur la 5ᵉ Avenue, pour organiser la publicité de mon nouvel article.

Malgré la sensation familière qui lui nouait l'estomac, Nikki sourit.

— Pas de problème, dit-elle.

— On se retrouve chez toi ce soir ?

— Bien sûr. On regardera ces photos ?

— Euh, oui. Pourquoi pas ?

Heat retourna seule au poste, confortée dans l'idée de ne pas révéler à Rook l'existence du code.

***

De son bureau, Nikki jeta un regard tendu vers la salle de briefing et, une fois de plus, se sentit déchirée entre sa grande affaire et l'autre homicide. L'équipe qu'elle avait réunie pour élucider le meurtre de Conklin poireautait parce qu'elle était en retard à sa propre réunion. Dans sa quête désespérée d'une piste menant à Tyler Wynn, Heat crut avoir le temps de passer ce coup de fil avant de faire son topo, mais elle se heurta au barrage de la secrétaire.

— C'est la quatrième fois que j'essaie de joindre monsieur Kuzbari, souligna-t-elle en s'efforçant de ne pas laisser transparaître son exaspération. Il est au courant qu'il s'agit d'une enquête officielle de la police de New York ?

Fariq Kuzbari, l'attaché à la sécurité de la mission syrienne à l'ONU, faisait partie des anciens clients de sa mère. Il l'avait engagée pour des leçons de piano.

Plusieurs semaines auparavant, Heat avait déjà tenté de l'interroger, mais ses hommes de main l'avaient rabrouée. Pas question d'abandonner pour autant. L'espion Fariq Kuzbari pouvait apporter un éclairage intéressant sur un ennemi comme Tyler Wynn.

— Monsieur Kuzbari est à l'étranger pour une durée indéterminée. Je peux prendre un message ?

Nikki aurait volontiers fracassé son téléphone sur son bureau et crié sans plus de diplomatie.

— Oui, s'il vous plaît, répondit-elle toutefois après avoir compté jusqu'à trois dans sa tête.

Après avoir raccroché, l'inspecteur Heat surprit quelques regards nerveux parmi les membres de la brigade. Tout en se dirigeant vers le fond de la pièce, elle se mit à réfléchir à l'excuse qu'elle allait pouvoir leur présenter pour les avoir fait attendre. Le temps qu'elle arrive, cependant, au tableau blanc et se tourne pour leur faire face, elle avait décidé que l'appel et son retard étaient une affaire de police.

Au diable John Lennon, se dit-elle. Et, en chef de la brigade criminelle, elle prit les rênes :

— Bon, alors, voici Roy Conklin, un homme de quarante-deux ans…, commença-t-elle en reprenant les premiers éléments découverts sur le lieu du crime.

Après avoir accroché des gros plans de la photo d'identité de la victime ainsi qu'un portrait en couleurs, récupéré sur le site Internet des services d'hygiène de la ville, elle poursuivit :

— Cette mort a pris un tour pour le moins inattendu. À commencer par l'état du corps et l'endroit où on l'a retrouvé. Ce n'est pas tous les jours qu'on voit un four à pizza impliqué dans un homicide.

L'inspecteur Rhymer leva la main.

— Sait-on déjà s'il a été tué dedans ou si le four a simplement servi à se débarrasser du corps ?

— Bonne question, commenta Heat. L'institut médico-légal n'a encore déterminé ni la cause ni l'heure de la mort.

— La légiste a néanmoins fait savoir qu'il y avait des traces de chloroforme sur le devant de la veste de la victime, déclara Ochoa.

Aussitôt, Heat tourna la tête dans sa direction. Elle l'ignorait. Lui revint alors à l'esprit l'appel de Lauren Parry qu'elle avait manqué pendant ses démêlés avec la mission syrienne. Le petit ami de la légiste lui adressa un signe de tête. Ochoa assurait ses arrières.

— Donc…, reprit vivement Nikki. Il est possible que monsieur Conklin ait été anesthésié sur les lieux du crime ou peut-être avant d'y être transporté. Tant qu'on ne connaît pas la cause de la mort, on ne saura pas s'il est entré dans le four mort ou vif. S'il était vivant, prions seulement qu'il ait été totalement inconscient.

Le silence s'installa tandis que les enquêteurs songeaient aux derniers instants de Roy Conklin.

— Autre bizarrerie, reprit-elle : des objets non consumés se trouvaient sur et à proximité du corps.

Elle précisa, tout en affichant au tableau les photos prises par les techniciens de la brigade scientifique :

— Le cordon et le badge autour du cou, le manteau plié, la spirale de fil rouge et le rat crevé – cru – à côté. Le moins que laisse penser ce curieux modus operandi, c'est qu'on a affaire à un meurtre pervers, à une vengeance ou à un message. N'oublions pas que nous avons un inspecteur de l'hygiène dans un restaurant, potentiellement tué par un élément de son équipement de cuisson ; la présence du rat et la préservation du badge signifient forcément quelque chose. À nous de trouver quoi.

D'après le rapport d'Ochoa, les policiers en tenue n'avaient trouvé aucun témoin dans le quartier, et sa visite chez Conklin n'avait révélé aucun signe de lutte, de cambriolage ou autre. Au dire du concierge, la femme de Conklin était en déplacement professionnel ; il avait un numéro de portable. Raley, qui avait repéré une demi-douzaine de caméras de surveillance dans les environs, allait procéder au visionnage des vidéos. Feller, de retour des services de la ville, avait parlé au supérieur de Conklin, qui lui avait décrit un employé modèle, « motivé » et « dévoué », « un de ces rares types ne vivant que pour son travail sans jamais partir en congé », pour reprendre ses termes.

— Que cela ne nous empêche pas de creuser un peu, tempéra Heat.

Puis, elle chargea Rhymer de voir s'il n'y avait pas d'éventuelles anomalies dans les relevés bancaires du mort, quoi que ce soit correspondant à des pots-de-vin, des vacances prolongées ou un niveau de vie supérieur à ses moyens.

— Feller, interrogez ses collègues pour savoir si des établissements contrôlés par ses soins se sont plaints à son sujet. Raley, outre vos visionnages, voyez avec Miguel les restaurants et les bars figurant sur la liste de Conklin. Renseignez-vous sur ses habitudes, ses vices, ses ennemis… Vous connaissez la chanson. Je vais passer un coup de fil à sa femme pour essayer de la rencontrer dans la matinée.

Une fois revenue à son bureau, Nikki fixa le morceau de papier sur lequel figuraient le nom d'Olivia Conklin et son numéro de portable.

Elle posa la main sur le téléphone, mais, avant de soulever le combiné, elle marqua une pause. Dix secondes de recueillement pour le mort. Dix secondes, pas plus.

***

De retour chez elle, elle trouva Rook en train de retirer l'armature de fer du bouchon d'une bouteille de Louis Roederer envoyée par le magazine *First Press* pour le remercier de sa contribution au lancement de son site Internet.

— Après une journée pareille, Nikki, ce qui me ferait vraiment plaisir, ce serait de sabrer le champagne. J'ai toujours eu envie d'essayer. Tu n'aurais pas un sabre, par hasard ?

— Tu ne m'as pas raconté ta petite sauterie, fit remarquer Nikki tandis qu'il remplissait leurs flûtes. Je n'ai vu que les paillettes sur ton épaule.

— J'avoue que je me suis bien amusé. Évidemment, j'ai prétendu m'ennuyer à mourir, mais si tu veux savoir, c'était super. On était tous sur le trottoir de Broadway, derrière un cordon en velours rouge, face aux studios de *Good Morning America*. Moi, le maire, Green Day, les huiles du magazine…

— Une minute. Il y avait Green Day ?

— Ben, pas tous les membres du groupe. Seulement Billie Joe Armstrong. Comme la reprise en comédie musicale d'*American Idiot* démarre cette semaine au St. James, il y avait ses larbins des relations publiques aussi. Bref, arrive le moment où la rédactrice en chef, Elisabeth Dyssegaard,

me présente. Les caméras tournent, les appareils photo cré-
pitent et j'appuie sur un énorme bouton rouge.

— Comme celui qui fait descendre la boule au Nouvel
An ?

— Euh…, plutôt comme celui qui dit : FACILE[1] ! Mais le
but du jeu était surtout de faire en sorte que je sois le premier à « presser » le bouton pour poster le premier article
sur *First Press.com*.

— Bien vu.

Il leva son verre.

— À « Heat se livre ».

Le titre de l'article donna subitement la boule au ventre à
Nikki ; cependant, elle trinqua avec le sourire, puis but une
gorgée de Cristal.

Tout en savourant les sushis qu'ils s'étaient fait livrer,
Rook continua de lui raconter combien de visites sur le site
son article avait déjà suscitées, puis il l'interrogea sur le
meurtre à la pizzeria. Nikki lui fit un point rapide sur la
situation avant d'abandonner le sujet pour évacuer la frustration de ne pas parvenir à joindre Fariq Kuzbari.

— Il est peut-être réellement à l'étranger, argua Rook.
D'après mes amis correspondants, ça bouge en Égypte et
en Tunisie. Kuzbari a sans doute été rappelé en Syrie parce
que les pitbulls de la sécurité dans son genre ont toujours
du pain sur la planche. Tant de gens à torturer et si peu de
temps devant soi…

Elle posa ses baguettes et s'essuya la bouche.

— En dehors de Kuzbari, il reste encore deux personnes
espionnées par ma mère sur lesquelles je n'ai pas encore
réussi à mettre la main. L'un participe à un concours avec
ses chiens dans un autre État, l'autre s'est retranché derrière
son avocate. Un vrai pitbull, justement !

— Tu veux faire d'une pierre deux coups ? Envoie cette
avocate faire échange avec Kuzbari. Comme ça, pendant

---

1. Gadget. Il s'agit d'un gros bouton rouge marqué *EASY* ; lorsqu'on l'enfonce, une voix
d'homme enregistrée dit : « *That was easy.* » (Toutes les notes sont de la traductrice.)

qu'elle leur met la pâtée en Syrie, tu pourras en interroger deux.

— Ravie de voir que tout cela t'amuse, Rook.

Heat repoussa son assiette.

— J'essaie juste de coincer celui qui a donné l'ordre d'exécuter ma mère, d'accord ?

Il abandonna son large sourire pour répondre, mais elle ne lui céda pas la parole.

— Et si Tyler Wynn a voulu aussi me faire descendre dans le métro, c'est soit que ce sale connard a encore quelque chose à cacher, soit qu'il se trame quelque chose. Alors, si tu considères que je ne me suis confiée à toi que pour ton plaisir et ton précieux article, tu peux t'amuser sans moi.

Sur ce, le laissant blêmir à table, elle claqua la porte de la chambre avec violence dans l'espoir de lui provoquer une crise cardiaque. Lorsqu'il vint la rejoindre dix minutes plus tard, elle ne releva pas la tête de l'oreiller.

Sans allumer, il s'assit à côté d'elle sur le lit et lui parla doucement dans le noir.

— Nikki, si je croyais une seconde que Tyler Wynn représentait une menace pour toi, je laisserais tout tomber illico pour te protéger. Et je remuerais ciel et terre pour le retrouver. Mais il faut bien admettre qu'il a eu ce qu'il voulait en faisant main basse sur la sacoche que tu avais retrouvée dans cette station fantôme[1]. Crois-moi, il ne doit plus vouloir qu'une chose : disparaître sans laisser de traces. Refaire surface pour te faire du mal ne ferait que l'exposer au danger. Et puis la Sécurité intérieure, le FBI et Interpol sont sur le coup. Laisse-les s'occuper de tout ça ; ce sont eux les experts. Désolé pour ma grande gueule. Loin de moi l'idée de prendre tout ça à la légère ou de vouloir te blesser, je t'assure.

Le silence persista quelques instants. Puis Nikki s'assit sur son séant et, dans la pâle lumière provenant du salon, elle vit briller une larme sous l'un de ses yeux. Elle l'essuya avec douceur et le prit dans ses bras. Le moment s'étira, hors du temps.

---

1. Voir *Cœur de glace.*

Enfin, lorsque le silence eut fait son œuvre, il reprit la parole :

— Tu as dit « connard ». C'est vrai, tu as traité Tyler Wynn de sale connard.

— C'était sous le coup de la colère.

— Toi qui ne dis jamais de gros mots. Enfin, presque jamais.

— Je sais. Sauf quand on…

Elle n'acheva pas sa phrase ; le feu lui montait déjà au visage. L'oreille collée dans son cou, elle perçut l'accélération du pouls de Rook. Dans un parfait ensemble, ils se tournèrent alors l'un vers l'autre et échangèrent un baiser.

Tendre au début. Goûtant la fragilité sur les lèvres de Nikki, il pressait sa bouche contre la sienne en douceur. Mais rapidement leurs souffles se mêlèrent, leurs cœurs battirent à l'unisson et, succombant au désir, elle l'attira tout contre elle. Rook se cambra, Nikki lui saisit les fesses à pleines mains pour que leurs corps s'épousent plus encore.

Puis, elle glissa du bout des doigts vers le creux de ses hanches, sentit sa paume s'emplir de lui. La main de Rook se fraya un chemin à son tour et, dans un gémissement, Nikki laissa son corps s'abandonner aux caresses.

Plus tard, après un petit somme dans les bras l'un de l'autre, il s'éclipsa, lui offrant une vue de choix sur son magnifique postérieur, et revint avec deux flûtes de Cristal qu'ils dégustèrent au lit, blottis l'un contre l'autre. Le champagne avait conservé toutes ses bulles, et sa vigueur leur raviva les papilles.

— Je n'arrête pas de repenser à l'enfer que tu vis depuis dix ans, déclara Rook.

— Un peu plus que ça, même.

— Tu sais de quoi j'ai hâte ? Il me tarde que toute cette affaire avec Tyler Wynn soit résolue, qu'on puisse partir quelque part. Rien que nous deux, avec rien d'autre à faire que dormir, faire l'amour, dormir, faire l'amour et ainsi de suite… Tu vois ce que je veux dire ?

— Très bien, Rook.

— Se la couler douce avec pour seules contraintes quelques séances de paresse sur le sable blanc, un cocktail dans une main et un bon Janet Evanovich dans l'autre.

— Et refaire l'amour encore et encore ?

— Ça, tu peux compter sur moi.

— Maintenant, je veux dire, corrigea-t-elle en posant leurs verres sur la table de chevet.

***

Réveillée par un coup de tonnerre au loin, Nikki écarta le rideau et constata par la fenêtre que les rues éclairées par les réverbères de Gramercy Park n'étaient pas mouillées. Soudain, le ciel bas rosit à la lueur d'un éclair à l'est, au-delà de Long Island.

Après avoir enfilé un peignoir, elle prit place sur le canapé et cala son ordinateur portable sur ses cuisses repliées en tailleur. Arrivée sur *FirstPress.com*, elle faillit s'étrangler en se découvrant nez à nez avec son propre portrait affiché sous le titre : « Heat se livre. »

Le cliché avait été pris sur le vif à sa sortie du poste de police, après le calvaire qu'elle avait vécu dans le métro, le soir où elle avait arrêté Petar. La fatigue se peignait sur son visage dur et grave. Jamais Heat n'avait apprécié de se voir en photo ; toutefois, celle-là lui paraissait moins pire que celles pour lesquelles on l'avait forcée à poser à l'occasion du premier reportage de Rook.

Elle parcourut l'article des yeux, non pas pour le lire – c'était chose faite depuis longtemps –, mais pour digérer le fait qu'il était bien réel.

Certains génies surgissent lorsqu'on frotte une lampe, d'autres lorsqu'on débouche le champagne. Quoi qu'il en soit, c'était maintenant publié ; il ne lui restait plus qu'à espérer que cela ne nuise pas à son affaire.

Nikki Heat devait se préparer à faire de nouveau face à la notoriété. Et à l'irritation suscitée par les libertés que Rook s'autorisait comme celle de révéler certaines des expressions qu'elle utilisait dans son travail, dont « chercher la chaussette dépareillée » ou « examiner une scène de crime avec les yeux d'un bleu ». Néanmoins, si ce n'était que cela, elle y parviendrait.

Le lendemain matin, pour se remettre de sa nuit passée à ruminer, Nikki s'arrêta au Starbucks de son quartier sur le trajet du métro. Avant, jamais elle ne s'offrait de café valant le prix d'un ticket de cinéma. Maudit Rook. C'était à cause de lui qu'elle avait pris cette mauvaise habitude.

Au point que, lorsqu'il avait équipé la brigade d'une machine à capsules, elle avait appris à maîtriser l'appareil pour se servir un expresso en vingt-cinq secondes.

Au moment de passer commande, elle eut l'inexplicable plaisir d'entendre le caissier relayer : « Un grand crème à la vanille, sans sucre et avec un nuage de lait pour Nikki » au serveur qui actionnait le percolateur. Ce sont ces petits détails qui vous rappellent que « Dieu est dans le ciel, tout va bien dans le monde[1] ».

En balayant la salle du regard, elle surprit celui d'un jeune d'une vingtaine d'années, en costume, posé sur elle. Il se reporta sur son iPad avant de revenir sur elle. Il sourit et leva son gobelet dans sa direction pour lui porter un toast. Et c'est parti, se dit-elle.

Au comptoir, on annonça : « Un grand crème pour Nikki », mais, alors qu'elle s'avançait pour prendre sa commande, le jeune en costume lui barra le passage, brandissant l'iPad sur lequel son visage apparaissait en gros plan.

— Inspecteur Heat, vous êtes géniale.

Son sourire faisait naître deux fossettes au creux de ses joues.

— Oh ! Euh, merci.

Nikki fit un pas en arrière, mais son admirateur béat ne la lâchait pas d'une semelle.

— Je n'en reviens pas. Vous, en personne. J'ai lu cet

_____

1. Vers du poète anglais Robert Browning utilisé comme slogan par l'agence gouvernementale NERV dans l'*anime Neon Genesis Evangelion*.

article deux fois hier soir… Mince alors, vous voulez bien m'accorder un autographe ?

Novice en la matière, elle accepta pour s'en débarrasser. Il lui tendit un stylo qu'il avait sans doute reçu en cadeau le jour de son diplôme, mais, avant qu'elle ne puisse s'en saisir, une chaise en bois bascula et fit sursauter tout le monde.

À l'autre bout de la salle, près du comptoir de remise des commandes, un sans-abri avait titubé. Il s'effondra au sol où il se cabra, cognant violemment des jambes contre la chaise renversée. Stupéfaits, les clients fuirent leurs tables pour se mettre en retrait.

— Appelez les secours ! lança Heat au serveur avant de se précipiter vers l'homme.

Au moment où elle s'agenouillait près de lui, les convulsions cessèrent et un cri fusa derrière elle, car du sang lui coulait par la bouche et le nez. Il se mêla au vomi et au café renversé par terre. Le regard du sans-abri se figea dans le vide, et une odeur pestilentielle caractéristique se répandit au relâchement de ses sphincters.

Elle lui palpa le cou à la recherche d'un pouls, mais en vain. Lorsqu'elle retira sa main, la tête du mort roula sur le côté, et Nikki aperçut une chose qu'elle n'avait vue qu'une fois dans sa vie, le soir où Petar avait été empoisonné en garde à vue : sa langue pendait et elle était noire.

Son regard se posa alors sur le gobelet renversé par terre à côté de lui. Il y était inscrit NIKKI au crayon gras. Elle se releva pour scruter la foule. Et là, près de la porte d'entrée, elle reconnut un visage familier.

Salena Kaye croisa son regard, puis déguerpit.

DEUX

— **P**olice, tout le monde dehors ! cria Nikki en se ruant vers la sortie.

Rares semblaient les clients désireux de s'approcher du corps ; toutefois, la présence de poison inquiétait l'enquêtrice, qui souhaitait par ailleurs éviter toute contamination des lieux du crime. Elle ouvrit la porte d'un coup sec.

— Informez mes collègues que j'ai pris en chasse le suspect d'un homicide ! lança-t-elle au serveur qui tenait le téléphone.

Heat se colla contre le mur de l'entrée, puis risqua un œil sur le trottoir pour s'assurer qu'on ne lui tendait pas d'embuscade. Là-bas, Salena Kaye se frayait un chemin parmi les piétons. Elle se lança à sa poursuite.

Pas une fois Kaye ne se retourna. Elle fonçait droit devant elle, concentrée sur sa course. Et vite. Nikki balaya vivement des yeux la 23ᵉ Rue dans l'espoir d'y apercevoir une voiture de patrouille. Durant ce quart de seconde, elle buta contre deux adolescents s'amusant à se faire des dents de vampire avec les torsades de réglisse rouge qu'ils venaient d'acheter à l'épicerie. Personne ne trébucha dans la bousculade, mais, le temps que Heat se dégage, Salena refermait déjà la portière arrière d'un taxi.

Le véhicule était trop loin pour pouvoir lire sa plaque d'immatriculation ou son numéro. Heat mémorisa son pare-chocs endommagé et la publicité pour un club de strip-tease sur son toit dans l'espoir de le retrouver parmi le flot de ses congénères qui déferlaient dans les rues à l'heure de pointe.

Postée au beau milieu de la rue, elle brandit sa plaque pour arrêter les automobilistes. Un taxi en fin de service klaxonna et accéléra pour la dépasser tandis qu'une Camry verte s'arrêtait dans un crissement de pneus juste un peu plus loin. Nikki courut jusqu'à la Toyota et ouvrit la portière du conducteur. Le vieil homme la regardait d'un air ébahi derrière d'épaisses lunettes d'un autre âge.

— Police. J'ai besoin de votre voiture, s'il vous plaît. C'est urgent.

Sans un mot, le type descendit bouche bée du véhicule. Heat le remercia, s'installa au volant et prit note de la présence de la vieille dame ratatinée sur le siège passager avant d'enfoncer l'accélérateur.

— Cramponnez-vous, prévint Nikki qui vira brusquement à gauche dans la 1re Avenue.

Ayant brièvement aperçu le « XXX » du cône publicitaire, elle balayait l'avenue remplie de taxis devant elle afin de le repérer de nouveau. Sans piper mot, sa passagère s'agrippait fermement au tableau de bord de ses mains déformées par l'arthrose, la ceinture de sécurité bloquée contre sa poitrine. Devant, la vue en partie bouchée par une fourgonnette, Heat identifia le pare-chocs abîmé du taxi, puis le visage de Salena Kaye qui regardait par la lunette arrière. Nikki grilla le feu au carrefour de la 24e Rue.

— Ne vous inquiétez pas, j'ai l'habitude, rassura-t-elle la vieille dame avec calme.

La passagère ouvrit des yeux grands comme des soucoupes, mais acquiesça de la tête. La mamie était d'accord.

— Vous avez un téléphone ?

— Un modèle spécial senior, confirma-t-elle en brandissant un portable rouge. J'appelle les secours ?

— Oui, s'il vous plaît, s'efforça de répondre Heat sur un ton décontracté alors qu'elle braquait le volant et écrasait la pédale de frein.

D'un doigt noueux, la vieille dame pianota sur les grosses touches du clavier.

— Dites-leur qu'un policier a besoin d'aide.

Tandis que Heat se faufilait dans la circulation pour ne pas semer le taxi, sa passagère répétait les messages de Nikki à l'opératrice, lui demandant notamment d'envoyer par radio des voitures de patrouille devant afin de prendre la suspecte en sandwich.

— Vous vous débrouillez très bien, assura Heat lorsque sa compagne eut refermé son téléphone.

Elle tendit un bras protecteur vers elle.

— Tenez bon.

Juste après l'hôpital Bellevue, Salena Kaye sauta de son taxi et courut vers l'entrée des ambulances. Après avoir jeté un œil dans ses rétroviseurs, Heat vira brusquement à droite pour s'arrêter le long du trottoir.

— Ça va ?

— Au poil, répondit la mamie avec un hochement de tête.

L'inspecteur Heat bondit hors de la voiture et se lança à la poursuite de la suspecte.

Tout en courant, Nikki scruta la rangée d'ambulances garées devant l'entrée des urgences, elle vérifia à l'intérieur et entre chaque véhicule, mais il n'y avait aucune trace de Kaye. Elle s'enfonça alors dans le couloir, où elle ralentit pour regarder derrière les chariots de linge sale. Puis, en se retournant, elle repéra une silhouette qui franchissait le mur au fond du parking.

Kaye s'était servie d'une des civières de relevage empilées à côté des ambulances pour couvrir les barbelés. Heat l'imita, puis s'arrêta au sommet du mur pour situer la suspecte avant de sauter sur le trottoir.

Afin d'amortir le choc, elle se réceptionna sur genoux pliés, puis elle remonta la contre-allée entre le centre hospitalier et la voie rapide F. D. Roosevelt.

Devant elle s'étendait un trottoir en ligne droite. Et un tueur en cavale.

Salena Kaye connaissait son affaire. Néanmoins, si sa course en zigzag empêchait Heat de tirer à distance, elle la ralentissait. Nikki piqua donc un sprint à s'en déchirer les poumons.

À la 30ᵉ Rue, juste après la tente blanche abritant des dépouilles de victimes des attentats du 11 septembre, Heat sut qu'elle était suffisamment proche pour une tentative. Elle dégaina.

— Salena Kaye, arrêtez-vous ou je tire !

La suspecte s'immobilisa et se retourna, les mains en l'air. Cependant, deux aides-infirmiers sortaient de la morgue pour fumer une cigarette dans la cour de derrière.

— Reculez ! cria Heat.

L'homme et la femme se figèrent sur place, lui bloquant la vue. Kaye en profita pour s'éclipser. Elle traversa la circulation et courut jusqu'à un parking couvert de l'autre côté de la rue.

L'arme au poing, dirigée vers les poutres métalliques vertes au plafond du garage, Nikki Heat s'avança à pas de loup dans la pénombre, scrutant le moindre recoin, à l'écoute du moindre bruit qui trahirait la présence de Salena malgré celui de la circulation sur la voie rapide au-dessus de sa tête. L'enquêtrice s'accroupit pour vérifier sous les voitures, mais se salit les mains pour rien.

Alors, elle se redressa et resta immobile un instant. Juste pour écouter.

Elle ne vit pas venir le coup. Salena Kaye lui sauta dessus par surprise en se laissant tomber d'une des poutres du plafond.

Sachant qu'au combat rapproché, mieux valait ne pas rester à terre, Nikki repoussa Kaye et bondit sur ses pieds, puis braqua son Sig Sauer sur elle alors qu'elle était encore étendue sur le béton.

Toutefois, Salena ne manquait pas d'expérience non plus. D'un ciseau de la jambe droite, elle eut tôt fait de frapper Nikki au poignet avec le cou-de-pied. La main engourdie par l'impact, juste sur le nerf, lâcha l'arme qui rebondit sur un pneu de voiture et tournoya avant de s'immobiliser.

Kaye se releva d'un agile saut carpé et revint sur Heat à qui elle décocha deux rapides coups de poing de chaque côté de la tête. Nikki sentit sa vision se troubler et ses genoux flageoler, mais elle réussit à ne pas s'évanouir.

Au moment où elle reprenait ses esprits, elle vit Salena sur le point de saisir son arme. D'un coup de pied dans les côtes, Heat lui fit abandonner ce projet.

Cependant, la meurtrière prit de nouveau Nikki au dépourvu avec une clé de jambes – une prise de soumission que Heat pratiquait souvent à l'entraînement de jiu-jitsu, sauf que là, c'était son genou que Kaye coinçait douloureusement en hyper extension.

Dans l'incapacité de faire un autre mouvement, elle tendit le bras vers la forme sombre de son Sig Sauer sur le ciment. Voulant la retourner vers elle, Kaye relâcha un instant la pression sur ses jambes, et Nikki en profita pour se tortiller et se libérer.

Elle se jeta sur son adversaire pour la rouer de coups sur les clavicules et dans le cou. Pour se défendre, Salena Kaye leva les deux genoux et fit culbuter Heat par-dessus elle. Nikki atterrit lourdement sur le dos, le souffle coupé.

— Hé ! Que se passe-t-il ? s'écria le vigile en sortant de sa loge.

Durant le quart de seconde que prit Salena pour évaluer la situation, Heat roula vers son arme. Elle se rua pour l'attraper par le canon. Lorsqu'elle se releva, prête à tirer, Salena Kaye avait depuis longtemps disparu.

Heat repartit à sa poursuite en boitant à cause de son genou. Malgré la douleur, elle se mit à courir et l'aperçut qui tournait à droite vers le fleuve, au niveau de la 34e Rue.

C'est alors que Nikki entendit l'hélicoptère.

En arrivant au carrefour, Heat sut qu'il était trop tard. À une centaine de mètres, un Sikorsky S-76 bleu marine attendait sur l'héliport, rotor tournant. L'une des portes était ouverte et le pilote, en chemisette blanche avec épaulettes, gisait sur le bitume sous Salena Kaye. Il se tenait le visage à deux mains, et du sang lui coulait entre les doigts.

Pour la seconde fois de la matinée, l'inspecteur Heat dégaina et intima à Salena Kaye l'ordre de ne plus bouger. Bien qu'elle ne pût certainement pas l'entendre avec le bruit du moteur, Kaye la vit. Après un regard appuyé, elle se tourna lentement avec arrogance, grimpa à bord du S-76 et en ferma la porte. Quelques secondes plus tard, alors que Heat arrivait sur le tarmac, l'hélicoptère se souleva à cinquante centimètres du sol, puis tourna sur son axe, son rotor arrière à moins d'un mètre de Nikki, qui se plaqua au sol. L'insolente vira de nouveau pour se présenter sur le flanc et adressa à Heat un doigt d'honneur. Alors seulement l'hélicoptère se déporta lentement et s'éloigna au-dessus de l'East River, faisant naître des cercles à la surface de l'eau.

Heat posa un genou à terre et prit appui avec le coude sur l'autre, afin d'ajuster son tir. Si elle vidait le chargeur de son Sig Sauer dans le moteur, songeait-elle, peut-être parviendrait-elle à lui faire prendre un bouillon. Elle visualisa le tir, puis hésita, car il lui vint à l'esprit qu'un passager innocent pouvait se trouver à bord.

Nikki rengaina son arme et appela l'unité aérienne de la police de New York ; le Sikorsky ne formait déjà plus qu'un point dans le ciel ensoleillé de Brooklyn.

∗∗∗

Jameson Rook arriva en hâte au commissariat de la vingtième circonscription et traversa la brigade criminelle à grands pas pour serrer Nikki dans ses bras.

— Bon sang, tu vas bien ?

L'inspecteur Heat balaya la salle de briefing d'un regard embarrassé.

— Très bien, répondit-elle sur un ton plus discret, lui suggérant de se modérer.

Lorsqu'ils eurent relâché leur étreinte, il lui proposa le gobelet qu'il tenait à la main.

— Je t'ai apporté un café tout frais.

— Merci, mais ça attendra.

— Dans ce cas, je vais le goûter pour toi.

En faisant tout un cinéma, il but une gorgée qu'il fit circuler maintes fois dans sa bouche avant de l'avaler, puis conclut par un claquement de langue et un « Ah ! » de satisfaction. Ensuite, il brandit le gobelet.

— Tu vois, aucun prob…

Les yeux soudain exorbités, il s'empoigna la gorge de sa main libre comme s'il s'étranglait. Comme elle le fixait d'un regard sans expression, il retrouva miraculeusement toutes ses facultés.

— J'arrive trop tôt ?

— Trop tard.

Nikki indiqua d'un geste les bureaux de la brigade sur chacun desquels trônait un grand gobelet marqué NIKKI.

— Ces idiots t'ont pris de vitesse.

— Ça fait une bonne demi-heure, mon pote, souligna Ochoa en s'approchant. Tu aurais dû voir Rhymer. Quand il a bu, il s'est effondré par terre en s'agitant dans tous les sens. Bien inspirée, cette mousse, ajouta-t-il en souriant.

— C'est quoi cet humour de flic ? fit Rook. C'est sinistre. Totalement déplacé. Effrayant.

Dès le premier jour où il était venu suivre Heat dans son travail, il avait découvert que les flics ne réagissent pas comme tout le monde à la tristesse et au stress.

Pour masquer leurs émotions, ils expriment l'inverse de ce qu'ils ressentent ; derrière toutes ces blagues et ces faux empoisonnements se cachait donc un message d'affection disant « Ça nous a fait peur que vous ayez failli mourir » ou « Ça nous touche ». Sans doute était-ce la raison pour laquelle on ne voyait jamais les Trois Stooges[1] s'embrasser non plus, se disait Rook.

Ochoa agita son calepin, rappelant qu'ils avaient du travail.

---

1. Groupe de comiques américains des années 1920 à 1970, dont l'humour s'appuie sur le vaudeville.

— Je viens d'avoir au téléphone une enquêtrice de la dix-septième, à Brooklyn. Elle est sur le terrain de base-ball de South Prospect Park où s'est posé votre hélico à Flatbush. Vous avez bien fait de ne pas tirer. Il y avait un passager à bord. Le PDG d'une grande marque de vêtements arrivait des Hamptons. Il n'a pas eu le temps de défaire sa ceinture de sécurité ; il s'est fait détourner à l'atterrissage.

— Techniquement, s'ils s'étaient posés, on devrait plutôt dire « pirater », non ? fit Rook. Continue, je t'en prie, ajouta-t-il sous leurs regards noirs.

— D'après le styliste, Kaye a appelé quelqu'un au téléphone pendant qu'ils survolaient le fleuve.

Sachant qu'il valait mieux ne pas faire durer le suspense, l'inspecteur Ochoa feuilleta ses notes pour retrouver la citation du témoin.

— Elle a dit : « Dragon, c'est moi », puis quelque chose qu'il n'a pas bien distingué, mais qui ressemblait à « coup foiré ». Ensuite, Kaye n'a plus rien dit, elle a juste écouté, puis raccroché. Cinq minutes plus tard, elle abandonnait l'appareil, rotors en marche, pour décamper vers l'est, à travers le champ de Mars désert.

— Je n'en reviens toujours pas, déclara Rook pendant qu'Ochoa repartait à son bureau. Dire que cette femme est venue me faire des massages chez moi. Sacrée masseuse, je dois dire.

Il marqua une pause, sourit bêtement en repensant à un détail intime, puis reprit son sérieux.

— Évidemment, ça gâche un peu le plaisir de savoir que ce n'était qu'une ruse pour poser des micros pour Tyler Wynn.

À la mention de ce nom, Heat tressaillit. Non seulement parce qu'il lui rappelait l'homme de la CIA qui était derrière le meurtre de sa mère, mais parce que ce traître avait manifestement des raisons de vouloir l'éliminer elle aussi puisqu'il avait envoyé sa complice empoisonner son café. Si elle parvenait à éviter de se faire tuer, Nikki découvrirait peut-être pourquoi. Cette heureuse pensée en tête, elle réunit sa brigade autour du tableau blanc.

— Inutile de vous asseoir, annonça-t-elle en inscrivant DRAGON au feutre rouge tout en haut. Apparemment, nous avons un nom de code pour le patron de Salena Kaye.

— Ce n'est pas Tyler Wynn ? demanda Rook.

— C'est ce qu'on supposait ; or il faut toujours se méfier des suppositions. Tu devrais le savoir maintenant.

Nikki se tourna alors vers l'inspecteur Hinesburg. Tablant sur le fait que Sharon ne pourrait saboter une tâche simple, elle la chargea de chercher ce nom et ses variantes dans la base de données centrale.

— Quand vous aurez terminé, voyez si vous trouvez quelque chose à la Sécurité intérieure, à Interpol ou à la DGSE, à Paris.

Elle demanda à l'inspecteur Rhymer de se renseigner auprès des opérateurs de téléphonie mobile pour savoir s'il leur était possible de repérer un numéro depuis l'une des antennes proches du fleuve au moment de l'appel passé par Salena Kaye. Heat pariait qu'elle s'était servie d'un portable jetable, mais il ne fallait rien négliger.

— C'est comme si c'était fait, acquiesça Rhymer, dit Opossum, avec un sourire aussi débonnaire que sa Virginie natale.

Ensuite, elle afficha un gros plan d'une vue aérienne du quartier où le Sikorsky avait atterri dans Brooklyn.

— La suspecte n'a sans doute pas eu le temps de s'organiser pour qu'on vienne la chercher. Et on sait à quel point il est difficile de trouver un taxi en banlieue, n'est-ce pas ? Mais, là, regardez.

Heat indiqua une station de métro sur le plan.

— Church Avenue se trouve sur son chemin. Raley, passez un coup de fil à l'Autorité des transports métropolitains. Récupérez les vidéos de surveillance pour voir si elle a pris le métro, et dans quelle direction. Ensuite, vous vérifierez aux points d'arrêt où elle est descendue.

En se retournant vers le plan fourni par Google Maps, Heat surprit Ochoa qui levait les yeux au ciel à l'adresse de son équipier.

— Un problème, messieurs ?

— Je sais bien que Raley est notre roi de tous les médias de surveillance et tout, fit Ochoa, mais on se disperse un peu. Il faudrait aussi qu'on retourne sur le terrain cuisiner les patrons de restaurant figurant sur la liste de Conklin.

— Eh bien, il vous faudra jongler, répliqua Heat. Comme nous tous.

Elle n'eut pas besoin d'aller plus loin. L'impact de ses paroles se lisait sur tous les visages.

Chaque enquêteur présent savait que non seulement leur chef de brigade jonglait avec ces deux affaires, mais qu'en outre quelqu'un cherchait à la tuer.

Une fois la réunion terminée, elle se demanda de nouveau quelle pouvait en être la raison. Heat n'avait pas encore la réponse, mais le fait qu'on ait tenté de l'assassiner le matin même indiquait bien une chose : il devait y avoir du nouveau dans le complot qui avait conduit au meurtre de sa mère onze ans auparavant. Sinon, on ne déploierait pas autant d'efforts pour la supprimer.

Sur le trajet pour City Island, où elle devait interroger la veuve de Roy Conklin avec Rook, Nikki se surprit à regarder beaucoup plus souvent que d'ordinaire dans ses rétroviseurs. Lorsqu'on sait qu'un professionnel veut vous faire la peau, mieux vaut se tenir sur ses gardes.

Heat était en danger et personne ne l'aurait blâmée de se mettre à l'abri. Le capitaine Irons s'inquiétait tellement de sa sécurité qu'il lui avait même offert de prendre un congé administratif ou des vacances, si elle le souhaitait. Nikki s'était empressée de décliner.

En tant que flic, jamais elle ne pourrait se cacher face au danger. C'était son boulot. Elle n'en demeurait pas moins un peu nerveuse. C'était normal, et plutôt sain.

Alors, Heat faisait ce qu'elle savait faire le mieux : elle compartimentait. L'expérience lui avait appris que la seule manière d'avancer était d'enfermer le fauve. Il lui fallait mettre sa peur en cage pour continuer. Avait-elle une alternative ? Se cloîtrer chez elle ? Courir se planquer ? Non, ce n'était pas son genre. Elle livrerait combat. Et en attendant, elle garderait un œil dans ses rétroviseurs.

Le téléphone sonna au moment où ils traversaient le pont de Pelham Bay, à l'endroit où la rivière Hutchinson sépare le dense quartier du Bronx des vastes étendues boisées entourant Turtle Cove. Nikki sortit le kit mains libres du videpoche de la portière et se fit aussitôt sermonner par son amie Lauren Parry.

— Dois-je te rappeler que je te zigouillerai si tu te fais tuer ?

— Non, tu me l'as assez répété ! s'esclaffa Heat.

— Et c'est grâce à ça que tu es encore parmi nous, plaisanta Lauren, avec une pointe d'inquiétude affectueuse dans la voix. Sache que je ne te lâcherai pas.

Après ces réprimandes, la légiste entama son compte rendu sur l'autopsie de Roy Conklin.

— Ce n'est pas forcément une bonne nouvelle, mais monsieur Conklin était décédé à son arrivée dans le four.

Nikki visualisa le corps. La cuisson à haute température.

— Alors, il n'a pas souffert ?

— J'en doute. C'est une balle de calibre .22 dans la nuque qui a causé sa mort.

Heat répondit à la mine interrogatrice de Rook en mimant du doigt un revolver tandis que la légiste poursuivait.

— Sur les lieux du crime, la blessure m'avait échappé à cause de l'état du corps et du faible calibre. J'ai trouvé la balle en ouvrant le corps. Elle est partie à la balistique.

— Et la victime de mon empoisonnement au Starbucks ?

— C'est le prochain sur ma liste.

— Il faudra comparer tes résultats avec ce qui a tué Petar, dit Nikki, n'oubliant pas la première victime de Salena Kaye.

— Ah, tu crois ? fit Lauren. Les autopsies, c'est mon rayon. Toi, occupe-toi de rester en vie.

***

Dans le salon d'un spacieux deux-pièces au décor marin, Heat et Rook attendaient patiemment qu'Olivia Conklin sèche ses larmes. Jamais plus la veuve de l'inspecteur de l'hygiène ne se sentirait comme avant dans cet appartement situé dans un bel immeuble au bardage gris et encadrements blancs, au bord de l'eau. Il jouxtait l'école de voile de City Island, dans le Bronx. Au loin, Long Island brillait dans le soleil printanier. La vue sur Great Neck que l'on découvrait du balcon devait être la même que celle contemplée par Gatsby le Magnifique lorsqu'il guettait la fameuse lumière verte sur la rive opposée de sa demeure.

Néanmoins, l'heure n'était ni à la clarté, ni à la beauté, ni à l'optimisme. Il aurait mieux valu qu'il pleuve.

Pour Olivia Conklin, qui n'avait pas encore quitté son tailleur froissé par sa nuit d'avion pour rentrer d'Orlando, où elle était en formation sur un logiciel, la seule consolation était que son mari avait été tué par balle. C'est grave de devoir se réjouir de pareille circonstance.

Même si Heat détestait cet aspect de son travail, elle y excellait. Ayant eu à vivre cette expérience elle-même, elle savait parfaitement l'effet que cela faisait. Aussi mena-t-elle l'interrogatoire en douceur, prête néanmoins à relever le moindre signe de culpabilité, de mensonge ou d'incohérence, car, malheureusement, les conjoints se révélaient souvent suspects. Avec délicatesse, elle la questionna sur leur couple, l'argent, les vices, la santé mentale et les éventuels signes d'infidélité de son mari.

— Roy n'avait qu'une maîtresse : son travail, affirma-t-elle. Il s'y dévouait entièrement. Je sais que, pour certains, les fonctionnaires sont des paresseux. Pas mon Roy. Jamais il n'oubliait le bureau une fois rentré à la maison. La santé publique, il en faisait une affaire personnelle. Il parlait toujours de « ses » restaurants et jamais il n'aurait supporté l'idée que quiconque soit malade après l'un de ses contrôles.

Tout cela concordait en effet avec les renseignements obtenus jusque-là par la brigade. Les finances de Roy Conklin correspondaient aux revenus de son grade. D'après les Gars, le milieu de la restauration s'accordait à le trouver dur mais droit. Ni sa femme ni ses collègues ne lui connaissaient d'ennemi, de comportement imprévisible ni de nouveau venu dans son entourage.

— Cela n'a aucun de sens, affirma Olivia Conklin.

Puis, la veuve posa la fameuse question, celle que Nikki retrouvait dans la bouche de toutes les personnes brutalement endeuillées et qui lui brisait tant le cœur. Ce mot qui la guidait tel un flambeau dans son travail : pourquoi ?

***

Tandis qu'elle et Rook regagnaient la voiture par le parking de l'école de voile, sur lequel était soigneusement remorquée toute une rangée de petits dériveurs, Nikki laissa vagabonder son regard sur l'eau miroitante. Elle s'imagina entendre le joli bruissement de la voile prenant le vent, puis tirer une bordée dans le détroit de Long Island.

Alors, visualisant Roy Conklin debout au même endroit le dernier jour de sa vie, elle se demanda s'il avait savouré la vue ou s'il avait eu le cœur trop lourd, par peur ou par culpabilité, à cause d'un horrible secret qu'il aurait caché à sa femme – un secret qui lui aurait valu la mort et qui la laissait là, à se poser des questions.

Mais peut-être le pauvre Roy n'avait-il rien vu venir non plus, songea Nikki. Cependant, la sonnerie de son téléphone retentit et elle se retrouva plongée dans son autre affaire. La voile allait devoir attendre ; pour l'instant, c'était retour au jonglage.

L'appel provenait de la police d'Hastings, un village pittoresque sur l'Hudson, à une demi-heure environ en amont de New York. Le poste ne comptait que deux enquêteurs avec lesquels Heat était régulièrement en contact, car ils devaient la prévenir dès qu'ils auraient des nouvelles concernant l'un de leurs concitoyens auquel elle désirait parler.

Vazha Nikoladze faisait partie des nombreuses personnes que l'inspecteur Heat faisait surveiller en raison de l'intérêt qu'elles présentaient pour l'enquête, sa mère ayant en effet donné des leçons de piano chez elles avant d'être tuée. Nikoladze, un biochimiste de renommée internationale, qui avait fui l'ancienne République soviétique de Géorgie, n'était plus suspect, mais, comme Tyler Wynn se servait de ces fameuses leçons pour ses rendez-vous d'espions, Nikki voulait savoir si le Géorgien avait récemment été en contact avec le fugitif de la CIA.

Toutefois, Nikoladze n'avait pas davantage répondu à ses appels que l'insaisissable attaché syrien des Nations unies ou les autres clients importants que l'enquêtrice avait essayé de joindre. Nikki se sentait donc frustrée par ces semaines passées à attendre un contact pouvant la mettre sur une piste.

Elle accordait à Nikoladze le bénéfice du doute, car il s'était montré avenant et coopératif lorsqu'elle lui avait rendu visite, avec Rook, trois semaines plus tôt. Depuis, Vazha était parti présenter ses précieuses bêtes à concours, des bergers du Caucase, aux quatre coins du pays.

Or l'enquêteur d'Hastings venait d'avertir sa collègue que le savant semblait rentré chez lui. Lessivée, mais déterminée à ne pas lâcher l'affaire, Heat décida d'oublier Conklin pour l'instant et prit la direction du nord pour rejoindre la Saw Mill Parkway. En s'engageant sur l'autoroute, elle entrevit une lueur d'espoir. Même si mieux valait ne pas se réjouir trop vite, peut-être allait-elle pouvoir enfin progresser après un mois ou presque de continuelles déceptions.

Quarante minutes plus tard, Vazha Nikoladze, occupé à nettoyer à la vapeur des tapis en caoutchouc devant son chenil, dans le pré derrière chez lui, leva les yeux et vit la voiture de police banalisée quitter la route à deux voies qui traversait ce coin de bois et de pâtures pour chevaux. Même de loin, le petit homme parut surpris d'entendre leurs pas sur le gravier de son parking. Lorsque Nikki et Rook s'avancèrent sur la vaste pelouse, les aboiements graves des bergers du Caucase résonnèrent à l'intérieur du long bâtiment annexe avant même que Nikki ne prenne la parole.

— Bonjour.

Au lieu de répondre, il sortit un balai d'un seau rempli d'eau savonneuse et le passa à la vapeur. Ses deux visiteurs patientèrent sans même essayer d'engager la conversation à cause du bruit. Lorsqu'il eut terminé, il coupa le jet, posa le balai contre le mur et mit les épais tapis de sol noirs à sécher au soleil sur la rambarde. Contrairement à la cordialité dont il avait fait preuve lors de leur précédente visite, Vazha ne semblait aucunement avoir envie de parler à l'inspecteur Heat ou à son journaliste d'équipier.

— J'ai le téléphone, vous savez.

Après plus de vingt ans aux États-Unis, il avait conservé un fort accent, de sorte qu'il paraissait toujours russe à Nikki.

— On passait dans le coin, fit Rook, qui s'attira un regard noir.

— Vous êtes venu chercher de la matière pour votre prochain article, Jameson ? Tout le monde aux États-Unis n'a peut-être pas envie de devenir célèbre, vous savez.

La dernière fois qu'ils étaient venus, le journaliste s'était bien entendu avec Vazha. Ils avaient échangé des anecdotes autour d'un rafraîchissement et il leur avait fait une démonstration d'obéissance avec l'un de ses plus beaux chiens.

Dans son reportage pour *FirstPress*, Rook n'avait ensuite que brièvement mentionné le biochimiste – deux lignes maximum, juste de quoi donner un peu de contexte à l'histoire sur la quête de Nikki concernant le tueur de sa mère. Manifestement, Vazha n'appréciait pas le coup de projecteur.

Heat n'y prêta pas attention ; elle le poussa illico dans ses retranchements.

— Nous sommes ici pour les suites d'une enquête de police officielle, monsieur Nikoladze. Et si je n'ai pas appelé d'abord, c'est parce que vous n'êtes pas très communicatif. Je vous ai laissé quantité de messages auxquels vous n'avez pas répondu. Alors, nous voilà, camarade.

Rook se détourna pour admirer la vue sur les falaises qui se dressaient derrière la ligne des arbres. Vazha abandonna sa tâche et croisa les bras.

— J'ai quelques photos à vous montrer, ajouta Heat.

— Oui, c'est ce que vous disiez dans l'un de vos sempiternels messages. Comme je vous l'ai dit la dernière fois, je ne connais pas ce Tyler Wynn.

— Permettez, fit Nikki en faisant défiler les images sur l'écran de son téléphone. J'aimerais que vous regardiez Tyler Wynn ainsi que cette femme, Salena Kaye, et cet homme, là, Petar Matic.

— Je ne peux pas vous aider, affirma-t-il en y jetant à peine un œil.

— Parce que vous ne les reconnaissez pas ou parce que vous ne pouvez pas m'aider ?

— Les deux.

Il la fixa d'un air à la fois résolu et irrité.

— Sachez qu'il m'est interdit de vous parler au risque de me faire expulser.

Rook se retourna et croisa le regard de Nikki. Le front baissé, elle fit un pas vers Vazha.

— Qui vous l'a interdit, monsieur Nikoladze ?

En entendant le nom, Nikki fulmina.

**

— Inspecteur Heat, police de New York, annonça-t-elle en montrant sa plaque. L'agent Callan nous attend.

L'agent d'accueil du bureau de la Sécurité intérieure à New York se racla la gorge de manière exagérée afin d'attirer l'attention de Rook qui contemplait le plafond. Depuis leur arrivée dans le hall de l'immense bâtiment gouvernemental situé dans Varick Street, il comptait les caméras.

— Oh ! Désolé. Jameson Rook, citoyen modèle.

Il tendit son permis de conduire et chuchota à l'oreille de Nikki.

— Il y a plus de caméras ici que de boules sur un sapin de Noël. Je parie cinq dollars que Jack Bauer est déjà au courant de notre présence.

— L'ascenseur est sur votre droite, indiqua l'agent en

leur tendant à chacun un badge avec leur photo à clipper sur leur veste.

Dessus, il était marqué 6ᴱ ÉTAGE ; pourtant, lorsqu'ils enfoncèrent le bouton correspondant dans l'ascenseur, les portes se refermèrent, la lumière baissa et ils se mirent à descendre.

— Un ascenseur non éclairé ! s'exclama Rook, désorienté.

Après un instant de surprise, il chercha à appuyer sur tous les boutons, en vain.

— Super, dit-il en renonçant à stopper leur descente.

Les portes s'ouvrirent sur un centre de commande high-tech aménagé au second sous-sol. Des dizaines de personnes en civil, mais aussi des militaires de tous horizons travaillaient à des ordinateurs ou devant des murs d'écrans géants. Ces écrans relayaient en direct les enregistrements de douzaines de caméras de surveillance ou affichaient des cartes des États-Unis illuminées, évoquant des jeux de points à relier.

Les deux agents en costume de couleur complémentaire qui les attendaient les escortèrent le long du mur du fond jusqu'à une salle de conférences, où l'agent spécial Bart Callan quitta sa place, au bout de la longue table déserte, pour venir les accueillir à la porte.

La dernière fois que Heat avait vu ce responsable, elle se serait crue dans un film d'espionnage des années 1960. Alors qu'elle déjeunait seule sur un banc dans un parc, l'agent Callan s'était brusquement matérialisé à côté d'elle et avait essayé de l'enrôler pour l'aider à traquer Tyler Wynn. Elle l'avait écouté avant de décliner son offre. Sans en être certaine, Nikki avait l'impression que Callan avait ensuite essayé d'aborder la chose de manière plus personnelle, en jouant sur la corde sensible de l'amitié..., voire plus si affinités. Heat avait déjà quelqu'un dans sa vie, mais surtout besoin de conserver son indépendance vis-à-vis des fédéraux. Sa manière d'enquêter ne se prêtait ni à la bureaucratie, ni aux manœuvres politiques, ni aux chinoiseries administratives. Et pourtant, à en juger par le sourire rayonnant qu'il lui adressait, l'agent Callan n'avait pas renoncé à Nikki.

— Que vois-je, l'inspecteur Heat ? Jamais je n'aurais cru vous voir descendre un jour ici.

La mine réjouie et le sourire radieux, Bart Callan tendit la main à Nikki. Lorsqu'elle la lui serra, il referma l'autre main sur la sienne, l'y laissant une seconde de trop pour un geste juste amical, ce qui la fit rougir. Puis, il se retourna :

— Salut, Rook, bienvenue au bunker.

— Merci. C'est sympa de venir ici de son propre chef.

Rook ne s'était pas encore remis de son « enlèvement » par la Sécurité intérieure. Quelques semaines plus tôt, alors qu'il rentrait de Paris avec Heat, un agent se faisant passer pour le chauffeur d'un service de limousines les avait conduits, portes verrouillées, dans un entrepôt vide près de l'autoroute de Long Island, où l'agent Callan les avait tous les deux interrogés sur le but de leur séjour en France.

Or voilà que Callan prenait Rook par les épaules pour le guider vers la « salle de crise ».

— Allons, ne me dites pas que vous m'en voulez encore pour notre petite conversation impromptue.

Soudain emporté par le caractère high-tech de la salle de conférences, avec sa table en acajou digne d'une cabine de pilotage et ses imposants écrans LED, Rook ne put se retenir :

— Pas si vous me laissez rencontrer le docteur Folamour ! s'exclama-t-il.

Le très sérieux agent le regarda d'un air ébahi avant de se tourner de nouveau vers Nikki.

— Asseyez-vous, je vous en prie.

Il indiquait les fauteuils en cuir à haut dossier, mais elle resta debout.

Callan flaira un problème.

— Très bien, ne vous asseyez pas…

— Vous avez interdit à mon témoin – quelqu'un qui présente un intérêt pour l'affaire de ma mère – de me parler. J'exige de savoir de quel droit vous vous mêlez de mon enquête.

Callan défit son nœud de cravate. Comme il avait déjà posé sa veste, Heat vit ses biceps se contracter sous ses manches de chemise.

— Nikki, ce devrait être *notre* enquête. Il vous suffit de vous joindre à nous.

— Je vous l'ai dit : je veux garder mon indépendance. Il est hors de question de laisser la grosse machine fédérale venir semer la pagaille dans mon affaire.

— Trop tard, fit une voix de femme.

Heat et Rook se tournèrent vers la porte. Leur nouvelle interlocutrice arrivait manifestement en terrain conquis, ce que confirma le brusque changement de ton de Callan.

— Nikki Heat, dit-il, soudain tendu, je vous présente…

— … agent Yardley Bell, Sécurité intérieure, coupa la belle brune en tailleur-pantalon noir.

Elle jaugea Heat d'un regard, puis la gratifia d'une ferme poignée de main. Alors seulement, elle se retourna vers Rook, dont la mine ne ressemblait à rien de ce que Heat lui connaissait.

— Redites-moi votre nom, s'il vous plaît ? demanda-t-il, à peine capable de dissimuler un sourire.

— Jameson Rook. Mince alors ! s'exclama-t-elle.

Tous deux se rapprochèrent pour se serrer la main, mais, à mi-chemin, ils optèrent pour l'accolade. Puis, à la grande surprise de Nikki – et de Rook –, Yardley Bell embrassa le journaliste. Pas sur la bouche, sur la joue, bien sûr, mais quand même. Heat oublia un instant ses griefs contre la Sécurité intérieure.

Yardley Bell recula, mais d'un pas seulement. Les deux mains toujours posées sur les épaules de Rook, elle s'esclaffa.

— Désolée. Ce n'est guère professionnel, n'est-ce pas ?

Rook en resta bouche bée, sans voix pour une fois. Puis Callan, Heat et Rook s'assirent. L'agent Bell choisit un endroit pour s'appuyer contre le mur derrière le fauteuil de Callan, qui présidait la longue table. Nikki prit note du message : le pouvoir était entre ses mains à elle.

— Inspecteur Heat, commença-t-elle, je suis venue de Washington pour travailler en liaison avec l'agent Callan, car nous souhaitons mettre un terme à cette malheureuse affaire, sur laquelle vous êtes tombée par hasard, concernant Tyler Wynn. J'ai bien conscience de l'aspect émotionnel que tout cela revêt pour vous et je vous présente mes plus sincères condoléances.

Elle marqua une brève pause avant de poursuivre :

— Toutefois, que les choses soient claires : il n'est pas question de vous laisser jouer les loups solitaires. Nous gérons beaucoup mieux la situation que vous ne pouvez l'imaginer, et notre stratégie d'ensemble ne vous concerne pas en tant que personne extérieure. Néanmoins, si vous vous reprenez et choisissez de vous joindre à nous, vous obtiendrez peut-être la réponse à votre question. Qu'en dites-vous ?

— Agent Bell, c'est ça ? fit Heat. Enchantée d'avoir fait votre connaissance, mais je crois que cette réunion est terminée. Agent Callan, merci pour la visite.

Elle se leva. Rook hésita un instant avant de la suivre. Ils avaient pratiquement franchi la porte lorsque Bell répondit.

— Ne voulez-vous donc pas en savoir plus sur l'appel de Salena Kaye dans l'hélicoptère ?

À son grand dam, Nikki s'immobilisa et se retourna. Un écran géant s'anima sur le mur, affichant un plan du sud de Manhattan et de Brooklyn et tout un tas de graphiques animés. Yardley Bell se posta sur le côté de l'écran tactile et fit glisser le plan du bout des doigts afin de zoomer sur l'East River. Des nombres se mirent à défiler dans un rectangle qui apparut en haut à droite, horodatant la recherche.

— Ceci a été enregistré au moment où Kaye vous a échappé en empruntant l'hélico de l'aviation civile.

Elle toucha une icône sur le côté, et des curseurs réticulés vert fluo surgirent au milieu du fleuve avec un clignotement régulier.

— Voici le parcours du signal du mobile de la suspecte se dirigeant vers le chantier naval de Brooklyn à quarante kilomètres-heure.

Un autre voyant s'alluma sur l'écran.

— Là nous avons l'antenne de Red Hook, où l'appel a été reçu. Comme vous pouvez le constater, le signal a été transmis via environ huit répéteurs situés dans le Queens, à Staten Island, à Brooklyn et ainsi de suite.

Bell s'effaça sur le côté tandis que les lumières s'allumaient et couraient sur l'écran comme dans un jeu vidéo de deuxième génération avant de s'éteindre.

— Cela nous indique quatre choses. Il ne s'agissait pas d'un téléphone jetable mais crypté. La transmission numérique sophistiquée était conçue pour être indétectable, puis imploser.

— Ça ne fait que trois, fit remarquer Heat.

— Oui, en effet. Quatrièmement : tout ça est bien trop gros pour vous. Soit vous vous joignez à nous et vous aurez accès à ce genre de moyens, soit vous la jouez solo et vous continuerez à tourner en rond.

Sentant qu'un point sensible avait été atteint, Bart Callan se leva pour intervenir.

— Cela n'a rien de personnel, affirma-t-il à Nikki, près de laquelle il se tenait, en lui adressant son plus beau sourire de conciliation, très chaleureux pour un militaire.

Il eut un effet apaisant. Heat freina son exaspération.

— Vous proposez quoi exactement ?

— Rien que des avantages. Nous avons l'infrastructure, l'équipe et l'expérience pour faire ce qu'il y a à faire. Ce que j'aimerais personnellement ?...

Il marqua une pause, puis mit sa paume sur sa poitrine.

— C'est que vous vous joigniez à nous et que vous partagiez avec nous vos idées et, franchement, vos compétences remarquables, inspecteur Heat.

Comme il soutenait son regard, Nikki sentit son cœur battre de nouveau un peu plus fort. Se demandant s'il s'en était aperçu, elle se retourna vers Rook. Puis elle porta les yeux vers la responsable qui semblait juste attendre la fin de l'échange, à l'autre bout de la pièce, et elle se demanda s'ils jouaient au duo gentil/méchant flics appliquant chacun sa méthode, douce pour l'un, agressive pour l'autre, ou si Yardley n'était qu'une emmerdeuse.

— C'est très aimable, Bart, répondit-elle avec un grand sourire également. J'avoue avoir changé d'avis. J'étais venue ici très énervée vous demander pourquoi vous veniez mettre le nez dans mon affaire, et maintenant...

Il la regarda l'air plein d'espoir.

— Et maintenant je vous demande une fois pour toutes de bien vouloir rester en dehors de mon enquête.

Callan insista pour raccompagner ses deux visiteurs. Il en profita pour proposer à Nikki de réfléchir au calme, puis de se revoir. Lorsque Heat et Rook descendirent dans le hall, il resta dans l'ascenseur et retint la porte de la main.

— Ne vous laissez pas rebuter par les manières brusques de l'agent Bell. J'ai moi-même dû mettre de l'eau dans mon vin. Et je peux vous dire que ça me les a carrément brisées menu de la voir débarquer ici.

— Ce n'est pas vous le plus gradé ?

— Si.

— On dirait pourtant que c'est vous qui êtes sous ses ordres, agent Callan, rétorqua Heat. Et vous voudriez que je m'implique dans ce dysfonctionnement politique ?

— Restons pros et passons outre ces conflits de territoire. L'agent Bell a de fabuleux états de service en matière de contre-espionnage. Vous n'avez qu'à demander à votre ami ici présent, asséna-t-il avec un relent d'animosité.

Ses sous-entendus firent détourner les yeux à Rook et déstabilisèrent Nikki, qui commença à s'interroger sur la nature des relations entre ce dernier et Yardley.

— Je n'ai toujours pas eu de réponse à ma question, rétorqua-t-elle cependant en se ressaisissant. Vazha Nikoladze.

— OK, ça, je vous l'accorde en gage de ma bonne foi, concéda Callan. Le Géorgien est un indic. Nous aimerions qu'il le reste.

Il lança un regard noir à Rook.

— Je poursuivrais volontiers, mais je n'ai aucune envie de retrouver mes propos cités dans les médias.

— Hé ! Enlever un journaliste et une enquêtrice de la police de New York sur l'autoroute, ça mérite tout un paragraphe ! s'exclama Rook.

Callan ne répondit pas. Il demanda à Nikki de réfléchir, puis relâcha la porte pour redescendre.

À peine remontée dans la voiture, Heat tomba sur le râble de son compagnon.

— Alors, je t'écoute. C'est qui, cette Yardley Bell ?

— Une force de la nature, hein ?

— Rook, elle t'a embrassé. J'écoute.

— On s'est rencontrés dans le Caucase il y a cinq ans, commença-t-il. À l'époque où mon reportage sur les rebelles tchétchènes commençait à faire du bruit.

— Tiens-t'en à Yardley Bell, tu veux bien ? Je sais tout ce qu'il y a à savoir sur ton reportage.

— OK. Donc, j'étais sur place, assis dans un café à côté de mon petit hôtel, je saisissais une dépêche sur mon ordinateur portable, quand cette femme est venue s'asseoir à ma table. Elle s'est présentée comme une réalisatrice travaillant pour la radio publique. Elle m'a dit que mes articles lui plaisaient et qu'elle aimerait me suivre pour faire du repérage. Après réflexion, je me suis dit pourquoi pas ?

— Parce qu'elle était sexy ?

— Parce que je passe pour un gogo à la radio. Et parce que, durant six semaines en compagnie des rebelles, je n'avais rencontré personne parlant anglais – et encore moins américain.

Puis, il haussa les épaules.

— Oui : en plus, elle était sexy, admit-il.

— Combien de temps t'a-t-il fallu pour comprendre qu'elle faisait partie de la CIA ?

— Je l'ai su le soir même. Je me suis réveillé et je l'ai surprise en train de fouiller dans mon ordinateur et mon Moleskine.

— Au beau milieu de la nuit, souligna Nikki.

— Oui.

— La première nuit.

— Voyons. Un mois et demi de solitude, une Américaine, sexy.

— Pigé.

— Mais j'ai quand même une éthique. Jamais je ne laisserais mon travail de journaliste servir de couverture à une espionne. Et je n'allais sûrement pas griller le peu de crédit que m'accordaient les seigneurs de guerre. Alors, je l'ai envoyée balader le lendemain. OK, bon, le lendemain soir, mais c'est tout.

Nikki bifurqua le long de l'Hudson en direction du nord.

— Sûrement, tiens ! s'écria-t-elle. Rook, toute la journée, on me ment en interrogatoire, alors, inutile d'essayer de m'entourlouper. Pas sur ce sujet.

— Laisse-moi terminer. Je croyais que c'était fini… jusqu'à ce que je me fasse kidnapper six mois plus tard sur un sentier de montagne par une faction dissidente qui m'accusait de travailler pour les Russes. Ils m'ont tabassé pendant une semaine au fond de leurs grottes. Et devine qui dirigeait la mission de secours qui m'a retrouvé ?

— La grande Susan Stamberg[1] en personne.

— Presque. Yardley est restée avec moi pendant ma convalescence à Athènes et j'ai fini par amener quelques affaires dans l'appartement qu'elle avait à Londres. Je te laisse imaginer le tableau : c'était très sympa, mais aussi très compliqué. Elle qui ne pouvait pas parler de son boulot et moi qui ne voulais pas parler du mien. On habitait sous le même toit, mais on voyageait tous les deux.

Ils s'arrêtèrent à un feu sur Columbus Circle, à quelques rues du poste.

— Je ne te mentirai pas : ça a été très bien le temps que ça a duré, mais ça n'a pas duré.

— Conflit d'intérêts ?

— Énorme. Et puis je t'ai rencontrée.

Nikki se tourna vers lui, et ils se regardèrent jusqu'à ce

---

1. Célèbre journaliste animatrice de la radio publique.

qu'un klaxon retentisse derrière eux, le feu étant passé au vert. Elle redémarra et il reprit.

— C'est là que j'ai cessé de la voir.

En repensant à l'attitude de Yardley lorsqu'elle avait dit bonjour à Rook, à cet appétit physique non déguisé, Nikki eut l'impression de mieux comprendre l'intérêt de l'agent Bell pour son affaire.

Mais elle retirait de cette réunion quelque chose de plus important : si la Sécurité intérieure avait, depuis sa salle de crise du bunker, retracé les appels téléphoniques de Salena Kaye, c'est que Tyler Wynn et sa bande de conspirateurs tramaient forcément quelque chose de gros.

Heat gara la Crown Victoria en double file le long des autres véhicules de police devant le poste de la 82e Ouest.

— Inutile de descendre, l'interpella Ochoa qui sortait avec Raley pour rejoindre leur voiture. On a un nouvel homicide.

Nikki connaissait ses enquêteurs, elle reconnaissait les signes : leurs regards impatients, leur pas accéléré. D'instinct, elle sentit que les choses allaient basculer dans une nouvelle dimension.

— Quoi ?

— Il y a une cordelette, annonça Raley.

— On dirait bien qu'on a un tueur en série sur les bras, commenta son équipier.

TROIS

Les projecteurs du lieu du crime qui brillaient dans la lueur du crépuscule auraient pu aussi bien servir à l'éclairage de l'un des nombreux tournages dont Manhattan était le théâtre. Toutefois, Heat et Rook, qui arrivaient du sud par la Riverside Drive, ne trouvèrent ni camions, ni loges aménagées dans des camping-cars, ni toilettes portatives aux noms de Mac et Stella. Dans la 72e, Nikki se gara derrière le fourgon de la morgue. Rien de tout cela ne faisait partie d'un décor.

Nikki descendit de voiture et marqua une pause avant de refermer sa portière. Rook lui demanda si tout allait bien. L'inspecteur Heat acquiesça de la tête.

Ayant pris le temps, cette fois, de se recueillir, elle se sentait prête à voir le corps. Raley et Ochoa les rejoignirent, et tous les quatre se mirent à pied d'œuvre.

Reconnaissant la victime, Heat commença par réclamer le plus haut gradé sur les lieux.

Sans ralentir le pas, elle demanda simplement au sergent qui se présenta de gérer la foule.

— Personne n'approche. Ni la presse, ni les paparazzis, ni les badauds.

— Mais c'est Maxine Berkowitz ! s'exclama Rook.

— Elle-même, renchérit Raley. Le Bulldozer de Channel 3.

Il suffit d'un « Messieurs ! » de la part de Heat pour les rappeler à l'ordre. Tandis qu'ils restaient figés sur place, elle avança sous les projecteurs de la police technique et scientifique en se protégeant le visage de la main. Puis, comme à son habitude, elle examina la scène « avec les yeux d'un bleu ». Le corps de la victime était assis sur un banc de la ville, face à la statue d'Eleanor Roosevelt, à l'entrée réservée aux piétons de Riverside Park. Maxine Berkowitz arborait un tailleur brun clair d'assez belle qualité. Ses cheveux lourdement laqués rebiquaient derrière, à l'endroit où ils avaient été décoiffés. Son maquillage avait bavé autour de la bouche et sur le menton. Ses deux mains reposaient sur ses genoux. Pour les passants, elle pouvait passer pour une banale employée trentenaire contemplant, pendant sa pause, le monument érigé à la « première dame du monde[1] ». Sauf que cette femme avait été assassinée.

— Asphyxie par strangulation, annonça Lauren Parry sans lever les yeux de son clipboard. C'est mon rapport préliminaire, à prendre avec les précautions d'usage, dans l'attente des résultats ultérieurs de toutes les analyses complémentaires, etc., etc.

Nikki se pencha en avant pour examiner les marques de contusion prononcées autour du cou de la victime.

— On ne l'a pas étranglée avec les mains.

— Je penche pour du fil électrique. L'ecchymose est parfaitement délimitée. Et je ne vois aucune abrasion ni trace de filaments comme en aurait laissé une corde.

En se rapprochant, Heat sentit une odeur écœurante.

— Chloroforme ?

La légiste acquiesça de la tête. Nikki passa aux traces de maquillage autour du nez et de la bouche, et son cœur se serra au souvenir de son propre enlèvement, quelques mois auparavant. Elle se redressa. Et ce fil, alors ?

Un dernier flash marqua la fin de la prise de vue par l'équipe scientifique. Le technicien ramassa la règle en alu-

---

1. Ainsi nommée par le président Truman pour ses accomplissements humanitaires tout au long de sa vie.

minium de quinze centimètres qu'il avait posée à côté de la cordelette en question pour en donner l'échelle.

— La place est à vous, déclara-t-il.

Il était posé sur le sac à main de la victime, à l'autre bout du banc. Une cordelette rouge, semblable à celle déposée près du corps de Conklin, attachée à une longueur identique de cordelette jaune, le tout disposé en forme de huit. Le geste, le soin apporté et le mutisme du message – quelle que fût sa signification – firent frissonner Nikki. Puis, Rook s'approcha, et elle sentit la chaleur de son corps contre elle.

— Tiens, une lemniscate, s'étonna-t-il.

— Une quoi ? demanda Ochoa.

— Une lemniscate. C'est un autre mot pour le symbole de l'infini.

— Je croyais que le mot pour le symbole de l'infini, c'était « symbole de l'infini », intervint Raley.

— Ah ! mais là, ça fait trois mots.

— Les journalistes, soupira Nikki en secouant la tête à l'adresse des Gars.

Puis elle se tourna vers Rook :

— Et où as-tu appris ça, dans une interview de Stephen Hawking ?

Rook haussa les épaules.

— Tu veux savoir ? Au dos d'un paquet de céréales.

Ils travaillèrent sur place pendant plus d'une heure, à interroger l'adolescent qui avait découvert le corps alors qu'il sortait le carlin de sa voisine et avait voulu demander un autographe à la défunte.

Il n'avait vu personne autour ; en fait, la seule raison pour laquelle Maxine Berkowitz avait attiré son attention, c'était qu'elle était la seule personne présente.

Si les recherches dans le parc canin voisin n'aboutirent à rien de plus, elles donnèrent toutefois au Dr Parry le temps d'installer des paravents et de procéder aux premiers tests permettant d'établir la température et la lividité du corps. Elle estima l'heure de la mort à 16 heures le jour même.

L'équipe scientifique rappela Heat près du banc.

— On a trouvé quelque chose en ramassant le sac à main de la victime.

Les mains gantées, le technicien souleva le sac, révélant ainsi un petit disque. Nikki s'accroupit à côté afin de l'examiner de plus près et de vérifier s'il s'agissait de ce qu'elle pensait. Elle fronça les sourcils, puis leva les yeux vers le technicien.

— Curieux, hein ? fit-il. Une roue de roller.

Heat chargea la brigade de voir, comme d'habitude, s'il y avait dans les immeubles alentour des témoins oculaires – qui auraient notamment remarqué quelqu'un à rollers – et de vérifier la présence de caméras de surveillance. Puis, elle se mit en route avec Rook pour les studios de Channel 3.

***

WHNY News occupait les deux étages d'un immeuble de médias coincé entre le Lincoln Center et l'autoroute du West Side. En attendant que l'agent de sécurité ait terminé ses vérifications, Nikki regarda les studios voisins, de l'autre côté de la cour, où son ex, le tueur de sa mère, avait travaillé pour une émission-débat de fin de soirée.

Un fort sentiment de trahison la submergea de nouveau, ravivant son angoisse de ne pas savoir où se trouvait Tyler Wynn. L'enquêtrice chassa aussitôt cette pensée pour se concentrer. Un meurtrier à la fois, songea-t-elle.

La salle de rédaction lui rappelait sa propre salle de briefing, avec toutefois un étalage de technologie plus avancée, des couleurs plus vives et des tenues plus sophistiquées.

La préparation du journal de 20 heures suscitait la même poussée d'adrénaline que le fait d'avoir à résoudre une affaire de meurtre au plus vite. On sentait la pression et l'excitation courir dans les veines. Dans l'air, en revanche, il régnait une sorte de chaos maîtrisé.

Le chef de rédaction, un rouquin trapu nommé George Putnam, ne se remettait toujours pas du choc de l'annonce du meurtre de sa collaboratrice. Heat sentit les vapeurs d'alcool qu'il laissait derrière lui tandis qu'elle et Rook le suivaient à travers le dédale des tables de travail.

Nikki se demanda si le whisky était une réaction face à la mort ou la manière de Putnam de gérer le montage du journal du soir. Ils s'installèrent dans son bureau, une cage de verre semblable à celle du capitaine Irons au commissariat de la vingtième circonscription lui permettant de surveiller son monde.

— C'est un sale coup porté à notre famille, déclara-t-il.

Puis il indiqua d'un geste la salle de rédaction.

— On travaille tous, mais c'est dur. On le fait pour Maxine. Elle était vraiment spéciale, cette fille.

Le détecteur de foutaises de Heat se mit en branle.

— C'est tout à votre honneur, dit-elle cependant.

Rook croisa son regard et, à la manière dont seuls les amants ont le secret, lui fit comprendre que ses antennes s'étaient également dressées.

Selon Putnam, Maxine Berkowitz représentait le parfait mariage entre la journaliste de terrain et la chroniqueuse. Elle venait de Columbus, dans l'Ohio. Embauchée par WHNY pour animer une émission du week-end, elle ne passait cependant pas très bien.

— Néanmoins au lieu de m'en débarrasser, il m'est venu l'idée d'en faire notre spécialiste de la défense des consommateurs, une féroce avocate du téléspectateur, le genre à vous sauter à la gorge, vous voyez ? Quelqu'un qui n'a pas peur d'enfoncer les portes pour obtenir ce qu'elle veut.

Il se tamponna l'œil.

— C'est même elle qui avait trouvé le titre de sa rubrique : « Le Bulldozer », expliqua-t-il avant de poursuivre sa description d'une employée appréciée de ses collègues, ayant le sens du travail en équipe.

Peu satisfaite du discours convenu que venait de lui servir George Putnam, Nikki demanda à parler à quelqu'un de proche de Maxine. Le chef de rédaction hésita, puis les accompagna sur le plateau où le présentateur de la météo était penché sur son bureau.

— Oh non, je n'y crois pas ! s'exclama Rook. Je vais rencontrer Coolio Nimbus !

Le jeune Noir décontracté au style hip-hop se redressa vivement, faisant danser ses courtes locks. Mais le fameux sourire et le regard du M. Météo le plus espiègle de New York étaient assombris par la tristesse. Cet homme avait l'air d'avoir perdu sa meilleure amie.

Nimbus leur demanda de le suivre dans son box, juste à l'écart du plateau. Arrivée sur place, Nikki se retourna, cherchant Rook, mais ils l'avaient perdu en route. Elle le repéra bouche bée de fascination devant son propre visage affiché en gros plan sur le moniteur de cinquante-quatre pouces surplombant le bureau des sports. Le temps qu'il la rejoigne, le meilleur ami de Maxine lui avait brossé à peu près le même portrait que le chef de rédaction.

— Il y a quand même un truc que vous devriez savoir. Mais je ne sais pas si je dois vous en parler, ajouta toutefois Coolio.

— Je sais combien c'est difficile, monsieur Nimbus, dit Nikki, mais il faut tout nous dire si vous voulez qu'on retrouve l'assassin de votre amie.

Une voix familière l'interrompit.

— Tiens, tiens, mais c'est Nikki Heat.

Greer Baxter, la grande figure de WHNY News, fondit sur eux. Sous son casque d'or, la présentatrice chevronnée possédait un très beau visage. Des mouchoirs en papier étaient glissés sous le col de son chemisier pour éviter qu'elle ne se salisse avec son maquillage. Rook eut beau se lever lui aussi pour l'accueillir, elle sembla n'avoir d'yeux que pour Nikki, dont elle serra la main entre les deux siennes.

— Pauvre Maxine. Une vraie tragédie. C'est une terrible perte, s'affligea-t-elle.

Puis elle changea de sujet, aussi facilement que si elle égrenait les gros titres du journal.

— Dites-moi, Nikki, il va falloir qu'on ait une petite conversation, vous et moi. J'aimerais qu'on fixe une date pour votre apparition sur mon plateau de fin d'émission.

Ce à quoi Greer Baxter faisait modestement référence n'était autre qu'une longue interview clôturant le journal télévisé chaque soir. Or Baxter avait la réputation d'une fine intervieweuse, qui n'invitait que des personnalités présentant un intérêt médiatique.

— Sauf votre respect, commença Nikki, je…

— Ah non, coupa Greer, vous ne pouvez pas me le refuser. Nous venons de perdre l'une des nôtres. Si vous ne disposez pas d'informations suffisantes pour ce soir, je comprendrai. Mais j'ai besoin de vous. Je ne plaisante pas. Appelez-moi. Sinon, c'est moi qui vous appellerai, Nikki.

Après son départ, Heat se retourna vers Coolio Nimbus.

— Que devrais-je donc savoir au sujet de Maxine Berkowitz ?

***

Lorsqu'ils revinrent quelques minutes plus tard dans le bureau de George Putnam, le chef de rédaction se leva pour fermer sa porte.

— C'est Coolio qui vous en a parlé ?

Heat acquiesça de la tête. Il se laissa retomber dans son fauteuil de direction et bascula en arrière. Après un instant de pénible réflexion, il poussa un soupir. Puis il se redressa, se pencha en avant, les bras posés sur le bureau, manches de chemises retroussées, et tourna vers eux son visage carré couvert de taches de rousseur.

— C'est vrai. Maxine et moi avons eu une liaison. Ça a commencé il y a des années, quand je la formais à son nouveau rôle.

— De maîtresse ? fit Rook.

— De plus féroce animatrice d'émission de défense des consommateurs du PAF. Je pensais encore qu'on pouvait travailler avec quelqu'un même si on couchait ensemble.

Heat et Rook se gardèrent d'échanger un regard.

— Je me trompais. Pour diriger cette rédaction, je ne pouvais pas tout lui raconter. Alors, évidemment, quand elle apprenait un changement par le biais d'un mémo, comme tout le monde, ça l'énervait de ne pas avoir été mise au courant la première. Ça nous a bouffés.

Nikki laissa le silence faire son œuvre. Putnam poursuivit :

— J'ai rompu il y a un an. Ça ne s'est pas bien passé du tout. Mais tout ça, c'est de l'histoire ancienne. Enfin, quand c'est fini, c'est fini. Non ?

Rook se tourna aussitôt vers Nikki.

— Oui… C'est sûr, confirma-t-il.

— Monsieur Putnam, reprit Heat, où étiez-vous vers midi aujourd'hui, s'il vous plaît ?

Bien qu'elle prît note de son alibi, Heat savait déjà que ce n'était qu'une formalité, car Putnam n'était pas le meurtrier.

Le vrai tueur courait toujours.

***

Ce soir-là, ils dînèrent au loft, chez Rook. Après un bon bain, Nikki le regardait cuisiner en savourant une bière, assise au bar de la cuisine.

— Qu'est-ce que vous nous mijotez, monsieur Jameson ? demanda-t-elle. Ça fleure bon l'ail et le thym frais.

— Un poulet aux quarante gousses d'ail, annonça Rook en soulevant son livre de cuisine pour lui montrer la photo. Il paraît que c'est le plat idéal après une sale semaine de crimes en série ou une longue journée passée à jouer à Naughty Nurses.

Pendant le repas, ils regardèrent le journal télévisé sur WHNY News. Bien entendu, le principal gros titre portait sur le meurtre par strangulation de Maxine Berkowitz. Le débit stoïque de Greer Baxter était contrebalancé par les images montrant le personnel de la chaîne de télévision en larmes et celles du correspondant sur place, au carrefour de la 72ᵉ Rue et de Riverside Drive, debout devant un cercle de bougies et de fleurs déposées en un mémorial improvisé à même le trottoir. Autour du lieu du crime, la police avait établi un périmètre gardé en attendant le relevé des indices du lendemain, à la lumière du jour.

— Le capitaine Wallace Irons, de la police de New York, est près de moi, indiqua le correspondant. Il dirige le commissariat de la vingtième circonscription.

— Il est surtout là où sont les caméras, se moqua Rook au moment où Wally entrait dans le champ, à côté du journaliste.

Irons se contenta d'une déclaration officielle. Lors de son rapport, une demi-heure auparavant, Heat lui avait exposé les principaux faits : la cause de la mort, l'heure et les circonstances de la découverte du corps.

Sur les recommandations de son enquêtrice, il profita de son passage à l'antenne pour appeler les éventuels témoins oculaires à se faire connaître. En revanche, Nikki n'avait pas mentionné la cordelette. Ni le fait qu'il s'agissait vraisemblablement de l'œuvre d'un tueur en série. Elle le ferait dès le lendemain, mais, pour l'heure, mieux valait ne pas en souffler mot, car le chef ne savait pas tenir sa langue.

Après le dîner, ils débouchèrent un Hautes-Côtes-de-Nuits, puis remontèrent le temps jusqu'en 1999. Les photos prises par Joe Flynn pendant la filature de sa mère en firent un voyage émouvant pour Nikki. Le téléobjectif du privé avait saisi la Cynthia Heat dont elle se souvenait : une femme élancée, élégante et posée. Cette filature avait été demandée par son père, qui soupçonnait sa femme, non sans raison, d'avoir une liaison. En effet, Cindy Heat menait une vie secrète qu'elle s'évertuait à cacher à son mari, mais aussi à sa propre fille. Nikki et son père n'en avaient jamais parlé ensemble. Pourtant, même si chacun redoutait de le formuler à voix haute, tous deux la soupçonnaient de leur dissimuler quelque chose. Aucun d'eux n'avait toutefois idée qu'il s'agissait d'une double vie de professeur de piano chargée par la CIA d'espionner les familles qui louaient ses services. Nikki songea combien il était ironique que les craintes d'un mari de se voir trompé l'aient conduit à engager un détective privé dont les photos malsaines allaient peut-être fournir des indices sur un complot dirigé par un ancien membre véreux de la CIA.

Nikki avait chargé la clé USB que lui avait remise Flynn sur le MacBook Pro de Rook et, côte à côte, ils regardaient le diaporama affiché à l'écran. Une fois surmontée la nostalgie de revoir sa mère telle qu'elle était onze ans plus tôt, Nikki concentra son attention sur les autres visages.

Certains clichés avaient été dérobés par la fenêtre chez des habitants de Manhattan, mais beaucoup avaient été pris dans la rue, aux moments où la charmante professeur de piano arrivait ou partait, ses partitions sous le bras.

Heat reconnut le Jamaïcain, Algernon Barrett, qui s'était réfugié dans les jupes de son avocate pour ne pas répondre à ses questions. Cynthia apparaissait également en compagnie du brasseur Carey Maggs ; assis sur une jardinière devant son immeuble, le type riait, sans doute à quelque propos émis par son petit garçon.

Plusieurs photos du même genre défilèrent. Avec sa coupe de cheveux à la Rudolf Noureev, ils reconnurent Vazha Nikoladze bavardant avec Cindy Heat dans l'allée de gravier de sa propriété, à Hastings-on-Hudson, un chiot berger du Caucase sagement assis à ses pieds.

Rook accéléra le défilement d'une série de clichés en double, mais, lorsque Nikki fit « Ouah ! », il mit le diaporama sur pause et ils regardèrent le visage familier de l'homme en pleine conversation avec Cindy Heat sur un trottoir du centre de Manhattan. Bien qu'ignorant son nom, jamais ils ne pourraient l'oublier. Ce n'était autre que le médecin qui, trois semaines plus tôt, avait aidé Tyler Wynn à feindre la mort sous leurs yeux dans un hôpital parisien.

— Merde alors, lâcha Rook entre ses dents.

— De plus en plus curieux, convint Nikki. Il en reste une, fais voir.

Cynthia Heat ne figurait pas sur le cliché suivant ; en revanche, on y voyait le médecin français assis à l'avant d'une voiture garée, en compagnie d'un autre homme qu'ils ne connaissaient pas.

— On dirait que notre petit docteur français a suffisamment fréquenté ta mère pour se faire photographier avec elle, fit remarquer Rook.

Nikki nota la date et l'heure de la photo en vue d'appeler Joe Flynn pour lui demander d'identifier ces deux hommes. Lorsqu'elle eut terminé, elle s'aperçut que Rook la regardait fixement.

— J'ai une idée, mais je suis sûr qu'elle ne va pas te plaire, dit-il.

***

— En effet, je n'aime pas ça du tout, confirma Nikki en s'installant dans le canapé du vaste salon offrant une vue fantastique sur les gratte-ciel de Tribeca. Dans quel monde vis-tu pour croire que je peux tout lâcher pour partir à Paris ?

Tandis qu'il apportait la bouteille de vin et leurs verres, qu'il posa sur la table basse, elle poursuivit :

— Si c'est une manigance pour me mettre à l'abri, voilà une stratégie des plus discutables, Rook. Je peux tout aussi bien me faire empoisonner au zinc dans un bar de la rive gauche qu'au Starbucks de Gramercy.

— D'abord, ce n'est pas une manigance. C'est juste un truc auquel j'ai réfléchi en secret.

Se rendant compte de ce qu'il venait de dire, il lui tendit son verre.

— Laisse-moi finir. Je veux dire que, depuis la fuite de Tyler Wynn, j'envisage de retourner sur ses terres de prédilection, à Paris, voir si je peux retrouver sa trace. Voire reprendre contact avec mon vieux pote russe, Anatoli. Il n'y a aucune manigance là-dedans ; ce n'étaient que des réflexions que je n'avais pas exprimées à haute voix.

— Rien de bien nouveau venant de toi, déclara-t-elle avant de boire une gorgée de bourgogne.

— Allons, Nikki, maintenant que tu as vu ce médecin français en compagnie de ta mère sur ces vieilles photos, tu ne vas pas me dire qu'il n'y a pas une fibre de ton être, toi l'enquêtrice acharnée, qui ne rêve de trouver le lien ?

— Eh bien, en fait, je me disais la même chose.

— En secret ?

— Oh ! ça va.

— Un instant, le temps que je savoure cette rare réponse victorieuse du berger à la bergère.

Il ferma les yeux, sourit, puis les rouvrit.

— Bon, voilà ce que je compte faire. Je vais me pointer à cet hôpital, prendre par surprise notre ami le docteur Jolicœur et le questionner sur Tyler Wynn ; je lui demanderai ce qu'il sait maintenant et ce qu'il savait à l'époque.

Nikki se dressa sur son séant et reposa son verre sur le sous-verre.

— Tu sais que ça commence à me plaire.

— Alors, tu vois, c'est logique, non ? demanda-t-il.

Comme elle acquiesçait, il insista :

— Donc, tu vas venir ?

— Reviens sur terre, Rook. Je ne peux pas partir.

— Même pour le travail ?

Elle lui lissa le col, puis posa la main sur sa poitrine.

— Dois-je te rappeler que j'ai pas mal de petits détails à régler ici, dont une piste à suivre menant à Salena Kaye ? Sans parler des crimes en série qui nous sont tombés dessus entre-temps.

— Il y a toujours quelque chose, la taquina-t-il sans plaisanter réellement.

Nikki hocha la tête, car elle venait de prendre une décision.

— Tu n'as qu'à y aller. Mais d'abord, dis-moi, c'est pour résoudre l'affaire ou pour réunir des éléments pour ton prochain article ?

— Tu es dure avec moi.

Rook contempla les lumières de la ville par la baie vitrée avant de poursuivre :

— Mais je te pardonnerai sur l'oreiller.

***

Nikki Heat avait demandé à sa brigade d'arriver de bonne heure. Lorsque les enquêteurs firent leur entrée à 6 heures du matin, elle positionna son écran d'ordinateur de manière à voir leur réaction lorsqu'ils découvriraient, posé sur leur bureau, un gobelet de café marqué Nɪᴋᴋɪ au crayon gras.

— Riez, riez, dit-elle tandis qu'ils gloussaient. Cette petite plaisanterie m'a coûté vingt dollars.

Son téléphone portable vibra. Rook lui envoyait un texto pour l'informer qu'il franchissait le contrôle de sécurité avant son vol pour Paris et souhaitait lui dire, avant de partir, combien il avait apprécié son service de réveil. Après leur réconciliation sur l'oreiller, Heat s'était abandonnée à un profond sommeil au creux de ses bras. Elle s'était réveillée à cause des courbatures provoquées par sa séance de jiu-jitsu avec Salena Kaye. Comme il avait prévu de se lever à 4 heures pour prendre son avion, elle avait décidé de jouer les réveille-matin en se glissant sous les draps. Nikki répondit par un texto disant qu'il lui tardait de le voir rentrer au port, puis se dirigea vers le fond de la salle, lentement, en prenant le temps d'effacer le petit sourire bête qui s'attardait sur ses lèvres.

Elle avait rapproché deux tableaux blancs : celui de Roy Conklin et un vierge pour Maxine Berkowitz. Pour les enquêteurs qui n'étaient pas présents au parc, elle refit le point sur la mort de la présentatrice de télévision. Lorsqu'Ochoa s'enquit d'une éventuelle dispute entre amants, Nikki expliqua la rupture difficile de la victime avec le chef de rédaction et le chargea de vérifier l'alibi de George Putnam.

— Vérifiez aussi celui de sa femme ! lança Heat. Au cas où on aurait affaire à un triangle explosif. Mais en douceur. Même s'il ne faut rien exclure, ça ne m'a pas l'air d'une simple vengeance de femme jalouse.

Elle en vint alors au lien entre les deux meurtres.

— On a un élément particulier qui suggère un tueur en série.

Elle accrocha des gros plans des clichés réalisés par l'équipe scientifique de la cordelette trouvée sur chaque scène de crime, puis reprit ses notes.

— Le labo a travaillé toute la nuit pour nous fournir quelques éléments ce matin. Les deux fils, le rouge et le jaune, sont des tresses de polyester d'un usage très banal dont on se sert pour tout, des loisirs créatifs à la fabrication de bijoux en passant par le yo-yo et le *kendama*.

Randall Feller leva le doigt pour attirer son attention :

— C'est une sorte de bilboquet japonais composé d'un manche en bois se terminant en coupe destiné à attraper une boule en bois attachée par une ficelle.

Il marqua une très brève pause.

— Ne m'en demandez pas plus, ajouta-t-il.

— Ravi de constater qu'en l'absence de Rook, la relève du monsieur Je-sais-tout est assurée, observa Raley.

Compte tenu de son intérêt pour la chose, Heat chargea l'inspecteur Feller de voir dans les magasins de loisirs créatifs, de bricolage et de jouets si certains clients méritaient qu'on s'intéresse à eux.

— Inspecteur Rhymer, vous lui prêterez main-forte. Je suis sûre qu'on trouve aussi ce genre de fourniture sur Internet. Voyez quels sites en vendent et renseignez-vous sur leurs clients.

Une assistante arriva de l'accueil pour remettre un message à Heat, qui digéra l'information avant de s'adresser à son équipe.

— Une patrouille à pied qui vérifiait les poubelles a découvert un mètre de câble coaxial non loin de la statue d'Eleanor Roosevelt. Il est parti au labo. Selon l'analyse préliminaire, il semble qu'il y ait des traces de maquillage au milieu.

Heat repensa aux mouchoirs protégeant le col de Greer Baxter au sortir de sa séance de maquillage sur le plateau de télévision.

— Ça pourrait correspondre à notre strangulation.

— Et la roue de roller ? demanda Rhymer.

— Curieux en effet, fit Heat. Les cordelettes sont déjà louches, mais cette roue est bizarre, elle aussi. D'après le labo, il s'agit d'une roue en polyuréthane tout ce qu'il y a de plus banal pour roller en ligne ; ils n'ont trouvé aucune empreinte ni marque d'usure ; elle est toute neuve. Tout droit sortie de son emballage.

Elle réfléchit un instant.

— Sharon ?

Comme piquée par une guêpe, l'inspecteur Hinesburg se redressa sur sa chaise.

— J'aimerais qu'avec Raley et Ochoa, vous vous occupiez de cette roue de roller.

Le soir, lorsque tout le monde fut parti et qu'elle eut la salle de briefing pour elle seule, Heat profita de ces instants de tranquillité pour s'installer face aux tableaux blancs et écouter son instinct. L'étude du dossier n'avait donné que peu d'indices nouveaux. Or il lui semblait que l'élimination des quelques pistes dont ils disposaient n'était pas négative ; c'était le moyen d'atteindre leur but.

Ainsi, les alibis de George Putnam et de sa femme avaient été corroborés. De même, tous les témoignages concordaient ; Roy Conklin était un homme sympathique, ce qui ne facilitait justement pas l'enquête à son sujet.

Nikki s'assit sur son bureau et, au son du doux ronronnement des néons, laissa son regard courir d'un tableau à l'autre dans l'espoir de déceler quelque chose de l'esprit du tueur en série parmi les éléments connus. Étrange mise en scène. De la cordelette. Voilà qui constituait littéralement un fil. Quoi d'autre ? Un rat mort. Une roue de roller en ligne. Quel était le rapport ? Tout cela était-il seulement lié ?

Que donnait la géographie des lieux ? Une évidence : les deux victimes avaient été retrouvées dans l'Upper West Side – dans la vingtième circonscription plus précisément –, mais ce n'était pas un indice puisque cela pouvait aussi bien signifier que le tueur vivait ou travaillait dans ce quartier que le fait, au contraire, qu'il s'agissait là seulement de son territoire de chasse.

Les minutes s'égrenèrent ainsi pendant près d'une heure. Lorsque Nikki laissait vagabonder ses pensées, non seulement elle perdait toute notion de l'heure, mais elle cherchait à s'y soustraire. Elle attrapa son calepin et y nota un seul mot : « *Métier.* »

Quelque chose lui était venu à l'esprit, outre le fait que les deux victimes avaient été soit mutilées, soit tuées par un instrument en rapport avec leur travail : l'inspecteur de restaurant par un four, l'animatrice de télévision par un câble coaxial, du genre de ceux qu'on utilise pour raccorder un téléviseur à une antenne. Ces similitudes hantaient déjà l'esprit de tous à la brigade. Non, il s'agissait de quelque chose de moins évident, néanmoins en rapport. Elle rappela les Gars, Feller et Rhymer au poste.

Loin d'être agacés par cet intempestif retour au bercail, les quatre enquêteurs parurent impatients d'en connaître la cause et, lorsqu'elle les mit au courant, leur supérieure vit leur regard s'illuminer.

— C'était là, sous notre nez. Les deux victimes travaillaient à la protection du consommateur. Il faut savoir s'ils se connaissaient ou s'ils avaient une relation commune.

Ensuite, la réunion fut brève. L'inspecteur Heat chargea les Gars de contacter Olivia Conklin, elle renvoya Feller à l'hygiène, et Rhymer interroger les collègues et amis de Maxine Berkowitz.

— Vérifiez ses mails, ses textos, ses relevés téléphoniques, tout ce qui laisse des traces, dit-elle, les voyant annuler leur soirée et prendre leur téléphone avec une détermination renouvelée.

Le lendemain matin, compte tenu des maigres éléments dont ils disposaient pour couvrir le vaste terrain des investigations, la journée s'annonça pour tous besogneuse, comme l'était souvent le quotidien d'un bon policier. Les heures passées au téléphone et devant l'ordinateur ne furent interrompues que pour faire le point en comparant les notes de chacun au retour de ceux partis battre le pavé. Toutefois, les commerçants, les nounous dans le parc et les concierges interrogés n'avaient rien remarqué sortant de l'ordinaire. La véritable corvée pour Nikki fut l'arrivée du capitaine Irons en fin de matinée, une chemise blanche d'uniforme tout droit sortie du pressing sous le bras, prêt à affronter les caméras, au cas où on lui réclamerait une déclaration. Après s'être assuré que personne n'avait essayé de la tuer au cours des vingt-quatre dernières heures, il demanda à son enquêtrice un rapport sur les deux affaires en cours.

Plus gestionnaire que flic, Wally afficha un regard vide en l'écoutant lui en fournir le détail et, lorsqu'elle eut terminé, sa première question fut :

— De combien d'heures supplémentaires cela va-t-il grever mon budget ?

Toujours préparée à ce genre de résistances, Nikki parvint à vendre à son patron les économies à long terme que rapporterait le fait de lui donner davantage d'hommes et elle ressortit du bureau vitré avec un feu vert pour faire venir Malcolm et Reynolds, ses équipiers préférés.

***

Rook descendit du taxi qui l'avait ramené de l'aéroport Charles-de-Gaulle et gagna son hôtel. Compte tenu des six heures de décalage avec New York, il faisait nuit à Paris. Il informa Nikki qu'il avait fait savoir à Anatoli Kijé, son vieil ami russe, qu'il souhaitait le retrouver pour un dîner-topo.

— Tu veux dire l'Anatoli Kijé dont les hommes de main nous ont kidnappés sur la place des Vosges juste pour s'assurer qu'on n'était pas suivis ?

— Que de souvenirs ! s'exclama Rook. Tu ne regrettes pas de ne pas être venue ?

— Pour ta gouverne, Rook, sache que je ne considère pas le fait de faire un tour dans un coffre de voiture le nez collé à un pneu Michelin comme le summum du voyage touristique.

Ils raccrochèrent en se promettant de se parler plus longuement dans la soirée, car Heat devait prendre un appel en provenance de l'institut médicolégal. Le rapport préliminaire de Lauren Parry concernant Maxine Berkowitz corroborait l'asphyxie par strangulation.

— Le tueur l'a attrapée par-derrière avec un cordon. Or le labo en a terminé avec le câble coaxial découvert dans le parc. Le maquillage trouvé sur la couche isolante correspond exactement à celui de la victime.

— Voilà qui m'épargne un appel aux petits génies de l'informatique, Lauren. Des empreintes sur le câble ?

— Aucune, répondit la légiste. Et elle ne s'est pas débattue. Il l'a chloroformée, puis étranglée.

Nikki en prit note et feuilleta son carnet à la recherche des éléments concernant son autre affaire.

— Prête à changer de sujet ?

— Inspecteur Heat, vous alignez les cadavres plus vite que votre ombre.

— Je devrais peut-être m'acheter un cheval, alors.

— Quelle froideur, cette fille !

— Un vrai cœur de glace. Alors, parle-moi de mon empoisonné du Starbucks ?

— Même substance que celle utilisée par Salena Kaye pour liquider Petar. Un cocktail à action rapide : de la strychnine, du cyanure, plus quelques adjuvants, dont un dérivé de sous-salicylate de bismuth modifié en labo, qui explique la langue noire. Ce n'était pas à cause du poison, c'était juste pour le spectacle.

— Pardonne-moi de ne pas applaudir.

— Nikki, ce truc est puissant, avertit le Dr Parry. Elle s'y connaît en chimie. Fais attention à toi.

***

Heat se réveilla en sursaut sur son canapé à 6 h 15 le lendemain matin au son de *Remind Me*, une chanson du duo norvégien Röyksopp que Rook lui avait installée comme sonnerie sur son portable.

Il lui fallut un instant pour s'orienter et retrouver le téléphone. Elle eut peur qu'il ne tombe sur la messagerie, mais elle parvint à décrocher à temps.

— Tu devais m'appeler hier soir, fit-elle remarquer.

— *Bonjour* à toi aussi. J'ai été débordé. Mais tu ne vas pas le regretter.

La voix de Rook sonnait claire, comme s'il était dans la pièce à côté. Et elle y distinguait quelque chose. De l'exaltation, peut-être.

Elle repoussa la partition sur laquelle elle s'était endormie en essayant, en vain, de déchiffrer le code de sa mère.

— Raconte.

Formatée pour prendre des notes, Heat attrapa le stylo et le bloc à spirale qu'elle gardait sur sa table basse, puis se racla la gorge pour chasser les vestiges de la nuit.

— J'ai pris contact avec Anatoli Kijé.

— Ses gorilles t'ont mis un sac sur la tête pour te déposer Aux Deux Magots ?

— Encore mieux. Il est venu seul me rejoindre sur les berges de la Seine. Il n'y avait que moi et ce vieux barbouze du KGB. Cool, non ? Je me serais cru dans un roman de John Le Carré.

Visualisant la scène, Nikki sourit.

— Ça commence à me plaire.

— Et ce n'est pas tout. D'abord, Anatoli a identifié le docteur sur les vieilles photos de Joe Flynn. François Sisson. Il se trouve que Sisson a été un vrai médecin ici, jusqu'à ce qu'il entre dans l'ancien réseau d'agents de la CIA mis en place par Tyler Wynn. Tiens-toi bien : François Sisson a fini à la morgue à Paris le lendemain du jour où il a aidé Wynn à jouer les morts pour nous.

— Empoisonné ?

— Disons au plomb. Une balle logée derrière l'oreille.

— J'attends toujours la bonne nouvelle, dit-elle. Tu as peut-être bien pris ton pied à jouer les George Smiley avec ton espion venu du froid, mais il me semble que tu te trouves dans l'impasse, là.

— À Paris, oui. Mais les choses sont un peu différentes ici, à Nice.

Heat consulta sa montre ; il devait être un peu plus de midi en France.

— Comment ça, à Nice ?

— Au moment où je te parle, je suis dans ma chambre à l'hôtel Negresco. Tu sais pourquoi ? Parce que je sors d'un rendez-vous au beach club, un endroit qui s'appelle le Castel Plage. C'est un peu plus loin sur la promenade des Anglais, entre ici et le château. Au passage, c'est le mot français pour...

— Rook, je sais traduire « castel ». Continue.

— OK, tiens-toi bien : je viens de bruncher avec nul autre que ton insaisissable attaché syrien à la sécurité. Fariq Kuzbari.

Nikki posa son stylo pour mieux écouter. Rook expliqua qu'après son rendez-vous au bord de la Seine, il avait pris le train de nuit pour Nice, où le Syrien avait accepté de le rencontrer.

Après avoir posé son sac au Negresco, il s'était rendu au Castel Plage en longeant la baie par la promenade ; Kuzbari l'attendait à une table en retrait, dans le patio donnant sur la plage.

— Tu sais, Fariq est un type très sympa quand ses hommes ne te tiennent pas en joue.

— Rook.

— Désolé.

Il marqua une pause et, en fond sonore, elle entendit les bruits de Nice : des mouettes, des motos, la sirène d'un bateau de croisière. Elle regretta de ne pas être avec lui.

— Kuzbari m'a dit que ta mère ne l'espionnait pas quand elle donnait des leçons à ses enfants.

— Et tu l'as cru ?

— Je te répète juste ce qu'il m'a dit. Il a dit que, si on l'espionnait, il serait le premier à le savoir. En tout cas, il m'a confié un truc énorme. Tu te souviens de cette semaine que, selon le privé, ta mère avait passée dans un centre de villégiature des Berkshires avec Kuzbari et sa famille ?

Nikki se souvenait très bien de ce que Joe Flynn avait noté en 1999 dans son rapport de filature. Et récemment, lorsque le Syrien et ses gorilles l'avaient accostée dans la rue, à SoHo, elle n'avait pas manqué de le questionner à ce sujet.

— Je me souviens que Kuzbari avait surtout à cœur de nier toute partie de jambes en l'air. Que t'a-t-il dit ?

— Qu'il s'était rendu dans les Berkshires pour un colloque sur la limitation des armes de destruction massive et que, quand ta mère ne donnait pas de leçons de piano à ses enfants, elle passait un temps fou en compagnie d'un autre participant.

Heat reprit son stylo.

— Qui ?

— Le docteur Ari Weiss.

Heat ressentit une vive montée d'adrénaline. Parfaitement réveillée désormais, elle se mit à arpenter le salon.

— Tu te souviens de ce nom ? demanda Rook.

En effet. Bien entendu, il figurait dans les notes qu'elle avait prises quelques semaines auparavant mais, comme la plus grande partie de ce qu'elle consignait par écrit, les faits étaient gravés dans sa mémoire, et le mouvement du stylo sur le papier l'aidait uniquement à le faire resurgir.

Juste avant son meurtre, Ari Weiss avait séjourné chez d'autres gens importants, où Cynthia Heat donnait des leçons. Nikki avait supposé que sa mère espionnait la famille en question, mais le renseignement obtenu par Rook jetait un nouvel éclairage sur la situation.

Peut-être sa mère avait-elle cherché à s'infiltrer chez ces gens afin d'espionner leur hôte : Ari.

— C'est énorme, confirma-t-elle.

— Ouais, dommage qu'on ne puisse plus lui parler.

Lorsque son nom avait surgi, trois semaines plus tôt, Heat et Rook avaient découvert que le Dr Ari Weiss était mort d'une maladie du sang. Pourtant, Nikki se sentait un regain d'énergie et elle n'allait pas abandonner. Il y avait peut-être encore un moyen de se renseigner plus avant sur le défunt médecin. Tout en faisant les cent pas, elle fouilla dans ses notes à la recherche du numéro de la personne chez qui Ari avait logé. Peut-être saurait-elle si Weiss avait un quelconque lien avec Tyler Wynn ou ses complices. Puis, pour s'assurer que sa gratitude pour cette nouvelle piste avait bien traversé l'Atlantique, elle se répéta :

— C'est vraiment énorme, tu sais, Rook.

— Merci. C'est un peu le tourbillon ici. Je n'ai même pas encore pu dormir dans un lit depuis New York, mais je me sens gonflé à bloc.

— En tout cas, tu as fait du bon boulot. Ce coup avec Kuzbari, c'est magistral. C'était tellement dur de lui mettre la main dessus, comment as-tu réussi à le joindre ?

— Question d'entraide professionnelle, j'imagine. Échange de bons procédés entre espions, comme on dit. Comme la plupart des régimes du Moyen-Orient, la Syrie va droit dans le mur, alors, je pense qu'il essaie de faire ami-ami avec nos services de renseignements, au cas où il aurait besoin d'une issue de secours.

Nikki s'immobilisa.

— Les renseignements russes, tu veux dire ? Je croyais que c'était Kijé qui avait organisé cette rencontre.

Un bruit de circulation et une sirène clairement européenne remplirent le long silence de Rook.

— Qui t'a arrangé le coup ? … Allô ?

Le temps qu'il hésite, elle entendit en arrière-plan la voix d'une femme qu'elle reconnut.

— Rook, viens voir, c'est une voiture incendiée !

— J'y crois pas ?! s'exclama Heat. Elle est avec toi ? À Nice ?

QUATRE

Nikki se fit violence pour ne pas lui raccrocher au nez et écouta Rook se tortiller, tergiverser, temporiser, faire machine arrière, combler les blancs. Jusqu'à ce qu'il ait le culot de lui demander, devant son silence, si tout allait bien. Elle lui répondit qu'elle devait se rendre au travail et le laissa seul au bout du fil dans sa fichue chambre d'hôtel avec vue sur cette fichue mer Méditerranée. Puis, elle régla le robinet de douche sur le plus chaud qu'elle pût supporter et se glissa sous le jet.

— Nice ! Je t'en ficherai, moi ! fit-elle à la vapeur.

***

D'un coup d'épaule, Heat ouvrit la porte vitrée de l'épicerie et déboula sur le trottoir de Pearl Street en déchirant d'un geste rageur l'emballage orange de ses coupes en chocolat fourrées au beurre de cacahuètes. Elle s'arrêta près d'une poubelle au bord du trottoir, secoua le paquet pour faire tomber l'une des deux coupes, déchira le papier brun qui l'entourait et l'engouffra en entier dans sa bouche. Les yeux fermés, elle bascula la tête vers le ciel tout en mâchant pour mieux savourer le fondant sur sa langue des minuscules rainures de l'enrobage au chocolat mêlé au grain salé du beurre de cacahuètes. Le salaud, songea-t-elle. Quel enfoiré ! Le souffle lui sifflait par les narines et elle mastiquait de manière agressive. Une fois la confiserie bien mélangée en bouche, elle avala et sentit la douceur de ce petit plaisir dissiper le feu de sa colère.

Dans le paquet, il restait une coupe. Nikki décida de la garder pour plus tard et la glissa dans la poche de son blazer. Elle risquait d'en avoir besoin si cet abruti la rappelait.

Heat mit sa colère de côté et reprit sa route. Elle avait mieux à faire que de s'étendre sur le fait que Rook était parti en France avec son ex. Pour la première fois depuis des semaines, Nikki avait l'impression d'avoir trouvé une vraie piste pouvant la mener à Tyler Wynn. Tout en marchant, elle entreprit donc de passer en revue tout ce qu'elle savait.

Si Fariq Kuzbari disait vrai, sa mère se serait servie du Syrien comme couverture pour s'infiltrer au colloque dans les Berkshires et espionner Ari Weiss.

En suivant cette hypothèse, ce serait donc pour la même raison que sa mère aurait par la suite donné des leçons chez le brasseur Carey Maggs : pour surveiller Weiss pendant son séjour chez son ancien copain de fac d'Oxford. C'est ce qu'elle espérait vérifier d'ici quelques minutes, lors de son entrevue avec Maggs.

La dernière fois qu'elle avait interrogé ce grand défenseur des droits sociaux, Heat se débattait en tous sens pour obtenir le moindre indice concernant le meurtre de sa mère. Cette fois, elle espérait encore obtenir une miette – un lien, le plus infime soit-il – permettant de relier Weiss à Tyler Wynn et de finir par capturer le fugitif.

Arrivée sur les pavés de South Street Seaport, Nikki s'arrêta un instant. Cédant à son instinct de survie, elle inspecta le quartier du regard. Les passages piétons et les cours étaient déserts ; il était beaucoup trop tôt pour les touristes. Elle ne vit qu'un camion de livraison et un cafetier solitaire qui nettoyait sa terrasse au jet. Se sentant soudain seule et à découvert, Heat se retourna pour vérifier les toits des vieux immeubles derrière elle. Quelque part, un tueur la guettait. Malgré cela, elle continua d'avancer vers l'entrepôt en briques du XIXe siècle qui abritait la brasserie Boz. Nikki se savait être une cible. Elle savait aussi que cela pouvait se révéler le meilleur moyen de rester en vie.

À l'arrière de la microbrasserie, Nikki gravit les quatre marches de béton du quai de chargement et perçut une plainte aiguë derrière la porte métallique de l'entrée. Carey Maggs lui avait dit de frapper fort afin qu'il puisse l'entendre malgré les outils électriques. Après les quelques coups secs qu'elle donna avec une clé, le bourdonnement cessa.

Des charnières grincèrent et un homme crasseux, ressemblant davantage à un journalier qu'à un milliardaire, l'accueillit, un large sourire aux lèvres.

— Vous ressemblez toujours autant à votre mère, déclara-t-il en faisant référence à la précédente visite de Nikki, trois semaines auparavant.

Il était bien placé pour le savoir, car lui aussi avait pris des leçons de piano avec Cynthia Heat à Londres, en 1976, quand il était encore enfant.

— Veuillez excuser le désordre, mais vous ne m'avez guère laissé le temps de me retourner. Or je suis en pleine restauration. Regardez : une authentique relique de la brigade des pompiers de Londres, datant des années 1870.

Derrière lui, entouré d'immenses cuves en inox remplies de Durdles' Finest blonde, brune et rousse, se tenait une antiquité : une voiture de pompiers autrefois tirée par des chevaux, raison sans doute des incendies qui ravagèrent Londres.

— Elle a l'air neuve.

— J'espère bien. Je m'escrime dessus matin et soir pour qu'elle soit prête à temps pour la manifestation.

Devant sa mine perplexe, il expliqua :

— La marche contre l'oppression mondiale. La brasserie Boz fait partie des mécènes. Que puis-je dire ? Quand le cœur saigne, le chéquier aussi.

Il posa son polissoir électrique et emboîta le pas à Heat qui admirait le chariot. Sa peinture rouge chatoyait sous la couche de cire qu'il avait appliquée, et la cheminée en cuivre de l'énorme chaudière de la pompe à vapeur brillait comme un miroir.

— Mais cela va me faire une super publicité.

Elle remarqua le pochoir à la feuille d'or sur le côté.

— « Brigade Boz », lut-il à voix haute.

Quelle meilleure mascotte pour une bière inspirée du monde de Dickens qu'un vestige de l'époque victorienne ?

Après ces mondanités, l'inspecteur Heat voulut passer aux choses sérieuses.

— Il faut qu'on parle.

Le pub-restaurant adjacent à la brasserie n'ouvrait pas avant des heures, mais Maggs la conduisit au bar et leur prépara chacun un café au lait.

— Délicieux, dit-elle. Mais du café au lait dans un pub ?

— Je sais, c'est scandaleux.

L'accent britannique de Maggs était délicieusement stimulant et rappelait à Nikki quelqu'un qu'elle n'arrivait pas tout à fait à remettre.

— Mais on peut rester fidèle à Dickens sans se cantonner au boudin noir et au pudding, non ?

Elle mit alors le doigt dessus.

— Christopher Hitchens[1].

— Ouais, on me le dit souvent. Lui est de Portsmouth, pas de Londres, mais c'est le truc avec Oxford. On est tous une bande de je-sais-tout pétrifiés à l'idée de ne pas l'être.

Puisqu'il évoquait l'université, Nikki sauta sur l'occasion.

— C'est justement la raison de ma présence ici. Je voulais vous poser une question au sujet de l'un de vos anciens camarades.

— Ari, dit-il avec gravité, puis il repoussa son café.

— Il y a quelques semaines, vous disiez que le docteur Weiss avait séjourné chez vous pour Thanksgiving, en 1999.

Bien qu'elle n'en eût pas besoin, Nikki jeta un œil aux notes qu'elle avait prises la fois précédente, une technique

---

1. Écrivain et journaliste polémiste de gauche anglo-américain.

destinée à s'assurer de la cohérence des propos de l'interrogé.

— Vous disiez que cela correspondait à la semaine où
ma mère était venue donner des leçons à votre fils.

Il prit un temps de réflexion.

— Oui, mais, comme je vous l'ai déjà dit, je ne peux pas
croire qu'Ari ait quoi que ce soit à voir avec le meurtre de
votre mère.

— Et comme je vous l'ai déjà dit, monsieur Maggs, ça
marchera mieux si vous répondez simplement à la question.

Il acquiesça de la tête.

— Pouvez-vous me dire à quelles activités le docteur
Weiss s'est livré au cours de sa visite ?

— Laissez-moi réfléchir. Cela remonte à plus de dix ans.

Il secoua légèrement la tête.

— Désolé. Il a surtout dû visiter les sites touristiques, et
peut-être a-t-il assisté à un spectacle à Broadway.

— Avait-il des connaissances dans le milieu diplomatique ou aux Affaires étrangères à New York ?

Maggs fronça les sourcils.

— Ari ? J'en doute. C'était un fondu de science, un vrai
rat de laboratoire. Il ne mettait guère le nez dehors, si vous
voyez ce que je veux dire.

Cela ne collait pas du tout avec sa présence, selon Fariq
Kuzbari, à ce colloque sur les ADM. Elle en prit note, puis
aborda le problème sous un autre angle.

— Il donnait dans la politique ? Je veux dire, puisque
votre société distribue d'importantes sommes à des organisations radicales comme...

Elle consulta ses notes.

— ... Mercator Watch... Quel surnom vous leur donnez
déjà ?

— GreedPeace[1].

Elle gloussa, mais vit briller dans les yeux de Maggs une
soudaine lueur de colère viscérale.

---

1. « Stop à l'avidité », calqué sur Greenpeace.

— Le monde est bouffé de l'intérieur par l'avidité, du sommet à la base, inspecteur. C'est pourquoi il y a tant de guerres. Les riches se servent de leur pouvoir contre ceux qui n'en ont pas. Il faut que cela cesse. Cela cessera.

Il indiqua d'un geste les cuves en cuivre et en inox de la zone de production, de l'autre côté de la vitre.

— Cette affaire n'est qu'un tremplin pour moi. J'ai l'intention de rivaliser de philanthropie avec Bill Gates et Warren Buffett, mais à ma façon. Ces temps-ci, je passe plus de temps avec mon courtier en Bourse qu'avec mon maître brasseur, pour une seule et unique raison : je me suis engagé à dédier mon entreprise et mes investissements à la création d'un trésor de guerre pour la paix.

Il s'esclaffa et se passa les doigts dans les cheveux.

— Et, oui, je vois bien l'ironie. Je suis allé à Oxford, vous savez.

— Votre passion politique n'aurait-elle pas déteint sur Ari Weiss ?

Maggs descendit de ses grands chevaux et se détendit de nouveau.

— Pour Ari, paix à son âme, rien n'existait en dehors de ce qui se trouvait sous son microscope. La seule chose radicale qu'il ait jamais faite a été d'envoyer des radicaux libres dans le cul d'un rat à coups d'électrons non appariés.

— Lui est-il jamais arrivé de mentionner le nom de Tyler Wynn ?

— Hum, non, affirma-t-il après réflexion.

— Cela vous rafraîchirait-il la mémoire ?

Elle pianota sur son iPhone et fit apparaître la photo de Wynn.

Il fit non de la tête.

Ensuite, elle lui montra le vieux cliché pris par Joe Flynn en filature montrant deux hommes assis à l'avant d'une voiture garée. Le conducteur était le médecin français ; l'autre lui était inconnu. Reconnaissez-vous l'un de ces deux hommes ?

— Vous plaisantez ?

Maggs pointa le passager du doigt.

— C'est mon ami. C'est Ari Weiss.

Et voilà. Carey Maggs venait de faire le lien entre Tyler Wynn et Ari Weiss, et ce lien n'était autre que le médecin français qui avait aidé l'homme de la CIA à faire croire à sa crise cardiaque. Que cela voulait-il donc bien dire ?

Dans le métro qui la ramenait au nord de Manhattan, Nikki s'efforça de comprendre, en vain, tout en scrutant chacune des personnes qui montait ou descendait de sa voiture. Il lui manquait le retour de Rook, dont les folles spéculations à la fois l'agaçaient et la libéraient de son raisonnement linéaire.

Rook.

Elle sentit quelque chose remuer en elle malgré ses sentiments du moment à l'égard de son compagnon. Aussitôt, elle s'obligea à se concentrer sur l'affaire.

Avant même d'arriver à son bureau, l'inspecteur Heat cria aux Gars, à travers la salle de la brigade, de commencer à se renseigner sur Weiss. Une fois devant son ordinateur, elle ouvrit la page Internet que Rook avait marquée quelques semaines plus tôt et relut la nécrologie d'Ari Weiss. Le bref article indiquait que le chercheur, diplômé de Yale, avait bénéficié d'une bourse qui lui avait permis d'aller étudier à Oxford, où il avait rencontré son ami Carey Maggs. Il était mort en 2000 d'une babésiose. Heat cliqua sur l'hyperlien, et la page Wikipédia lui fournit une description de cette rare maladie de sang semblable au paludisme. Comme la maladie de Lyme, elle est généralement provoquée par une tique, mais elle peut également se transmettre par transfusion.

Des idées commencèrent à germer en elle ; cependant, Heat ne se fiait pas à l'intuition. Il lui fallait des faits. Or elle en manquait. Elle réfléchit un long moment, puis, s'armant de courage, décrocha son téléphone.

La froideur avec laquelle Bart Callan répondit l'étonna. Lors de leurs précédentes entrevues, notamment lors de sa dernière visite au département de la Sécurité intérieure, l'agent spécial l'avait instamment priée de se joindre à son équipe, laissant entendre dans son insistance qu'il y avait plus. Heat avait senti quelque chose de personnel dans sa proposition. Il lui avait semblé que l'agent Callan ne serait pas contre une relation plus intime. C'est pourquoi, lorsqu'il annonça qu'il était occupé, Nikki se sentit prise de court. Et peut-être un peu déçue ? Mais très vite il redevint lui-même.

— Je ne sais plus où donner de la tête, mais on pourrait se retrouver plus tard, si vous voulez. Un verre, ça vous dirait ?

Elle accepta. Puis se sentit coupable. Et se demanda pourquoi.

***

Heat aurait préféré un endroit bondé et bruyant, mais comme il avait rendez-vous dans l'Upper East Side, Callan avait choisi le Bemelmans, à l'hôtel Carlyle. À son grand regret, ce bar à l'ambiance feutrée, tout en fauteuils de cuir et lumières tamisées, offrait une grande tranquillité, mais surtout une trop grande intimité.

Afin de marquer ses distances, elle lui serra la main du bout du bras et lui céda la banquette pour se sentir moins piégée, même si d'ordinaire Nikki préférait garder un œil sur la porte. Ensuite, elle commanda un verre de vin coupé d'eau gazeuse, ce qu'elle détestait, mais il lui fallait conserver les idées claires et ne pas envoyer de mauvais signaux en optant pour un cocktail plus sophistiqué. Il la surprit en s'en tenant à une simple eau minérale. Seconde surprise, il en vint immédiatement au fait :

— Vous serez ravie d'apprendre que les caméras de surveillance nous ont fourni des photos de Salena Kaye à sa descente d'hélico.

— Quelle rapidité ! s'exclama Nikki en pensant au pauvre Raley qu'elle venait de laisser au poste penché sur ses kilomètres de vidéos à visionner.

— Logiciel de reconnaissance faciale. Je vous en fais parvenir quelques copies.

— Génial. Où l'avez-vous repérée ?

— À la descente du train Q, à Coney Island. On suppose donc qu'elle y a sa base ou qu'elle devait y rejoindre quelqu'un. On vérifie les services de voiture avec chauffeur et autres. Si je vous en disais plus, il faudrait que…, enfin, vous connaissez la chanson.

Son sourire la mit mal à l'aise. Une fois qu'ils furent servis, il reprit.

— Kaye a dû se donner du mal pour vous échapper.

— Je vous en prie, je me sens déjà assez coupable comme ça. Je suis un peu rouillée au combat depuis quelque temps.

— Le gars des forces spéciales de la marine ? Une fin tragique, commenta-t-il. Don, c'est ça ? Bon sang, ce type était pourtant un bon.

Visiblement, Callan savait que feu le partenaire d'entraînement de l'inspecteur Heat au combat rapproché était un ami proche. Nikki scruta l'agent de la Sécurité intérieure, se demandant s'il était également au courant de leur relation purement sexuelle, Don étant selon ses propres termes son « partenaire de sport en chambre ».

Si Bart Callan en savait quelque chose, il n'en laissa rien paraître, de sorte qu'elle ne sut dire s'il fallait comprendre autre chose derrière sa proposition :

— Écoutez, si vous cherchez un nouveau partenaire, je ne cracherais pas sur un peu d'exercice.

Elle détourna le regard pour le poser sur les murs, où elle reconnut la patte de l'artiste qui avait illustré la série de livres *Madeline à Paris*.

— Si je vous ai appelé, c'est parce que j'aimerais que vous me reparliez de ces contacts que vous avez eus avec ma mère, dit-elle en le regardant de nouveau, ravie de reprendre pied sur son propre terrain. Il y a quelques semaines, vous avez mentionné l'existence d'un indic.

— Je n'ai guère plus à vous offrir.

— Alors, redites-moi tout.

— Je ne vous cache rien, inspecteur. Nous avons peu d'éléments.

Comme elle fronçait les sourcils, il se reprit :

— Mais je serai ravi de reprendre depuis le début. J'étais au FBI à l'époque, et je servais d'agent de liaison à votre mère quand elle nous a joints pour nous avertir d'une menace à la Sécurité nationale. Elle m'a dit être en mesure d'avoir un indic au sein du groupe de terroristes en question, et nous lui avons confié deux cent mille dollars à lui remettre en échange des preuves et des détails du complot. L'argent de la transaction a été remis à votre mère le jour où elle a été assassinée.

Heat savait déjà tout cela, mais elle voulait lui poser de nouvelles questions.

— Saviez-vous qui était son indic ?

Comme l'agent faisait non de la tête, elle lui fit part de son hypothèse concernant Ari Weiss.

— Il est mort maintenant ; alors, il ne nous est plus d'aucun secours. Toutefois, à la fac, il était ami avec un Britannique qui vit ici, un certain Carey Maggs.

Elle surveilla le moindre signe sur son visage indiquant qu'il reconnaissait l'un ou l'autre nom ; en vain.

— Serait-ce trop vous demander de vérifier les antécédents de Maggs pour moi ?

— Vous pensez qu'il est impliqué ?

Elle haussa les épaules.

— Apparemment pas, mais je suis partisane du double principe de précaution, vous savez.

Callan dévissa le capuchon de son stylo en or et nota le nom. Lorsqu'il eut terminé, elle reprit :

— Et les deux cent mille ? Ils ont refait surface ? Je sais que vous avez dû marquer les billets.

De nouveau, il hocha négativement la tête.

— Nous n'avons pas plus de renseignements, fin de l'histoire. Enfin, jusqu'à ce que vous révéliez la vraie nature de Tyler Wynn. C'est pourquoi je me permets de renouveler ma proposition. À Washington, ils parlent d'« interface de coopération ». Joignez-vous à moi, Nikki, je dispose de moyens. On ferait une sacrée équipe.

Comme il faisait mine de lui tendre la main par-dessus la table, elle glissa la sienne sur ses genoux, l'air de rien.

— Merci, mais je me débrouille mieux seule dans mon coin.

— Alors, c'est quoi, ça ? demanda-t-il en les montrant tour à tour d'un geste de la main.

— Une interface de coopération. Et la police de New York vous en remercie.

Sur le trottoir de Madison Avenue, elle déclina son offre de la déposer quelque part, malgré la sécurité que cela représentait pour elle en sachant Salena Kaye à ses trousses. Callan lui rappela toutefois que, si elle avait un jour besoin d'un partenaire d'entraînement, elle pouvait compter sur lui. De son taxi, Nikki l'observa tandis qu'il montait dans un 4 x 4 Chevrolet noir aux plaques marquées GOUVERNEMENT AMÉRICAIN. Bart Callan saurait certes lui faire faire de l'exercice, songea-t-elle.

***

L'inspecteur Heat ferma les yeux et se livra à quelques calculs. L'équation partait du fait que sa mère avait un informateur.

Callan ne pouvait pas lui fournir son nom, mais, compte tenu du nouveau lien que Nikki venait d'établir entre sa mère et Ari Weiss au sein du réseau de Tyler Wynn, elle n'avait pas besoin du tableau noir de *Will Hunting* pour déduire que Cynthia Heat n'espionnait pas le Dr Weiss, mais qu'elle l'utilisait comme mouchard.

L'enquêtrice afficha la nécrologie du chercheur sur son iPhone. Sa mort datait du 2 janvier 2000. Soit six semaines seulement après celle de sa mère.

Dès qu'elle eut refermé la porte de son appartement derrière elle, Heat appela chez lui un juge qu'elle avait rencontré à l'une des soirées poker hebdomadaires de Rook. Après quelques taquineries suggérant qu'elle était prête à lui laisser une chance de se refaire, Nikki demanda une fleur au juge Simpson : une décision de justice pour faire exhumer le corps d'Ari Weiss.

Röyksopp la fit sursauter devant son écran d'ordinateur. Après son appel de Nice le matin même, la sonnerie de Rook, un morceau utilisé pour une publicité mettant en scène un homme des cavernes, lui sembla subitement des plus appropriées.

— Il est tard ici. J'avais peur que tu ne sois déjà couchée, dit-il.

— Je suis en train de revoir les comptes rendus de la brigade sur mon tueur en série.

— Je suis à Londres. Heathrow, plus précisément. *« Workin' my way back to you, babe*[1]. *»*

La bonne blague, songea-t-elle en essayant de prendre la chose à la rigolade et en marquant un long silence.

— Je voyage sur Virgin ; je devrais être chez toi au lever du jour.

— J'en doute, rétorqua-t-elle avant de laisser s'installer un nouveau silence gênant.

— Nikki, je crois comprendre pourquoi la présence de Yardley t'ennuie tant, mais, sincèrement, tu y vois vraiment plus qu'il n'y a.

— Ah oui ?

— Oui.

Chacun écouta la respiration de l'autre.

— Ils appellent pour l'embarquement, annonça-t-il.

— Combien d'heures de vol as-tu ?

— Voyons, euh… Un peu plus de sept.

— Parfait, dit-elle. Profites-en pour travailler ton empathie.

***

Le lendemain matin, l'inspecteur Heat, qui avait de nouveau convoqué son équipe de bonne heure, vit arriver en

---

1. « Je reviens vers toi, bébé… » Début d'une chanson des Spinners, groupe de soul très célèbre dans les années 1970.

renfort les inspecteurs Malcolm et Reynolds, prêtés par la brigade des cambriolages. Face à ces esprits vifs, il suffit d'un récapitulatif de dix minutes sur les deux meurtres. Pendant que Nikki les mettait au courant, l'unique retardataire, Sharon Hinesburg, arriva en se glissant au fond de la salle de briefing.

Après un jour et demi de recherches, les traces retrouvées sur les éléments prélevés sur les lieux de chacun des crimes n'avaient donné aucun résultat.

Les cordelettes rouge et jaune étaient si communes et répandues que la vérification des achats récents risquait de prendre des semaines, d'autant qu'ils pouvaient dater de plusieurs mois, voire d'années auparavant. Il en allait de même pour la roue de roller.

Malcolm leva la main.

— Vous voulez que je vous dise ?

Il s'avachit sur sa chaise dans sa pose habituelle, un pied sur le dossier d'une autre…

— Souvent, quand je tombe sur ce genre d'affaire, de deux choses l'une : soit le type essaie de résoudre un truc personnel...

— Il s'agirait d'une sorte de fétichisme ? s'enquit Heat.

— Oui, ou de l'obsession pourrie d'un esprit dérangé, qui daterait de l'époque où le type suçait encore son pouce et où sa maman refusait qu'il ait un animal de compagnie ou qu'il fasse du skateboard.

— ... Des ciseaux à la main, renchérit Reynolds, son équipier.

— Soit c'est juste pour nous balader.

Malcolm porta son gobelet à ses lèvres.

— Qui est au courant ?

— Seulement le tueur, affirma Heat. Continuons les recherches sur ces éléments, la cordelette, en particulier, puisqu'elle est commune aux deux cas, mais on continue de fouiller le passé des victimes. Renseignez-vous sur leur entourage, ce qu'ils ont fait le dernier jour et surtout s'il existe entre eux un autre point commun que celui du boulot.

L'inspecteur Raley indiqua qu'une seule des caméras du quartier était braquée sur la scène de crime de Maxine Berkowitz.

— Elle est située devant un centre islamique sur Roosevelt Drive, dit-il. Et elle est en panne.

Heat inscrivit l'information au marqueur sur le tableau consacré à Berkowitz, puis tapota sur l'indication identique figurant sur celui de l'autre meurtre à la pizzeria.

— Coïncidence ? Je dirais plutôt que c'est assez curieux pour envisager…

— Tenez-vous bien ! lança Feller.

— … une chaussette dépareillée, compléta Nikki.

Un chœur de « Oui ! » salua le premier recours dans cette enquête à son expression fétiche, mais le chahut fut rapidement interrompu par l'arrivée de l'assistante avec les journaux du matin. Elle brandissait l'un des tabloïdes.

Sous le gros titre « Ils tournent en boucle », une photo étalait en gros plan sur fond blanc deux fils enroulés sur eux-mêmes : un rouge, un jaune.

Heat mit un terme à la réunion, et le reste de la brigade l'imita : tous se plongèrent dans la lecture du *New York Ledger*. « Exclusif », indiquait le sous-titre de l'article signé par Tam Svejda, la journaliste chargée des actualités locales dont Heat savait qu'elle était, entre autres, assez paresseuse pour se contenter de relayer les fuites.

L'inspecteur Hinesburg, avait déjà joué les « Gorge profonde » – terme d'autant plus approprié qu'elle entretenait une liaison avec le patron –, et fourni des éléments confidentiels au *Ledger*. Pour l'essentiel, l'article servait du réchauffé, reprenant d'anciens rapports déjà rendus publics.

Toutefois, il dévoilait un important élément que la police avait jusque-là choisi de garder pour elle, à savoir que les deux homicides étaient littéralement liés par la présence de cette cordelette, ce qui laissait entendre qu'un tueur en série courait dans les rues de Manhattan.

— Du calme, inspecteur, protesta Wally Irons lorsque Heat fit irruption dans son bureau sans lui laisser le temps de poser sa sacoche. On allait de toute façon divulguer ça aujourd'hui.

— Mais ce n'était pas encore fait. Il y a eu des fuites. Et leur auteur est responsable du fait que le modus operandi se retrouve exposé en première page ! clama-t-elle en brandissant la photo.

— Les choses importantes d'abord, rétorqua-t-il, l'air amusé. Tam Svejda m'a appelé pour un commentaire. Voyez par vous-même : j'ai minimisé l'angle du tueur en série. Regardez, c'est là.

Il pointa du doigt la colonne et cita :

— « Le capitaine Wallace Irons, responsable de l'enquête, met en garde contre les conclusions hâtives. Nous ne pouvons pas exclure la possibilité que ces meurtres soient l'œuvre d'individus distincts, a-t-il déclaré. »

— Personne ne va le croire, rétorqua Heat.

— Ah ! mais c'est noir sur blanc. J'ai fait ma part.

Nikki fit claquer le journal contre sa cuisse, se demandant ce qui lui valait la chance de travailler sous les ordres d'Iron Man. Ochoa passa alors la tête par la porte.

— Excusez-moi, inspecteur ? On a un appel sur votre ligne, d'un type qui dit être le tueur en série.

— Vous voyez ?

Nikki agita le journal sous le nez d'Irons.

— On a déjà des appels bidon.

Mais Ochoa intervint.

— Inspecteur Heat ? Il a demandé si vous aimiez faire du roller.

Heat jeta la feuille de chou sur une chaise et se précipita vers son bureau.

CINQ

— Inspecteur Heat à l'appareil.

— Ah ! je vois que j'ai fini par attirer votre attention.

La voix était masculine mais déformée, comme les voix déguisées des témoins de la mafia et des lanceurs d'alerte à la télévision.

— C'est un début, déclara Nikki.

Elle s'assit à son bureau et, en faisant pivoter son fauteuil, constata que la brigade entière s'était rassemblée autour d'elle.

— Bien, si vous me disiez pourquoi vous m'appelez.

Il y eut un clic sur la ligne, puis plus rien. L'inspecteur Heat regarda fixement le téléphone. Elle informait ses collègues que son interlocuteur avait raccroché lorsque la sonnerie retentit de nouveau. Elle bondit sur le combiné.

— Heat.

La déformation rendait la voix encore plus sinistre.

— Ne me cherchez pas. Si vous me servez encore ce ton désinvolte, je raccroche. Compris ?

— Compris.

— C'est moi qui parle ; vous, vous m'écoutez.

Nikki lança un regard vers Raley qui coordonnait la localisation de l'appel depuis son bureau.

— C'est quoi ces conneries dans le journal comme quoi il y aurait deux tueurs ? Dois-je prouver le contraire ?

— Non, s'empressa-t-elle de répondre.

— On verra. C'est à moi d'en décider, cover-girl.

Formée à rester impassible face à ce genre d'appels, Heat n'en sentit pas moins son pouls s'accélérer à la mention de la parution de sa photo en une de magazine. Aussitôt, elle voulut le détourner de cette approche personnelle, mais ce n'est pas ainsi qu'il voyait les choses.

— Vous qui vous croyez si maligne, inspecteur Heat, ça fait quoi de vous sentir courir comme un rat dans un labyrinthe ? De flairer un indice sans pouvoir mettre la main dessus ? De voir qu'il vous manque quelque chose pour ouvrir cette porte ?

Nikki voulait continuer à le faire parler, pour localiser son appel, mais aussi pour prendre l'ascendant sur lui.

— On n'est pas obligés d'en faire un concours.

— Désolé.

Il partit d'un rire que la déformation numérique fit ressembler à celui de Dark Vador.

— Je vais vous dire, cover-girl. Je vous aiderai peut-être pour le prochain.

Et il raccrocha. Heat se leva pour mieux voir Raley derrière les autres enquêteurs, mais il fit non de la tête en reposant son combiné. Nikki se rendit aux toilettes pour se passer de l'eau sur le visage – le seul moyen pour elle de se retrouver seule. En s'essuyant avec la serviette en papier, elle sentit ses mains trembler, car l'échange qu'elle venait d'avoir lui apparaissait soudain dans toute son énormité. Cette affaire déjà déroutante prenait un tour définitivement inquiétant, car elle allait devoir risquer des vies innocentes à la seule fin de relever un défi lancé par un tueur en série.

— « Cover-girl », murmura-t-elle.

Nikki retira l'essuie-mains mouillé de son visage, le jeta et quitta la pièce sans même un regard au miroir.

Dans la salle de briefing, une nouvelle surprise troublante l'attendait.

— *Je suis revenu !* lança une voix familière en français.

Jameson Rook se leva du bureau de Nikki sur lequel il était assis et se posta à côté de sa valise cabine. Un large sourire aux lèvres derrière sa barbe de trois jours, il lui ouvrit grand les bras. Ne voulant pas le battre froid en public, Nikki se laissa faire, mais sans aucun enthousiasme.

— Brr…, fit-il à voix basse. Tu vois, j'ai travaillé mon empathie, ajouta-t-il.

— Ce n'est vraiment pas le moment, Rook.

— Laisse-moi deviner.

Il brandit son exemplaire du *Ledger*.

— J'ai vu ça à l'aéroport à ma descente de l'avion.

Raley passa à côté d'eux avec, entre les mains, une transcription de l'appel dont elle lui prit un exemplaire. Sans la regarder, il poursuivit sa distribution à la brigade qui se rassemblait près des tableaux blancs.

— Le tueur en série lit aussi le *Ledger*, et il vient d'appeler.

— Vous lui avez parlé ? s'enquit Rook.

— Oui, moi, déclara Nikki.

— Alors, je suis rentré à temps, affirma Rook.

Il lui passa devant pour s'emparer d'une chaise vide parmi les enquêteurs. Résolue à ne pas se laisser distraire par cette nouvelle diversion, Nikki prit place devant eux.

— J'ai une mission à confier à l'un d'entre vous, annonça-t-elle en balayant la pièce du regard. J'ai besoin de quelqu'un à la réception pour surveiller les appels entrants : si notre tueur en série essaie de nouveau de me joindre, il faut qu'on me le passe directement.

Son regard se posa sur l'inspecteur Hinesburg.

— Sharon, à vous l'honneur.

Hinesburg prit une mine agacée.

— Très bien. C'est vous le patron.

— En effet, dit Nikki, qui attendit que sa nonchalante subordonnée aux oreilles indiscrètes ait rejoint l'entrée du poste pour s'adresser au reste du groupe. Pour commencer, reste-t-il quelqu'un qui n'ait pas encore lu ça ? s'enquit-elle en brandissant le journal.

— Vous voulez que je demande à l'inspecteur Hinesburg ? lança Ochoa après un moment de silence.

Une fois les rires retombés, Heat reprit la parole.

— J'ai aussi l'impression que Sharon est au parfum.

Elle laissa de nouveau la brigade lâcher quelques gloussements avant de revenir aux choses sérieuses.

— La plupart d'entre vous m'ont entendue au téléphone. Pour le reste, vous avez maintenant la transcription des deux appels. L'inspecteur Raley a également fait une copie de l'appel sur le serveur. Raley ?

L'enquêteur ouvrit le fichier audio sur son ordinateur portable. Au début, Rook et les enquêteurs suivirent en lisant la transcription.

Puis, fascinés par la sinistre voix numérisée, ils abandonnèrent la version papier et se penchèrent en avant, les yeux rivés sur les haut-parleurs de l'ordinateur comme s'il s'agissait du tueur en personne au lieu d'un flux de données audio. Lorsque sa lecture fut terminée, l'inspecteur Raley referma le fichier d'un clic.

Un silence complet s'ensuivit.

— Bien, qu'avons-nous appris ? demanda Heat en le rompant.

Ensuite, elle se tourna vers le tableau de Maxine Berkowitz qu'elle coupa d'une ligne verticale afin d'inscrire dans l'espace ainsi créé les points ressortant de la séance de remue-méninges.

— C'est lui, affirma l'inspecteur Feller. Il a casé deux choses sur lesquelles rien n'avait filtré : la référence au roller et l'histoire du rat dans le labyrinthe ! C'est lui.

— Admettons, pour l'instant, convint Heat, et tout le monde acquiesça de la tête.

— C'est un technophile, souligna l'inspecteur Reynolds. Modifier sa voix comme ça n'est pas à la portée de tout le monde.

— Il n'y a pas une appli pour ça ? ne put résister Rook.

— Raley, reprit Heat. Vous qui êtes mon roi de tous les moyens de surveillance, à vous de le découvrir.

Raley acquiesça de la tête et nota quelque chose dans son calepin.

— Quoi d'autre ?

— Il aime avoir le contrôle ! lança Ochoa.

— C'est rien de le dire, commenta Heat en inscrivant ce trait de caractère au tableau. La manière dont il a raccroché au premier appel, c'était pour bien me montrer qui était le patron.

— Et lors du second, il a fait un sans-faute, digne d'un champion de billard américain, ajouta Rook. Il a exposé son point de vue à sa manière et à son rythme.

— J'ajouterais malin, suggéra l'inspecteur Rhymer, qui poursuivit pendant que Nikki notait. Il savait exactement quand raccrocher pour ne pas être repéré et il savait aussi parfaitement où appuyer pour vous faire démarrer, avec cette façon de parler de votre frustration face à l'affaire…

— … de vous traiter de cover-girl, ajouta Reynolds.

Nikki croisa le regard de Rook, puis détourna les yeux.

— À mon avis, ce type est plus qu'intelligent et dominateur, déclara Malcolm. Il est en pétard. Regardez.

Il parcourut la transcription :

— « Ne me cherchez pas » … « C'est moi qui parle, vous, vous écoutez » … « Vous qui vous croyez si maligne, inspecteur Heat ».

— Pas juste en pétard, objecta Raley.

— Il cherche la compétition, acheva son équipier. Il propose un concours, et de « vous aider » peut-être pour le prochain.

— C'est notre meilleur indice, conclut Heat. Et le pire.

Inutile de le répéter, son correspondant avait bien précisé qu'il y aurait un autre assassinat.

***

Plus tard dans la matinée, les Gars vinrent trouver Nikki à son bureau.

— Rook avait raison, déclara l'inspecteur Ochoa.

— Il existe bien une appli pour ça, enchaîna Raley.

Dès qu'il surprit ces mots, Rook quitta son bureau de fortune à l'autre bout de la pièce et les rejoignit au moment où le roi des médias développait ses explications.

— Outre cette appli, on a découvert des tas de logiciels permettant de modifier sa voix. Il suffit d'un ordinateur portable.

— On peut imiter Dark Vador comme notre homme, continua son équipier, les filles peuvent se faire passer pour de vieilles dames, et les hommes, prétendre être des femmes...

— Voilà pourquoi je dis toujours qu'il faut..., intervint Rook.

— ... vérifier la pomme d'Adam, complétèrent les Gars en chœur.

Heat resta concentrée.

— Tout cela se trouve donc facilement dans le commerce ?

— Peut-être pas aussi facilement que la roue de roller et la cordelette, tempéra Raley, mais presque. En fait, un amateur éclairé trouverait sans doute dans n'importe quel magasin d'électronique tout le nécessaire pour construire son propre appareil de production de voix électronique.

— Alors, appelons tous les magasins d'électronique.

En disant cela, Nikki sut, tout comme eux, que ce serait peut-être brasser beaucoup d'air pour rien. Le genre de choses qu'elle confiait à Sharon Hinesburg.

— Il faut tout essayer.

Ils se séparèrent pour se mettre à l'œuvre, mais elle les rappela pour demander à l'inspecteur Rhymer de s'occuper des vendeurs d'applis. À son plus grand agacement, Rook, lui, ne bougea pas.

— Je suis un peu occupée, dit-elle en ramassant un rapport.

— Et on en parle quand ? Tu vois très bien ce que je veux dire.

D'un geste, elle indiqua la salle de briefing avec le dossier.

— Je doute que la brigade criminelle soit le lieu idéal pour parler de ta petite virée dans le sud de la France en compagnie de ton ex.

— Au contraire, c'est parfait puisque j'ai commis un crime.

— Plutôt léger pour un Prix Pulitzer. Mais on en parlera, ne t'inquiète pas. Pour l'instant, j'ai suffisamment à faire avec deux meurtres sur les bras.

— Trois.

Ils se tournèrent vers l'inspecteur Feller qui arrivait de son bureau.

— Rien ne dit que c'est l'œuvre de notre ami, mais on vient de nous signaler un nouvel homicide.

Et c'était reparti pour le numéro de jonglage.

***

Dans la catégorie des hôtels-appartements pour séjours prolongés, le HMS repoussait les limites du genre. L'ultra-branché Home Meet Stay accueillait plutôt les acteurs en tournage que les forçats du télétravail en quête de distributeurs de céréales en plexiglas au buffet du petit-déjeuner.

En en traversant le hall au discret éclairage d'ambiance, les inspecteurs Heat et Feller durent s'arrêter pour attendre Rook. Il venait de se faire interpeller par une légende du rock irlandaise qui résidait là le temps d'une comédie musicale sur Broadway. Lorsque Rook se fut libéré après la vague promesse d'un verre ensemble un de ces quatre, ils gagnèrent les lieux du crime au neuvième étage.

Les deux agents postés de part et d'autre de la porte ouverte se redressèrent un peu en voyant Heat descendre de l'ascenseur et traverser la moquette à chevrons dans leur direction. Derrière eux, les flashs des appareils photo qui crépitaient à l'intérieur projetaient brièvement leurs ombres sur le mur opposé.

— Un homme, afro-américain, dans les soixante, soixante-cinq ans, déclama la légiste lorsqu'ils pénétrèrent dans la chambre de la suite. D'après la photo d'identité trouvée sur lui, le mort s'appelle Douglas Earl Sandmann.

Comme le matelas avait été écarté, Heat et ses compagnons durent faire le tour du lit pour voir la victime, allongée sur le dos à même le sommier.

— Ce ne serait pas le fameux exterminateur de cette pub à la télé ? demanda Feller.

— La Terreur des punaises de lit ! s'écria Rook, qui cita aussitôt le fameux slogan du défunt : « On les écrase toutes ! »

— On se calme, Rook, on sait de qui il s'agit.

Nikki se tourna vers son amie Lauren Parry, qu'elle ne voyait que trop, ces derniers temps, pour de mauvaises raisons.

— Cause de la mort ?

— D'après le rapport préliminaire : c'est une asphyxie. Mais monsieur Sandmann n'a pas été étranglé comme Maxine Berkowitz. Il a été étouffé avec un matelas.

— Ironique à souhait, de voir la Terreur des punaises de lit tuée par un lit, fit observer Rook.

Heat lui pardonna ce manque de respect, car il n'avait pas tort.

— Comme l'inspecteur de restaurants tué par un four à pizza et la présentatrice de Channel 3 étranglée par un câble de télévision.

L'inspecteur Feller parcourut la pièce, demeurée intacte hormis le lit défait et renversé.

— S'il a été tué ici, il n'y a aucun signe de lutte.

— J'ai prélevé des traces de chloroforme sur le devant de sa salopette, déclara le Dr Parry en attendant le relevé de température. Le labo a délimité certaines parties du tapis dans le salon, là où des marques suggéraient la chute d'un corps qu'on aurait ensuite traîné. Ils vont en analyser les fibres pour voir s'ils y trouvent des traces de chloroforme.

Heat se tourna vers le responsable.

— Qui a découvert le corps ?

— La femme de ménage. D'après le directeur, elle devait s'assurer que l'appartement était prêt, car il devait accueillir une super mannequin pour une séance photo en vue d'un calendrier.

— Ce n'est donc pas la chambre de la victime ? demanda Heat.

— Non, mais la société d'extermination a bien un contrat avec l'hôtel.

— Dans ce cas, que faisait-il ici ? On l'a appelé pour vérifier la chambre ?

— Le directeur dit que non. Il n'était même pas au courant de sa présence.

Nikki envoya Feller interroger le directeur plus avant et les deux agents dans le couloir frapper aux portes pour voir si quelqu'un avait entendu ou vu quelque chose. Ses premières analyses terminées, Lauren situa l'heure de la mort entre minuit et deux heures du matin.

— Donc, conclut Rook, votre tueur en série l'avait déjà assassiné quand il a appelé ce matin.

— Si c'est bien son œuvre, modéra Nikki. On n'en sait rien pour l'instant.

Elle s'accroupit et souleva le cache-sommier de sa main gantée pour regarder sous le lit. Rook vérifia la commode et passa la tête à l'intérieur du placard de télévision.

— Seigneur, mais qui tire donc les ficelles ? plaisanta-t-il en soulevant la bible dans le tiroir de la table de chevet.

— Moi ! s'écria Lauren Parry.

Ils la rejoignirent et elle indiqua trois millimètres de cordelette rouge qui dépassaient à peine entre l'épaule de la victime et le sommier.

— On peut le déplacer ? demanda Nikki.

La légiste la pria de patienter un instant, elle demanda au photographe de l'équipe scientifique de référencer le fil et sa position, puis elle fit un signe de tête à Heat. Elle et Rook s'écartèrent alors pour que Parry et son technicien roulent le corps sur le flanc. Le photographe prit place pour réaliser son cliché, et son flash éclaira ce qu'ils avaient découvert dessous : une longueur de fil rouge attachée à une longueur de fil jaune, elle-même reliée à une longueur de fil violet. L'extrémité de ce dernier était nouée à une clé futuriste.

***

— Heat, je veux vous voir illico ! lança le capitaine Irons au moment où elle passait au pas de course devant la porte de son bureau pour rejoindre la brigade.

Bien qu'elle ne tînt pas son patron en très haute estime, il méritait, en tant que tel, d'être tenu au courant. Elle fit donc marche arrière et le briefa sur le meurtre du spécialiste de la lutte contre les punaises de lit.

— Nous n'en avons pas encore terminé, inspecteur, annonça son chef alors qu'elle se tournait déjà pour repartir.

Nikki s'immobilisa, espérant qu'il n'en ait pas pour longtemps, car elle n'avait pas une seconde à perdre.

— Savez-vous quelle pression je subis ? Savez-vous combien de fois on m'appelle pour me demander si cette affaire est résolue ?

— Oui, monsieur, j'imagine très bien qu'on ne vous lâche pas au One Police Plaza.

Il fit la grimace et haussa les épaules.

— Non, en fait, le commissaire sait très bien qu'on se démène. Je parle des médias.

— Sérieux ? C'est de la pression des médias qu'il s'agit ?

— Écoutez, Heat, ça fait un moment que j'ai ça sur le cœur ; alors, il faut que ça sorte.

D'un geste, il lui indiqua une chaise et ils s'assirent.

— Je sais que vous passez votre temps à essayer d'élucider une autre affaire… plus personnelle. Mais maintenant que nous avons un tueur en série et que la presse nous tient à l'œil, il faut que vous lâchiez cet os. Concentrez-vous sur ces trois meurtres, j'ai besoin de vous.

Elle savait bien que cela finirait par lui tomber dessus. Que son crétin de chef oublierait vite la tentative d'empoisonnement dont elle avait été victime et le désarroi qui l'avait initialement poussé à la mettre sur la touche. Qu'il se plaindrait du fait qu'elle se coupe en deux. Elle le savait parce qu'étant incapable de réfléchir à deux choses en même temps, il s'imaginait que les autres ne l'étaient pas non plus. Cela la mettait en rogne d'entendre Irons parler avec une telle désinvolture de son « autre affaire » alors qu'il s'agissait de résoudre le meurtre de sa mère. Toutefois, comme elle s'attendait à cette inévitable conversation, elle s'y était préparée.

Il ne fallait surtout pas braquer une tête de pioche comme Wally Irons. Heat allait donc mettre de côté sa colère personnelle et miser sur son efficacité, car il y avait beaucoup plus en jeu que de seulement rendre justice à sa mère. Au fond d'elle, Nikki sentait qu'il se tramait quelque chose autour du complot fomenté par Tyler Wynn. Il n'y avait qu'à voir tout ce qui se passait dernièrement, notamment le fait qu'on attente à sa vie. Alors, au lieu de combattre ouvertement Iron Man par la force, mieux valait la jouer fine.

— Monsieur, même si l'enquête sur Tyler Wynn présentait un caractère personnel au début, il y a une chose dont je suis désormais absolument certaine.

— Et c'est ?

— Que vous et moi sommes probablement les deux seuls flics de la maison à être suffisamment intelligents pour comprendre qu'il s'agit là bien plus qu'un simple homicide.

Un peu de flatterie ne nuisait pas, même s'il était pitoyable de voir Wally bondir sur ce pieux mensonge.

— C'est vrai...

Il se sourit à lui-même, puis il lui sourit aussi.

— C'est vrai.

— Et quand on sortira les menottes, ce qui ne manquera pas d'arriver, qui sera le héros de l'affaire ?

Elle vit ses yeux se poser sur les trophées alignés dans sa bibliothèque.

— Encore une chose, monsieur. Merci de me rappeler si sagement que nous devons nous montrer à la hauteur dans ces affaires. Vous pouvez compter sur moi, capitaine, je ne vous décevrai pas. Vous verrez.

Elle retint son souffle, car il fronçait les sourcils comme s'il réfléchissait profondément. Ensuite, Irons se leva et prononça les mots magiques.

— Tenez-moi au courant si vous êtes submergée.

— Je n'y manquerai pas.

— En attendant, les médias m'assaillent de questions. Que pouvez-vous me donner pour les tenir à distance ?

— Eh bien, si vous voulez, vous pouvez même le noter par écrit, suggéra-t-elle.

Puis, elle attendit qu'il débouche son stylo avec ses dents et tourne une page de son bloc.

— « Pas de commentaire », dit-elle.

Sur ce, elle quitta le bureau vitré.

Heat récapitula pour tout le monde les éléments concernant la scène de crime au HMS.

— Histoire de trouver un lien dans tout ça, déclara l'inspecteur Rhymer lorsqu'elle eut terminé, puisqu'on a trouvé un rat près de notre première victime, est-ce que la Terreur des punaises de lit exterminerait aussi les rats, par hasard ?

— La Terreur des punaises de lit ? demanda Ochoa, qui n'en revenait pas.

— Pas les rats, juste les punaises de lit, fit Raley en imitant l'une des pubs de Douglas Sandmann.

— Et les fourmis, alors ? ne put résister Rook.

Raley réagit au quart de tour.

— Non, juste les punaises de lit.

— Les ratons laveurs ?

— Juste les punaises de lit.

— Les putois ? Les cafards ? Les opossums ?

— Non, non, non. Juste les punaises de lit.

— C'est fini ? Ça suffit, intervint Heat.

— J'ai quelque chose ! lança l'inspecteur Malcolm en faisant rouler sa chaise depuis le bureau qu'il partageait avec Reynolds, incitant son collègue à faire de même. Un lien entre nos deux premières victimes.

Le silence se fit dans la pièce et toutes les têtes se tournèrent vers eux.

— Vous savez, ces reportages chocs sur les trucs dégoûtants qui se passent dans les cuisines de restaurant que proposent les chaînes de télévision pour améliorer leur audience ? Je viens de retrouver un ancien secrétaire de rédaction de Channel 3. Quand ils ont viré Maxine Berkowitz de la présentation chez WHNY, il y a quatre ans, devinez quelle a été la première rubrique du Bulldozer ? Et qui a été sa première source issue des services de l'hygiène ?

Personne ne prononça son nom, mais Heat s'empara d'un marqueur rouge et, d'un trait, relia Roy Conklin, l'inspecteur de restaurant, à Maxine Berkowitz.

— Malcolm et Reynolds, vous assurez ! dit-elle en reposant le marqueur sur la réglette en aluminium du tableau.

— Je me demande si le Bulldozer a présenté un reportage sur les punaises de lit ou sur Douglas Sandmann, renchérit Feller. Ça établirait le lien entre eux.

— On est tous liés par un biais ou un autre, rappela Rook. Tout le monde peut être relié à quiconque sur cette terre en six coups : *Les Six Degrés de séparation* de John Guare.

— De Kevin Bacon, vous voulez dire, corrigea Rhymer.

— Je vous en prie, rétorqua Rook. Ma mère brûle les planches de Broadway. Chez nous, on ne connaît que la pièce de théâtre.

Les Gars l'interrompirent avec un rapport sur la curieuse clé découverte sous le corps de Douglas Sandmann. Raley en accrocha plusieurs photos au tableau tandis que son équipier récitait ses notes.

— C'est une clé de haute sécurité. Une nouvelle technologie mise au point en Australie. Comme vous pouvez le voir sur les gros plans, elle présente un look futuriste. Ça pourrait être le fruit d'un croisement entre un chasseur X-Wing de *Star Wars* et un barracuda.

Raley prit la relève.

— Selon le site Internet du fabricant, en raison de sa double tige et du motif unique de ses pannetons, cette clé ne correspond qu'à une seule serrure sur près de dix-sept mille. Or, bonne nouvelle : chaque jeu est enregistré. C'est le milieu de la nuit en Australie, mais on espère obtenir la référence de la serrure correspondante. Ça pourrait bien être celle de la prochaine victime.

— On cherche aussi qui fait cette marque parmi nos serruriers, conclut l'inspecteur Ochoa. La technique est si pointue qu'ils ne doivent pas être nombreux.

— Bien, allez-y, termina Heat.

La brigade se dispersa. Malgré son excitation, l'enquêtrice éprouvait une certaine méfiance. Ce tueur était joueur, manipulateur et il en était déjà à sa troisième victime.

De plus, il avait agi des heures avant de proférer ses menaces. Nikki espérait seulement être assez rapide pour en éviter une quatrième.

Le signal sonore de sa messagerie électronique lui indiqua qu'elle venait de recevoir un e-mail. *En réponse à votre demande, j'ai vérifié pour Carey Maggs. Votre instinct était le bon. RAS. P-S : Vous seriez déjà rentrée chez vous, si vous travailliez ici ! Haha ! BC,* avait écrit l'agent Callan.

Alors qu'elle sauvegardait le message, les inspecteurs Raley et Ochoa arrivèrent à grands pas à son bureau, la mine impatiente.

— Le fabricant de serrures australien dispose d'un service d'assistance ouvert vingt-quatre heures sur vingt-quatre, sept jours sur sept, annonça Raley.

— Ils ont retrouvé le numéro de série et, apparemment, la serrure et la clé sont enregistrées au nom d'un serrurier d'Amsterdam Avenue, compléta Ochoa.

— Vous avez appelé ?

— Ça ne répond pas, expliquèrent les Gars.

— Chez un serrurier ?

Nikki bondit sur ses pieds.

— À quelle adresse exactement ?

***

Heat et Rook se garèrent derrière les Gars, cinq rues au sud, au niveau de la 77e Rue.

— On était juste venus dans le quartier, Raley et moi, pour cette histoire de roue de roller, précisa Ochoa lorsqu'ils se furent rejoints sur le trottoir.

Il montra la boutique de rollers dont l'enseigne indiquait : CENTRAL PARK, LOCATION À L'HEURE OU À LA DEMI-JOURNÉE. L'attention de Nikki se porta sur les Serrures Windsor, la vitrine d'à côté. Quelque chose clochait. Un panneau OUVERT était accroché à la porte ; pourtant, la boutique était éteinte.

— Alors, ça, c'est très bizarre, fit Rook en pointant du doigt. Des rats. Regardez. Un magasin d'animaux d'un côté, avec des rats dans la vitrine, et une boutique de rollers de l'autre ?

Les renforts que Heat avait appelés se garèrent derrière elle. Sans lever les yeux du magasin, elle demanda aux agents de passer par-derrière.

Tandis que les deux patrouilles se déployaient, elle se dirigea la première vers la porte vitrée, flanquée de Raley et d'Ochoa. Ils marquèrent une pause. Une main sur la crosse de son Sig Sauer, Heat tendit l'autre pour saisir la poignée.

— Attendez, dit Ochoa. Vous sentez ?

Heat renifla.

— Ça sent le gaz.

SIX

— Vu l'odeur, c'est sans doute plus qu'une simple fuite, observa Ochoa.

Aussitôt, l'inspecteur Heat se tourna vers Raley.

— Donnez l'alerte.

Elle revit alors l'explosion de gaz sur laquelle elle avait enquêté en 2006, un suicide qui avait anéanti une maison de trois étages.

— Il faut à tout prix éviter la moindre étincelle, avertit-elle. Mettez-vous contre le vent pour téléphoner. Et demandez aux agents de revenir évacuer ces immeubles.

D'un geste circulaire au-dessus de sa tête, elle indiqua les habitations surplombant les commerces.

— Et prévenez tout le monde : ni cigarettes, ni interrupteurs, ni téléphones.

Déjà passé à l'action, Ochoa faisait signe aux passants de dégager le trottoir. Rook, qui venait de jeter un œil dans la vitrine du serrurier, se tourna alors vers elle.

— Nikki. Il y a quelqu'un par terre.

Les mains en coupe de chaque côté du visage pour mieux voir, elle se colla le nez à la vitre. Au fond de l'étroite boutique, les deux jambes d'un homme sortaient de derrière le comptoir, les orteils en éventail. Heat procéda à un rapide calcul. Quelles étaient ses chances, malgré les risques d'explosion, de sauver cet homme peut-être vivant mais asphyxié par les émanations.

Une décision s'imposait.

— Miguel !

L'inspecteur Ochoa, qui rassemblait les piétons un peu plus loin dans la rue, se tourna vers elle.

— Un homme à terre. J'y vais.

Mais, comme elle se retournait, elle vit Rook s'apprêter à saisir la poignée de la porte.

— Holà, oh !

Il se figea.

— Si cette porte est dotée d'une sonnette électrique ou d'une quelconque alarme, tu risques de nous faire tous sauter.

Rook retira sa main.

— Et qu'est-ce qui te dit qu'on va éviter ça ?

Après un rapide coup d'œil sur le trottoir, Nikki courut jusqu'à la poubelle de la ville qu'elle entreprit de soulever. Comme le fût en acier était lourd, Ochoa arriva à la rescousse.

— Attention à ne pas frotter le béton, recommanda-t-elle tandis qu'ils revenaient près de la vitrine. On ne veut pas d'étincelles.

— À trois, suggéra Ochoa.

Alors que les deux policiers basculaient la poubelle afin d'en diriger le fond vers la vitre, des détritus se renversèrent par terre. Heat compta jusqu'à trois et ils tentèrent de défoncer la vitrine. Au lieu de céder, le verre se fissura en étoile. L'enquêtrice compta de nouveau jusqu'à trois et ils donnèrent plus d'élan à leur geste. Cette fois, non seulement ils perforèrent le verre, mais la vitrine s'effondra entièrement dans une cascade de fragments aux bords déchiquetés qui faillit les guillotiner en se fracassant sur le trottoir et le sol de la boutique. À coups de pied, Nikki fit tomber les tessons qui saillaient sur le bord et passa une jambe à l'intérieur, puis l'autre.

Elle se précipita à l'extrémité du comptoir pour s'agenouiller auprès de l'homme et lui appuya les doigts sur le cou. Le pouls battait toujours dans la carotide. Ochoa la rejoignit. Retenant son souffle pour ne pas respirer l'air toxique, elle indiqua à Miguel d'un signe de tête que le serrurier était encore en vie. Le sortir n'allait pas être une mince affaire. Il n'était ni grand ni gros, mais le fait d'être inconscient en faisait un poids mort. Ses poumons réclamant désespérément de l'air, Heat inspira un grand coup sous l'effort nécessaire pour le soulever et le regretta aussitôt. L'odeur d'œuf pourri du mercaptan contenu dans le gaz lui serra la gorge et lui fit tourner la tête. Elle lâcha prise et l'homme tomba sur elle. Aussitôt, elle amortit sa chute en lui calant une cuisse sous la tête. Puis, luttant contre la nausée, Nikki l'attrapa par son bleu de travail et, avec Ochoa, elle parvint finalement à le traîner jusqu'à la vitrine où de nouvelles mains, plus sûres, prirent le relais. Les pompiers arrivés sur les lieux se chargèrent de hisser la victime par la vitrine brisée pour la confier aux brancardiers.

Une fois sur le trottoir, Heat et Ochoa reprirent leur souffle en toussant, le dos plié en deux. Aucun d'eux ne refusa l'oxygène qu'on leur proposa. Le temps qu'ils récupèrent, les pompiers avaient déjà coupé l'électricité dans l'immeuble, fermé l'arrivée du gaz et installé des ventilateurs portables pour évacuer les émanations. Rook remit à chacun une bouteille d'eau qu'ils vidèrent d'un trait.

— Pendant que vous étiez là-dedans, je me suis occupé de l'animalerie. Vous avez déjà vu *Pee Wee Big Adventure* ? J'ai failli ressortir les deux mains pleines de serpents.

Les auxiliaires médicaux annoncèrent que le serrurier avait été sauvé à temps. L'état de Glen Windsor s'était stabilisé sous oxygène, et ils allaient le transporter au Roosevelt pour observation. Heat souhaitait toutefois lui poser d'abord quelques questions. Cela ne plaisait guère à l'ambulancier, mais Nikki promit d'être brève.

— Merci, dit Windsor en levant les yeux du brancard vers Heat et Ochoa. Il paraît que j'ai failli y rester.

Un ambulancier lui demanda de garder son masque à oxygène, mais il répondit qu'il allait bien ; il en respira une bouffée, puis le reposa sur sa poitrine.

Nikki remarqua que sa main tremblait. Une épreuve pareille ne laissait personne indifférent. Le serrurier était jeune, la trentaine peut-être, mais cela avait dû être d'autant plus rude pour un homme de sa carrure, digne d'un joueur de bowling.

— Monsieur Windsor, nous ne voulons pas vous retenir, mais je me demandais si vous ne pourriez pas me raconter ce qui s'est passé.

— Putain de merde, si je le savais !

L'homme pâle sur le brancard avait une voix douce et affable qui rappelait à Nikki celle de l'inspecteur Rhymer, dans la bouche duquel la vulgarité, loin d'être choquante, prenait un charme désuet.

— Désolé, dit-il, je mettrai une pièce dans la tirelire.

Après une bouffée supplémentaire d'oxygène, il continua :

— Comme je n'avais pas grand monde, je jouais à Angry Birds, assis au comptoir. Et puis voilà que j'entends quelque chose derrière moi et, avant que j'aie le temps de me retourner, une main m'attrape le visage par-derrière. Point final, jusqu'à ce que je me réveille dehors.

— Et cette main, elle tenait un chiffon ?

Il haussa les épaules.

— Désolé, je ne m'en souviens pas.

— Vous n'avez rien senti ? Une odeur sucrée, peut-être ?

Le visage de l'homme s'éclaira, et il acquiesça de la tête.

— Maintenant que vous le dites, oui. Une sorte de nettoyant liquide ou quelque chose comme ça.

En aparté, Heat demanda discrètement à l'urgentiste qu'on vérifie s'il avait été chloroformé.

— À quel moment cela s'est-il produit ?

— Voyons. J'attendais l'heure du déjeuner. Vers midi.

Nikki leva les yeux vers l'horloge de la banque, un peu plus loin dans la rue. Cela faisait près d'une heure. La piste refroidissait de minute en minute.

— Désolé, inspecteur Heat, vous allez devoir continuer plus tard, annonça l'ambulancier.

Heat remercia Glen Windsor tandis qu'on le conduisait

à l'arrière de l'ambulance. Puis, elle chargea l'un des agents de l'accompagner à l'hôpital en attendant qu'elle arrive.

***

— J'ai trouvé l'origine de la fuite de gaz, annonça le responsable des pompiers lorsque Nikki retourna à l'intérieur de la boutique, par la porte cette fois.

Il pointa du doigt vers la trappe ouverte de la chaudière encastrée dans le mur.

— Vous voyez, là ? cria-t-il pour se faire entendre à cause du vacarme des ventilateurs. La veilleuse est éteinte, le moteur a été débranché et on a ouvert le robinet d'arrêt. Sans rien pour l'arrêter ni le consumer, le gaz s'est répandu dans toute la pièce. Je n'ose même pas imaginer ce qui aurait pu se produire.

Les inspecteurs Feller, Malcolm et Reynolds arrivèrent pour prêter main-forte à la recherche d'indices.

— Et par indices, vous entendez ce fil d'Ariane qui nous donne tant de fil à retordre, bien sûr ? railla Rook.

— Et si on grattait une allumette, histoire d'en finir ? suggéra Reynolds à Malcolm.

La première fouille n'aboutit à la découverte d'aucun des éléments distinctifs trouvés sur les précédentes scènes de crime. Lorsque les pompiers déclarèrent l'atmosphère suffisamment assainie pour stopper la ventilation, le regard de Heat se posa sur le ventilateur placé près de l'issue de derrière et demanda au responsable de vérifier si la porte avait été ouverte par ses hommes ou si elle était déjà entrebâillée.

— On l'a trouvée comme ça, déclara le policier à côté d'elle.

L'agent Strazzullo faisait partie des patrouilles que Heat avait envoyées dans la ruelle derrière, puis rappelées pour l'évacuation des lieux.

— Quand on est arrivés dans la ruelle, la porte de derrière était ouverte de ça environ, expliqua-t-il en écartant les mains d'une cinquantaine de centimètres.

— Purée ! s'exclama l'inspecteur Feller. Vous avez dû le louper de peu, dit-il à Heat.

— Vous croyez qu'il était encore là quand on a débarqué ? demanda Raley.

Au lieu de répondre, Heat sortit dans la ruelle par la porte ouverte. Tout le monde lui emboîta le pas et la rejoignit à côté d'une benne à ordures placée sous l'échelle de l'escalier de secours menant sur le toit.

— Agent Strazzullo, cette poubelle était-elle là à votre arrivée ?

— Désolé, je ne m'en souviens pas.

— Je vois très bien le scénario, déclara Feller. Notre tueur est à l'intérieur quand vous arrivez, inspecteur Heat. Vous l'interrompez au moment où il s'occupe du serrurier, alors, il disparaît par la porte de derrière. Il se cache derrière cette benne...

Pour jouer la scène, l'enquêteur retraça les pas du meurtrier de la porte à la poubelle, puis se cacha derrière.

— Il est là quand Strazzullo arrive, à ça de se faire alpaguer, mais il s'en tire parce que la cavalerie est rappelée devant.

— Il m'a tout l'air d'avoir organisé sa fuite, déclara Ochoa en évaluant d'un coup d'œil la courte distance entre le couvercle de la benne et l'échelle de l'escalier de secours. Juste après le départ de Strazzullo, notre homme a grimpé sur la poubelle et hop !

— C'est peut-être même aussi par là qu'il est descendu, renchérit Raley.

L'inspecteur Heat se hissa sur la poubelle et gravit l'échelle en rongeant son frein. À chaque barreau, sa frustration augmentait sa colère silencieuse. Avoir été si près du but..., si le tueur s'était vraiment trouvé là.

Si.

Les autres la suivirent et tous se retrouvèrent sur le toit ; ils le parcoururent en ligne afin d'en fouiller la crasseuse terrasse, à la recherche du moindre indice pouvant vérifier leur hypothèse.

Ils le découvrirent à l'extrémité du toit. Tout le monde l'aperçut en même temps. Et comprit. L'extrémité d'une longueur de cordelette rouge avait été nouée au bouton de la porte qui donnait accès à l'escalier, et le reste flottait au vent dans la brise chaude. Le fil présentait diverses couleurs, correspondant à la chronologie des autres homicides. Au rouge succédait le jaune. Puis venait le violet. Et au violet était attachée une nouvelle couleur : un cordon vert.

Heat avait déjà posté des policiers à chacune des sorties de l'immeuble, y compris dans la cage d'escalier. En silence, elle dégaina son arme et se tint prête à côté de la porte. Tous sauf Rook, qui n'était pas armé, en firent autant et adoptèrent des positions tactiques. Au signe de tête de l'enquêtrice, Feller ouvrit la porte d'un coup sec. À l'intérieur, Strazzullo et son équipier se tenaient en haut de l'escalier.

Tout le monde rengaina. En baissant les yeux par terre, ils découvrirent un fragment de parpaing sur le seuil. Feller se baissa pour le ramasser et révéla la présence d'un petit morceau de papier, à peine plus gros qu'un timbre-poste, qui fut emporté par le vent. Raley traversa le toit à sa poursuite et le rattrapa avec ses gants avant qu'il ne s'envole.

Tout le monde se rassembla autour de lui pour le voir. Le carré de papier, d'environ deux centimètres et demi de côté, était vierge au recto et présentait une image en couleurs au verso. On aurait dit un morceau de photocopie d'une peinture à l'huile découpée aux ciseaux. Tout ce qu'on reconnaissait, c'étaient les doigts d'un poing humain.

Avec son téléphone portable, l'inspecteur Raley prit un gros plan du petit morceau de papier avant qu'il ne parte au labo pour une recherche d'empreintes et autres analyses. Heat chargea les Gars de voir ce qu'ils pouvaient découvrir sur le tableau dont l'image était tirée.

— Ce que vous avez découvert à propos de la clé a sauvé la vie à ce pauvre type. Si vous trouvez le tableau, peut-être mettrons-nous la main sur notre tueur.

***

À l'hôpital Roosevelt, Heat eut du mal à se garer à cause de tous les cars régie des chaînes de télévision qui s'étaient massés devant l'entrée des urgences. Des reporters en quête du meilleur endroit où se poster pour leur prestation au journal du soir aperçurent Nikki et l'interpellèrent en hurlant son nom pour lui soutirer un commentaire. Le regard fixé droit devant elle, elle s'identifia, ainsi que Rook, auprès de l'agent de police en faction à la porte.

Ils trouvèrent Glen Windsor assis, jambes pendantes, au bord de son lit au service de traumatologie. Il sirotait un jus de pomme à la paille, et son visage avait retrouvé des couleurs.

— Comment vous sentez-vous, monsieur Windsor ? demanda Heat.

— Heureux d'être en vie, dit-il en souriant.

Elle lui rendit son sourire en songeant : « Vous n'avez pas idée de la chance que vous avez eue. »

— Merci encore. En y repensant, comment diable avez-vous su que j'avais besoin d'aide ?

Heat se demanda jusqu'où elle pouvait aller. D'un côté, il avait été la cible d'un tueur en série, mais, de l'autre, la presse attendait, et Nikki voulait contrôler ce qui serait publié.

— On a senti le gaz, dit-elle, fidèle à la réalité.

Comme Windsor assurait se sentir en état de le faire, elle lui demanda de lui raconter de nouveau l'agression. Sa version n'avait pas changé. Ensuite, elle lui demanda s'il avait à signaler quoi que ce soit d'inhabituel dans sa vie, des contacts, des activités ou des nouveaux venus dans son entourage. Le serrurier réfléchit avant de faire non de la tête.

Elle lui soumit alors une photo de la clé trouvée sur la dernière victime. Il la reconnut aussitôt.

— C'est une Bilock. Un modèle australien. Un produit de haute sécurité. Ils font des serrures à palastre, à came, à mortaises, des serrures double sécurité, des cadenas…

Tandis qu'il poursuivait, Rook croisa le regard de Nikki, puis se détourna pour dissimuler son sourire. Pour la distraire, il lui arrivait souvent d'imiter Bubba Blue énumérant à Forrest Gump toutes les manières de cuisiner les crevettes.

— Bilock nous dit que celle-ci est enregistrée chez vous, dit-elle lorsque Windsor eut terminé.

— C'est juste, j'en vends. Pas beaucoup pour l'instant, mais c'est un bon produit.

— J'entends par là, monsieur Windsor, que cette clé précise est enregistrée au nom de votre commerce. Aviez-vous remarqué sa disparition et, dans ce cas, la serrure a-t-elle disparu, elle aussi ?

Il étudia la photo.

— Je n'avais pas remarqué qu'il manquait quoi que ce soit.

Il se leva, soudain inquiet pour sa boutique.

— J'aimerais y retourner pour faire l'inventaire.

— Bien sûr, et nous enverrons un enquêteur vous aider, mais j'ai d'abord quelques petites questions à vous poser.

Il se calma, mais, le sentant distrait, ce qui était bien compréhensible, elle accéléra le rythme. Il lui fallait surtout savoir s'il avait le moindre lien avec les trois victimes précédentes.

Elle lui montra donc leurs portraits. Roy Conklin ne lui disait rien, pas plus que Maxine Berkowitz, qu'il reconnut seulement pour l'avoir vue à la télévision. En revanche, lorsqu'elle lui soumit la photo de Douglas Sandmann, il écarquilla les yeux et tapota sur lui de son index.

— Lui, je le connais. C'est la Terreur des punaises de lit.

— Vous avez vu la pub à la télé ? demanda Heat.

— Oui, mais j'ai aussi travaillé pour lui. Il y a environ six mois, j'ai changé toutes les serrures et les claviers d'alarme à son bureau, dans le Queens.

Heat et Rook échangèrent un regard, tous deux éprouvant brusquement un sentiment d'excitation devant cette bonne fortune. Nikki s'efforça de conserver son calme et de dissimuler son espoir ; la victime qu'elle venait de sauver allait-elle l'éclairer sur la manière dont un tueur en série en pleine activité choisissait ses cibles ?

— Glen, avez-vous personnellement été en contact avec monsieur Sandmann ?

— Absolument. Le jour où il a signé le devis ainsi que lorsqu'il m'a remis mon chèque, une fois le boulot terminé.

— Je peux vous demander de quoi vous avez parlé ?

— De prix et de délai. Comme avec pratiquement tous les clients.

— Autre chose ? Prenez le temps de réfléchir.

Le serrurier but une gorgée de jus, le regard perdu dans le vide.

— Non, désolé, dit-il ensuite. Je lui ai juste expliqué ce que j'allais faire. Rien d'extraordinaire. Mais c'était un type sympa, en tout cas. Il me laissait caresser son chien.

— Aviez-vous des amis communs ? intervint Rook.

— Non, monsieur.

— Quelqu'un vous avait-il obtenu ce travail ? demanda Heat en déroulant le fil de Rook. Peut-être lui aviez-vous été recommandé par un autre client ?

— Si seulement… Non, je l'ai contacté par la voie habituelle. En démarchant tout seul comme un grand. J'ouvre les *Pages jaunes*, je décroche mon téléphone et je prends ma douce voix.

Voyant ses espoirs s'envoler, Nikki lui demanda de continuer à réfléchir encore pendant quelques jours. Elle lui remit sa carte afin qu'il puisse la joindre au cas où un détail lui reviendrait, aussi insignifiant fût-il. L'inspecteur Feller appela sa supérieure pour l'avertir que, comme convenu, il attendait à bord d'un des faux taxis de son ancienne unité, stationné devant la porte latérale de l'hôpital. La première chose à laquelle Heat avait pensé en voyant les médias s'installer avait été d'arranger une sortie discrète pour Glen Windsor. Mais une surprise désagréable cueillit Nikki avant qu'elle et Rook n'aient eu le temps de lui faire quitter les urgences en douce.

— Voici notre homme ! s'écria le capitaine Irons à l'autre bout du hall.

En se retournant, elle vit Wally foncer vers eux en compagnie de l'inspecteur Hinesburg. Non seulement son supérieur arborait une chemise d'uniforme tout droit sortie du pressing, mais son visage porcin portait des traces de maquillage. Tel un papillon de nuit attiré par la lumière, Irons avait trouvé les médias et arrivait déjà fin prêt pour les gros plans. Après une série de poignées de main, de tapes dans le dos et un vibrant « Glen, vous avez trouvé le moyen de rester en vie », Iron Man demanda à Windsor s'il voulait bien l'accompagner auprès de la presse. Le serrurier jeta un regard inquiet à Heat, mais le capitaine le rassura.

— N'ayez crainte, vous n'aurez rien à dire. Restez juste à côté de moi, c'est moi qui parlerai.

Heat prit son patron à l'écart.

—Capitaine, c'est à mon avis une très mauvaise idée. Vous ne croyez tout de même pas lober le tueur de cette manière ? Et je crois que, moins le public en saura, mieux ce sera.

— C'est toujours ce que vous croyez, objecta Sharon Hinesburg sans qu'on lui demande rien. Le patron s'en prend plein la figure. Moi, je dis qu'il faut le laisser profiter de sa victoire.

— Quelle victoire, capitaine ? s'exclama Heat en tournant le dos à son enquêtrice. Il est toujours dans la nature.

— Je comprends votre inquiétude, inspecteur, mais je me propose d'informer les New-Yorkais que nous avons sauvé une vie ; ils doivent savoir que le commissariat de la vingtième circonscription ne reste pas les bras ballants. Veuillez nous excuser.

Prenant Glen Windsor par l'épaule, il se dirigea vers l'entrée principale et les journalistes. Au moment où ils franchissaient les portes vitrées coulissantes, l'inspecteur Hinesburg se retourna vers Heat et lui adressa un clin d'œil.

Rook demanda à Nikki si elle était prête à s'en aller, car elle marquait une pause. Un souvenir venait en effet de la frapper : celui de l'annonce de la mort de John Lennon à son arrivée dans ce même service d'urgences. Puis elle passa à autre chose, car il lui restait fort à faire.

***

En rentrant chez elle, le soir, Nikki trouva Rook profondément endormi sur le canapé, devant *Sans Réservation* qui braillait à tue-tête sur la chaîne Voyages. Il se réveilla en sursaut lorsqu'elle baissa le son alors qu'Anthony Bourdain écumait les pubs irlandais en essayant de ne pas se laisser embarquer dans de délicates discussions politiques.

Rook s'assit et se massa les yeux du talon de la main. Il s'était laissé surprendre par le décalage horaire, expliqua-t-il, lui tendant ainsi une perche pour revenir sur son périple en France. Nikki ne la saisit pas.

Il lui semblait plus facile d'accepter de tourner autour du pot que d'aborder cet intimidant sujet. Pourquoi faire simple quand on peut faire compliqué ? Elle se lança donc dans un monologue sur le travail.

— Randall Feller m'a envoyé un SMS de chez le serrurier, dit-elle en rangeant son arme de secours, un Beretta 950 Jetfire, dans son tiroir, dans le bureau du salon. Ils ont trouvé la serrure correspondant à la mystérieuse clé dans la réserve. Donc, on sait au moins qu'on n'a pas une victime potentielle enfermée quelque part.

Elle se rendit dans la cuisine et continua derrière la porte ouverte du réfrigérateur.

— Le labo est resté bredouille, aucune empreinte utilisable. Rien dans le magasin ni sur le bouton de porte, sur le toit, ni sur le bout de papier. Et tu sais quoi ? Outre des serrures, Glen installe aussi des systèmes de sécurité. On croirait qu'il a au moins une caméra de surveillance chez lui ? Ben, c'est toujours le cordonnier le plus mal chaussé. Je me prends une bière, tu en veux une ?

N'obtenant pas de réponse, elle referma le réfrigérateur. Et le trouva qui attendait, debout derrière la porte.

— Ça ne va pas se régler tout seul, déclara-t-il.

Nikki réfléchit un instant. Elle rouvrit le réfrigérateur et lui sortit une Widmer's pour qu'il l'accompagne, puis ils retournèrent s'asseoir sur le canapé.

— Réponds donc à ceci, dit-elle lorsqu'ils furent installés face à face en tailleur.

— Qu'est-ce que j'ai déclenché ? Un interrogatoire par le Grand Inquisiteur ? gloussa-t-il.

— À toi de voir, Rook. Qu'est-ce que tu espérais ?

— Calmer un peu le jeu. J'aimerais dissiper cette jalousie irraisonnée – totalement irraisonnée – que tu sembles porter à Yardley Bell. Enfin, si je suis allé en France, c'était pour t'aider. Pourquoi ai-je l'impression d'avoir fait quelque chose de mal ?

— Ma question, si je peux la poser, c'est comment Yardley Bell savait-elle que tu y étais ? Et ne me parle pas de coïncidence. C'est l'usage de ton passeport qui a lancé l'alerte à la Sécurité intérieure ? Elle t'a suivi outre-Atlantique ?

— C'était sa suggestion d'aller là-bas.

Nikki en bascula en arrière.

— Oh ! Bon. Dans ce cas, tout va bien, plus une trace de jalousie. Bon sang, ce que je peux être déraisonnable ! s'exclama-t-elle.

— Tu vois ? C'est pour ça que je ne t'ai rien dit. Je savais que tu le prendrais mal.

— Parce que là, non ?

— Avec le recul, j'admets que je n'ai peut-être pas fait usage de mon meilleur bon sens.

— Tu as fait usage de quoi, alors ?

— Enfin, tu me connais maintenant.

— Toi, oui, mais elle, c'est une autre histoire.

— Je te l'ai déjà dit : Yardley et moi, c'est du passé.

— Pour toi, mais je connais les filles dans son genre.

— Et c'est quoi, son genre ?

— Celui des ex obsessionnelles qui refusent de lâcher. Tu vois très bien ce que je veux dire. De celles qui traversent le pays en couche-culotte de la NASA avec un pistolet à impulsion électrique et du ruban adhésif dans son coffre de voiture ou qui envoie trente mille e-mails contenant des menaces voilées à ses rivales[1].

— Yardley t'a envoyé un e-mail ?

---

1. Références à Lisa Nowak, astronaute licenciée en 2007 après avoir été arrêtée pour agression sur la personne d'une rivale, et au scandale Petraeus.

— Non ! La garce n'a pas besoin de ça. Il lui suffit de grimper à bord d'un jet privé fédéral pour se rendre en France et te rejoindre à Nice.

— Où elle s'est néanmoins révélée d'un soutien inestimable pour m'arranger une rencontre avec Fariq Kuzbari. Tu devrais être contente.

— C'est ça. D'ailleurs, il n'y a pas plus heureuse que moi.

— Tu l'étais quand je t'en ai parlé. Jusqu'à ce que tu apprennes sa présence sur place.

— Justement, parlons-en, Rook. Je m'efforce de tenir les fédéraux à l'écart. J'ai déjà eu des centaines d'occasions de les avoir sur mon dos dans d'autres affaires. Leurs fameux moyens ont un prix. Je refuse de les laisser tout bousiller avec leurs manigances politiques ou de me vendre au nom d'un quelconque avantage diplomatique. Je tiens la Sécurité intérieure à distance, dit-elle afin d'éviter de mettre Bart Callan sur le tapis. Et voilà que miss Pot de colle vient fourrer son nez dans mes affaires – en se servant de toi, qui plus est. Ou inversement, pour ce que ça change…

Rook tenta d'apaiser les choses.

— Hé ? Nikki ?

Il lui posa la main sur le genou et baissa la voix.

— Cela ne te ressemble tellement pas.

Tout remonta à la surface, pas seulement les derniers jours, mais ces onze dernières années, et le vase déborda. Trop tard, impossible de refermer les vannes.

Elle qui détestait se laisser submerger par ses émotions, qui compartimentait toujours si bien sa vie… Elle toujours si réservée, si stoïque, elle lâcha subitement prise et se livra dans toute sa vulnérabilité.

— Je me sens si solitaire dans cette affaire. Tout me tombe dessus en même temps. Je n'y arriverai pas toute seule.

— Alors, pourquoi n'acceptes-tu pas qu'on t'aide ?

— Si, bien sûr que j'aimerais qu'on m'aide. Mais pas n'importe qui. Je ne peux pas faire confiance à n'importe qui.

— Et moi, alors ? Tu ne peux plus me faire confiance, à moi l'idiot capable de se jeter devant toi pour prendre une balle à ta place ?

Le moment était venu. Elle était arrivée à un tournant majeur de sa vie ; tout allait basculer.

Préférant ne pas répondre, Nikki fit autre chose. Quelque chose de beaucoup plus fort que tout ce qu'elle aurait pu dire. Elle choisit d'agir. Sans un mot, elle se leva et se dirigea vers la banquette de piano de sa mère pour y prendre le code.

***

Rook écouta Heat avec attention lui raconter comment, ce soir-là, trois semaines auparavant, elle avait fini par réussir à se mettre au piano pour la première fois depuis le meurtre de sa mère. Onze ans plus tard, elle avait ouvert la banquette pour en sortir la partition, celle qu'on lui avait enseignée quand elle était petite. Or, en jouant, elle avait remarqué quelque chose de curieux. De petites annotations au crayon entre les notes.

Il se pencha sur la partition pour les examiner, plissa les yeux et secoua la tête en essayant de comprendre. Alors, elle lui fournit la réponse à sa question sur la confiance.

Nikki expliqua donc à Rook qu'à son avis, ces symboles constituaient un code secret légué par sa mère. Et que, quelle qu'elle fût, l'information qu'ils cachaient était la raison pour laquelle elle avait été assassinée.

— Et comme tout indique que le complot fomenté par Tyler Wynn est en marche, je crois aussi que, si la mauvaise personne découvre que ce code est entre nos mains, nous risquons de nous faire supprimer à notre tour.

— Génial ! Merci de m'avoir mêlé à tout ça, dit-il avec un humour pince-sans-rire.

Ils tombèrent alors dans les bras l'un de l'autre et s'étreignirent. Il s'écoula quelques secondes. Puis, le visage toujours blotti contre lui, Nikki reprit la parole :

— Tu meurs d'envie de t'y plonger, n'est-ce pas ?

— Ça me démange.

Elle s'écarta en souriant.

— Fais-toi plaisir.

Sans la moindre hésitation, Rook se tourna face à la table basse et ouvrit la partition. Il se pencha plus près, tourna la tête d'un côté, puis de l'autre, et plissa encore les yeux en étudiant les marques au crayon.

Laissant l'homme auquel elle confiait sa vie se creuser la cervelle en paix, Nikki fit vagabonder son regard vers la télévision muette, où un barman du Crown Salon, à Belfast, servait à Anthony Bourdain une sombre pinte de Guinness. Nikki avait fait le grand saut. Pour l'instant, à tout le moins, elle non plus n'émettait pas de réserves[1].

***

Ils passèrent la plus grande partie de la nuit à travailler ensemble, se cassant la tête à essayer de comprendre comment fonctionnait le code. Après la bière, ils passèrent au café, mais cela ne les rendit pas plus éclairés, juste un peu plus réveillés. Heat répondit à toutes les questions de Rook en évitant toutefois de trop en dire afin de ne pas entraver son imagination fertile.

Même lorsqu'elle le vit surfer sur Internet et refaire le même chemin qu'elle, Nikki n'essaya ni de l'en décourager ni de l'en empêcher. Rook trouverait peut-être quelque chose, lui, avec son regard neuf.

Au-delà de ses propres recherches sur les Égyptiens, les Mayas, les Phéniciens, les druides et les tagueurs, Rook se rendit sur un site consacré aux langues utilisées dans une série intitulée *Firefly*. C'est alors qu'ils surent qu'il était temps d'aller se coucher et de reprendre à tête reposée le lendemain.

— Dans quarante-cinq minutes, tu veux dire ? fit-elle.

---

1. Référence au titre de l'émission (*No Reservations*) qui joue sur les mots, car il signifie également « sans réserve ».

Insensible à la caféine, Heat tomba aussitôt dans les bras de Morphée et dormit comme cela ne lui était pas arrivé depuis des lustres. Sans doute les effets d'avoir partagé son fardeau. À son réveil, la place de Rook dans le lit était vide et les draps lui parurent froids au toucher.

Elle enfila son peignoir et le trouva assis à la fenêtre dans le bow-window, le regard perdu sur Gramercy Park. Toutefois, Nikki eut l'impression qu'il ne voyait rien d'autre que les marques au crayon sur la partition.

— Tu comprends maintenant où j'avais la tête ces dernières semaines, dit-elle en lui posant les mains sur les épaules.

— J'ai le cerveau qui fume.

Il bascula la tête en arrière, et elle lui embrassa le haut du front.

— Tu vas me détester.

— Tu laisses tomber ?

— Non.

— Tu ne crois pas qu'il s'agit d'un code ?

— Si.

— Eh bien, alors ?

— J'ai réfléchi.

— Tu me fais peur.

— On n'arrivera pas à le déchiffrer tout seuls. Du moins, pas assez vite. Il nous faut de l'aide.

Nikki se raidit et retira ses mains. Il se détourna de la fenêtre pour lui faire face.

— Détends-toi, je ne parle pas d'aller trouver Yardley Bell. Ou l'agent Callan.

De vieux doutes vinrent de nouveau la tarauder ; avait-elle bien fait de le mettre dans la confidence ?

— Qui donc, dans ce cas ?

***

Il était à peine 8 heures du matin quand Eugene Summers ouvrit la porte de son loft, à Chelsea. Pourtant, il les accueillit avec une mine radieuse et la mise impeccable. Le majordome professionnel, désormais une star de la téléréalité, courba lentement sa tête argentée et fit un élégant baisemain à Nikki sans tenir compte des excuses qu'elle lui présentait pour leur visite matinale, annoncée à la dernière minute.

— Taratata, je suis ravi de vous voir. Au moins, cela m'a obligé à m'habiller.

— Sans blague, il faudra me montrer comment vous parvenez à obtenir une si parfaite fossette dans une cravate ! fit Rook.

— Le faudra-t-il vraiment ? rétorqua Summers.

Malgré le fait que Rook fût un de ses plus fervents admirateurs, ou peut-être justement à cause de cela, son idole semblait loin de se réjouir de le revoir. « L'expert en bonnes manières », comme le vantait la publicité, lui serra néanmoins la main avec amabilité et leur fit signe de s'installer au salon, où les attendait un café servi dans des tasses en porcelaine, agrémenté de croissants chauds.

Au milieu des années 1970, Eugene Summers, qui avait alors une vingtaine d'années, avait joué les espions aux côtés de Cynthia Heat pour le compte de la CIA en Europe. Tous deux faisaient partie du « réseau de nounous » de Tyler Wynn, ainsi nommé, car ses membres proposaient des services à domicile aux personnes ciblées par le renseignement. La mère de Heat s'infiltrait ainsi sous couvert de leçons de piano, Eugene, en qualité de majordome. D'où la suggestion de Rook de découvrir si le réseau de nounous avait un code secret.

D'emblée, Nikki s'était opposée à cette visite. Mettre Rook au courant de l'existence du code avait déjà été un grand pas pour elle. Élargir le cercle, surtout à quelqu'un ayant été sous les ordres de Tyler Wynn, présentait un grand danger. Toutefois, comme Rook l'avait souligné, à raison, ils étaient coincés et elle avait fini par céder. À condition qu'il soit d'accord pour ne pas aborder le sujet de front et éviter de révéler qu'ils étaient en possession du message codé.

— Pourquoi tant d'urgence, inspecteur ? demanda le

majordome, attendant poliment de les avoir servis pour s'asseoir – dans une posture parfaite.

Un seul de ses fameux regards suffit d'ailleurs à faire se redresser Rook, qui s'était affalé sur sa chaise.

— Ce n'est qu'une visite de routine, en fait, mentit-elle pour commencer. Comme vous l'avez sans doute appris, Tyler Wynn est toujours en liberté. Par souci de diligence, nous revoyons tous ceux qui l'ont connu.

— En effet, j'en ai entendu parler.

Une main posée sur le plastron, Summers continua :

— J'ai lu cet article de monsieur Rook sur Internet relatant l'horrible épreuve que vous avez traversée. Terrifiant et bouleversant !

Il marqua une pause et elle hocha la tête en témoignage de sa gratitude pour son attitude compatissante.

— Mais je ne vois sincèrement pas en quoi je pourrais vous être utile. Nous n'avons pas du tout été en contact dernièrement.

— C'était justement l'une de mes questions, dit Heat. Merci.

Rook posa sa tasse, l'air le plus détaché possible.

— Délicieux café. Tyler Wynn a peut-être sollicité d'autres personnes parmi ses connaissances, suggéra-t-il.

— Peut-être ?

Eugene n'était pas idiot. Derrière ses lunettes sans monture, ils le voyaient décortiquer chacun des mots de leurs phrases.

— Vous n'en êtes pas sûrs ?

— On se pose la question, c'est tout, rétorqua Heat. En passant en revue les effets personnels des complices de Tyler, il m'est venu à l'esprit qu'il pouvait s'y trouver des messages codés à côté desquels nous pourrions passer sans le savoir.

— Vous aimeriez savoir où regarder pour trouver des indices, suggéra le majordome.

— Exactement, confirma Rook.

— Utilisiez-vous un code dans le réseau de Wynn ? demanda Heat.

Summers fit non de la tête.

— La seule chose qu'on utilisait, c'étaient les boîtes aux lettres dont je vous ai parlé la dernière fois. On y déposait seulement de simples messages, écrits à la main et sans le moindre code.

Il afficha un large sourire.

— On manquait trop de rigueur et de discipline pour apprendre des codes ; alors, de là à s'en servir.

— Et Tyler Wynn ? demanda-t-elle. Utilisait-il un code ?

— Ça, je l'ignore. Vous pouvez me demander ce que vous voulez sur Tyler Wynn, son vin préféré, le chausseur qui lui confectionnait ses chaussures sur mesure, le fromager chez lequel il achetait son brie de Meaux… Mais en ce qui concerne le cryptage de ses communications, je suis navré.

Nikki baissa les yeux sur son café, qu'elle avait laissé refroidir. Alors qu'elle rangeait son calepin, regrettant le déplacement et le risque qu'il représentait, Rook reprit la parole :

— Eugene, commença-t-il, vous avez dit quelque chose qui me donne une idée. Tyler Wynn est un homme aux goûts particuliers, n'est-ce pas ?

— Oh ! vous n'avez pas idée !

— Si vous me permettez, pourrais-je solliciter un peu de votre temps pour que vous me parliez de ses habitudes, de ses goûts et de ses dégoûts ? Cela m'aiderait beaucoup à colorer mon prochain article sur lui. Le James Bond américain avec ses chaussures faites main et son fromage personnel, vous voyez ?

— Je n'ai guère plus de deux heures à vous accorder… Lara Spencer m'interviewe ce matin.

— Parfait, conclut Rook. On pourrait déjeuner ensuite ?

Piégé, le célèbre majordome darda sur Rook son légendaire regard noir avant d'acquiescer.

En redescendant du loft, dans l'ascenseur, Heat se tourna vers Rook.

— Dis-moi, ma vie se résume-t-elle à t'aider à écrire ton prochain article ?

— Ça ? Ce n'est pas pour un article. Voilà, je t'explique : si j'arrive à me faire une idée des goûts personnels et des habitudes de consommation de Tyler Wynn, on parviendra peut-être à retrouver sa trace grâce à ses achats.

Les portes s'ouvrirent sur le hall.

— Quelle horrible idée ! fit Nikki.

— Pourquoi ?

— Parce que je n'y avais pas pensé.

Elle passa alors devant lui pour mieux dissimuler son large sourire.

Lorsque Heat y fut de retour après son entrevue avec Eugene Summers, la salle de briefing ressemblait à une plateforme de télémarketing. Tous les enquêteurs étaient soit au téléphone, soit devant les tableaux blancs à s'entretenir sur les pistes qu'ils venaient d'explorer. Sauf, bien entendu, Sharon Hinesburg, que Nikki aperçut en train de surfer sur les sites de vente de chaussures, sur Internet, avant qu'elle ne bascule sur la page d'accueil du site interne de la police.

Raley et Ochoa s'apprêtaient à partir chez Sotheby's interroger un contact qu'ils avaient connu l'été précédent dans le cadre de leur enquête sur le meurtre de l'une des employées de la maison de ventes aux enchères.

— Si quelqu'un peut nous dire à quel tableau appartient cette main, c'est bien eux, déclara Raley.

Aussitôt, Heat pensa à Joe Flynn. Un expert en recouvrement d'œuvres d'art comme lui se révélerait certainement aussi très utile. Lorsque les Gars furent partis, Nikki chercha même son numéro sur son iPhone. Néanmoins, avant qu'elle appuie sur APPEL, sa dernière visite chez Quantum Retrieval et les regards langoureux de l'ancien privé en manque d'affection lui revinrent en mémoire. Elle reposa son téléphone. Flynn pouvait attendre qu'on ait laissé sa chance à Sotheby's. Heat appela au 61e commissariat, à Brooklyn, pour voir si on avait repéré Salena Kaye. Après avoir été renvoyée sur trois messageries différentes, elle raccrocha, appela Sharon Hinesburg et la chargea de se rendre à Coney Island pour y mener les recherches en personne.

— Il est encore tôt dans la saison pour les touristes, alors, commencez par les hôtels et plus particulièrement les chambres louées à la semaine.

L'enquêteur lança à Heat un regard plein d'exaspération.

— Ne devrais-je pas plutôt travailler sur le tueur en série au lieu d'aller battre le pavé ?

— Il n'y a rien de mal à battre le pavé.

Nikki ne put résister à la tentation :

— Je suis sûre que vous avez les chaussures qu'il faut, ajouta-t-elle.

En début d'après-midi, son téléphone mobile vibra. À en croire l'identificateur d'appel, il s'agissait de Greer Baxter de WHNY. Heat la laissa basculer sur la messagerie, puis écouta le message : « Inspecteur Heat, Greer Baxter, de Channel 3. Vous n'avez pas oublié mon invitation à mon petit direct sur le plateau du journal, j'espère ? Nous serions ravis de vous entendre sur ce qui se passe avec notre tueur en série. »

Pour ménager son effet, la présentatrice du journal télévisé marqua une pause.

« À moins que, bien sûr, vous ne réserviez l'exclusivité de cette affaire à votre petit ami, ajouta-t-elle. Rappelez-moi. »

Heat sentit la rage monter en elle. À cause de la pique, de la manipulation et de la distraction. Elle reposa doucement le téléphone sur son bureau et ferma les paupières le temps de se ressaisir.

— Inspecteur ?

Elle rouvrit les yeux.

— Penché au-dessus d'elle, Feller semblait prêt à exploser.

— J'en tiens un. Je viens de découvrir le plus beau des liens entre nos victimes.

SEPT

L'inspecteur Feller ne voulait pas le lui raconter, mais le lui montrer. Nikki le suivit à son bureau, où d'un geste il l'invita à s'asseoir.

— Comme vous nous l'aviez demandé, je me suis penché sur nos victimes et j'ai cherché le rapport entre les trois.

Il tendit le bras vers la souris de son ordinateur et double-cliqua. Une image s'afficha à l'écran, montrant Maxine Berkowitz assise par terre dans sa cuisine en survêtement et bottes Uggs, entourée de chiots.

— En fouillant dans les médias sociaux pour y suivre ses activités, j'ai trouvé ce post sur Facebook datant d'il y a trois ans.

Nikki se sentit le cœur lourd, comme toujours, à la vue du sourire joyeux qu'adressait la jeune femme assassinée à l'objectif.

— Vous voyez les petits beagles, fit remarquer Feller.

— Adorables.

— Vous les aimerez encore plus quand vous aurez vu ça.

Il ouvrit une autre fenêtre à côté de la photo de Berkowitz. Il s'agissait d'une publicité pour Douglas Sandmann, qui posait avec Smokey, son beagle renifleur de punaises de lit.

— Apparemment, les beagles sont très forts pour dénicher les punaises de lit ; alors, ils sont de plus en plus répandus dans les entreprises d'extermination. Sandmann avait même fait de Smokey la mascotte de sa société.

— Ouais, j'ai vu la pub, confirma Heat. Vous êtes en train de me dire que le lien entre nos deux victimes n'est qu'un penchant pour les beagles ? C'est un peu mince, Randall.

— Attendez.

De la gomme de son crayon, il pointa la portée autour de Maxine Berkowitz.

— C'est une portée mixte, avec des tas de couleurs différentes. Ici, il y a un bigarré, ces deux-là sont citron et blanc, et là, nous avons un mâle.

Il zooma sur l'un des chiots.

— Tricolore pie : blanc avec des taches feu et noires. Vous voyez le motif que forment ces trois taches noires sur l'épaule ? ajouta-t-il en grossissant l'image.

— Identiques, constata-t-elle.

Son intérêt était éveillé.

— C'est Smokey ?

L'enquêteur sourit.

— À vous de me le dire.

D'un clic de souris, il ouvrit une vidéo sur YouTube.

— Ça a été tourné il y a un an et demi, à Danbury, lors d'un stage d'éducation canine, expliqua-t-il pendant le chargement. En gros, c'est la cérémonie de remise des diplômes de Smokey.

Sur la vidéo amateur, Nikki vit Douglas Sandmann monter sur une estrade et accepter, sous les applaudissements du public, le certificat de son beagle, son chien à ses pieds. Ensuite, l'image sauta à un passage qui glaça le sang de l'enquêtrice. Manifestement tournée dans le parking après la cérémonie, la scène montrait Douglas Sandmann en compagnie de Maxine Berkowitz agenouillée, qui félicitait son bon toutou ; en retour, Smokey lui léchait le visage.

Heat exprima sa reconnaissance d'un signe de tête.

— Alors, c'est qui le bon chien-chien ? fit Feller.

Rook, qui arrivait de son déjeuner en ville, vint les rejoindre dans la salle de briefing. Nikki lui fit part du lien que

Randall venait de trouver avec le beagle, puis se tourna vers les tableaux blancs.

— Bon, on a relié Roy Conklin à Maxine Berkowitz. Maintenant, on a quelque chose pour relier Maxine à la Terreur des punaises de lit. On ignore ce que ça implique, pour l'instant, mais c'est déjà ça.

Elle se retourna vers l'inspecteur Feller :

— Vous croyez pouvoir faire la même chose pour Douglas Sandmann ? Et pour le serrurier, Glen Windsor, aussi ?

— Compris. Quoi que ce soit les reliant aux autres victimes.

— Ou qui nous aide à deviner qui pourrait être la prochaine, confirma Nikki.

Tandis que Feller repartait vers son bureau, elle tira un trait au marqueur entre Berkowitz et Sandmann et le baptisa « Smokey ».

— Joli nom pour un beagle, fit Rook tandis qu'elle rebouchait son marqueur. Barry Manilow en possédait deux : Bagel et Biscuit.

— Fascinant.

Heat retourna à son bureau.

— À propos de Barry Manilow, continua-t-il en la suivant, je viens justement de voir une pub pour *The Middle*. Une série télé super drôle. Patricia Heaton arrive alors que sa mère est en train de danser sur du Barry Manilow. Oh ! la mère ? fit-il d'une voix forte en s'adressant à toute la pièce. C'est… Marsha Mason qui joue le rôle. Moins de six degrés de séparation, merci, merci beaucoup.

— Rook, tu veux bien garder tes petits jeux pour quand on sera un peu moins débordés, suggéra Heat.

— Tu veux dire quand on aura…, je ne sais pas, moi…, attrapé un meurtrier ou deux ? Justement, inspecteur Heat, il se trouve que j'ai une petite contribution à apporter aux recherches sur l'un de vos suspects, un certain Tyler Wynn.

À son habitude, il s'assit sur son bureau et, une fois de plus, elle dut arracher un dossier de sous ses fesses.

— J'écoute.

Il défit l'élastique de son Moleskine noir.

— Malgré l'animosité dont il fait preuve à mon égard et que je ne m'explique pas, Eugene Summers m'a fourni des renseignements très utiles sur Tyler Wynn pendant notre déjeuner. C'est une excellente source. Non seulement Summers a espionné pendant des années pour Wynn, mais c'est un majordome : un fin observateur, porté sur le détail. Il m'a donné toute la liste des préférences de Tyler en matière d'achats.

Rook ouvrit son calepin à la page qu'il avait marquée du ruban noir intégré.

— Est-ce que tu savais, par exemple, que Wynn porte des chaussures sur mesure ? Des mocassins à six mille dollars confectionnés dans les ateliers du bottier John Lobb à Paris.

Cela attira l'attention de Nikki. Manifestement, le vieux barbouze ne se privait de rien, mais surtout le prix qu'il était prêt à payer pour satisfaire ses goûts de luxe expliquait sa trahison, car ce n'était pas le genre de choses qu'un employé du gouvernement pouvait se permettre avec son seul salaire.

Rook leva les yeux de son calepin.

— Des chaussures à six mille dollars ! Il vaut mieux entendre ça que d'être sourd.

— Entièrement d'accord. Bel effort sur la syntaxe, au passage.

Elle l'asticotait régulièrement sur ses qualités de romancier, mais, le voyant feuilleter ses notes, elle respecta son talent de journaliste. Surtout s'il devait lui permettre de mettre le grappin sur Wynn. Dans ce cas, elle lui devrait même la vie.

— Voyons, quoi d'autre ? Sur le plan vestimentaire, il n'achète que du Barbour, et uniquement chez Harrods. Ses sacoches viennent de chez Alfred Dunhill, ses pulls, de chez Peter Millar, ses chemises, de chez Haupt, en Allemagne, et ses chaussettes de sport, d'Afrique du Sud… Ce sont des Balega, si tu veux tout savoir. Pour l'alcool aussi, il a des habitudes très particulières. En blanc, il ne boit que du bourgogne du Domaine Leflaive Puligny-Montrachet.

Quant au rouge, rien que du cabernet sauvignon du Mil-Mar Estates, dans la Napa. Sinon, ses préférences vont au Whistlepig pour le whisky au seigle américain, et au Vya pour le vermouth. Question single malt, sa marque de prédilection est le Michael Collins.

— Quoi, le Jameson n'est pas assez bien pour lui ?! s'exclama-t-elle.

— Nikki Heat, vous lisez dans mes pensées.

***

Les habitudes personnelles fournissaient souvent d'excellentes pistes ; or la star de la télévision s'était révélée une mine en la matière. Il y avait tant de pistes à suivre que Heat chargea l'inspecteur Rhymer d'aider Rook à contacter les commerçants qui distribuaient les marques rares dont Tyler Wynn semblait si friand.

— Tes qualités de journaliste d'investigation font merveille, Rook, lui dit Nikki. Maintenant, passons à l'étape suivante. Il faudrait savoir si l'oncle Tyler s'est offert quelques menus plaisirs ces derniers temps et où ils ont été livrés.

— Impossible de passer inaperçu avec des goûts aussi pointus.

— À toi de nous le prouver, conclut-elle.

Alors qu'ils partaient se mettre au travail avec Rhymer, Raley appela depuis la voiture.

— Avec Miguel, je sors juste de chez Sotheby's, dans l'East Side, déclara-t-il.

— Vous pensez qu'ils vont pouvoir nous identifier le tableau ?

— C'est déjà fait. Ça leur a pris trois secondes. La main en question provient d'une œuvre de Cézanne qui s'intitule *Jeune Garçon au gilet rouge*. Le commissaire-priseur m'en a envoyé une reproduction par e-mail. Je vous la transférerai, sinon vous pouvez la récupérer directement, si vous ne voulez pas attendre.

— Merci. Quelle rapidité, Raley !

— En fait, c'est une œuvre très connue, que tout le monde cherche en ce moment en plus.

— Ah bon, pourquoi ?

— Elle a été volée en 2008 au…, attendez, je n'arrive pas à me relire. Cette toile a été dérobée avec trois autres tableaux à la Fondation Bührle. C'est à Zurich. Vous m'entendez ? s'enquit-il après un instant de silence.

— Oui, très bien, répondit Nikki. Je pensais juste à quelqu'un que je dois appeler. Beau travail.

Elle raccrocha, serra les dents et composa le numéro de Joe Flynn à son bureau. Pendant que le téléphone sonnait, elle chercha le Cézanne dans Google et obtint nombre de résultats, la plupart concernant son vol, deux ans auparavant.

— Désolée, monsieur Flynn est absent, annonça l'assistante chez Quantum Retrieval, mais je peux vous passer sa messagerie.

Après le bip, Nikki demanda à son interlocuteur de la rappeler. Ensuite, elle chercha son numéro de portable dans ses notes et lui laissa un autre message. Lorsqu'elle eut raccroché, elle s'en voulut de ne pas avoir appelé plus tôt ; elle aurait pu s'épargner une demi-journée de recherches sur le tableau. Voilà ce qui arrive quand on mêle ses sentiments personnels à une enquête, songea-t-elle.

Alors qu'elle se jurait qu'on ne l'y reprendrait plus, Heat était loin d'imaginer que sa résolution allait être si tôt mise à l'épreuve.

— Nikki Heat. Votre plus grand admirateur à l'appareil, annonça son interlocuteur. Au son de sa voix, instantanément sur ses gardes, elle chassa toute autre pensée de son esprit. Zach Hamner, le bras droit du commissaire adjoint aux Affaires juridiques de la police de New York, ne l'appelait jamais sans avoir quelque chose à lui demander. Or ce n'était qu'à ses risques et périls qu'on refusait quoi que ce soit au « Hamster », car, selon Rook, cette créature de l'enfer tenait à la fois du maire de Chicago et du héros du film *Wall Street*, avec Michael Douglas.

— Ravie de voir qu'on n'a pas encore enterré mon nom

en haut lieu, dit-elle en s'efforçant de rester légère, même si son cœur ne l'était pas.

— Mais vous le savez pertinemment, répondit-il sur un ton enjoué.

Apparemment, Zach savait aussi bien masquer la sournoiserie dans sa voix que Nikki les craintes dans la sienne.

— Je sais que vous avez fort à faire. Nous nous réjouissons tous d'ailleurs de vous savoir aux commandes sur cette affaire de tueur en série. Le commissaire lui-même vous le fait savoir.

— Zach savait manier l'allusion à la hiérarchie.

— On l'aura.

— Si quelqu'un le peut, c'est bien vous, Heat. Quoi qu'il en soit…

Délibérément, il marqua une pause d'au moins cinq secondes, afin d'avoir toute son attention – manœuvre totalement superflue.

— Je reçois des appels de Greer Baxter, de Channel 3. Habituellement, ce genre de sollicitations est redirigé vers le service de la communication, mais Baxter y a des relations, d'où mon appel. Vous savez de quoi il retourne.

— En effet, Zach. Mais vous savez aussi ce qu'implique une affaire comme celle-ci. Si on veut mener l'enquête correctement, on n'a vraiment pas de temps à consacrer aux médias.

— Et c'est pourquoi nous ne cessons de voir la fichue tête de Wally Irons sur tous les écrans. Écoutez, je compte sur mes doigts. Un : Greer Baxter est une amie du commissaire. Deux : sa rédaction a payé un lourd tribut à ce sale type. Trois...

Il fit une nouvelle pause. Heat savait à quoi s'attendre avant même qu'il achève sa phrase.

— Vous me devez une fleur.

Nikki se sentit s'enfoncer dans les sables mouvants. Un peu plus tôt dans l'année, Hamner, qui avait soutenu sa candidature au poste de lieutenant et à la direction de la vingtième, avait fini, à son plus grand embarras, par lui refuser publiquement la promotion au dernier moment. Au cours de ce dernier mois encore, elle était revenue vers lui pour lui demander un service lorsque le capitaine Irons l'avait arbitrairement suspendue pour raisons médicales, soi-disant par inquiétude concernant son état psychique après qu'elle s'était fait tirer dessus. Le Hamster lui avait rendu sa plaque en l'avertissant toutefois qu'il ne manquerait pas de réclamer son dû.

Ce jour était arrivé.

**

— Je vous accompagne sur le plateau dans deux minutes, inspecteur, annonça le régisseur, qui quitta aussitôt la petite loge de WHNY.

Rook vint se placer derrière le fauteuil de Nikki qui venait de se faire maquiller. De leurs deux reflets dans le miroir, l'un ne semblait pas déborder de joie.

— Pour quelqu'un qui aspirait à devenir actrice, dit-il, j'aurais cru que ça te plairait, tous ces gens qui s'agitent autour de toi et viennent t'annoncer « Deux minutes, inspecteur » ou te proposer « Une bouteille d'eau, inspecteur ? »

— Une retouche maquillage, inspecteur ? demanda la jeune femme qui apparut à la porte.

— Tu vois ? C'est magique, commenta Rook.

— Merci, je n'ai besoin de rien.

La maquilleuse repartit.

— Tu es sûre ? demanda Rook. Près d'un million de spectateurs regardent ce journal.

— J'ai juste hâte que ce soit terminé, affirma Nikki. Je me moque de savoir de quoi j'ai l'air.

— Hum, bon…

— Quoi ?

— Non, rien, dit-il. Tu es juste un peu, euh…

Heat bondit de sa chaise pour se rapprocher du miroir. Elle ne vit rien de problématique si ce n'est son reflet à lui, qui ricanait derrière elle. Lorsqu'elle se fut rassise, Rook se calma.

— Tu as décidé de ce que tu allais dire ?

— Justement, c'est bien le problème. On me force à participer à cette émission en direct alors que je ne peux rien divulguer qui ne l'ait déjà été sans bousiller toute l'enquête.

Le régisseur revint.

— C'est quand vous voulez ; on est prêts.

Pendant une publicité pour un remède contre l'arthrose, quelqu'un fixa un micro sans fil au col de Nikki, et le régisseur lui indiqua un fauteuil de cuir qui aurait avantageusement trouvé sa place dans un carré VIP d'aéroport.

Il faisait face à son frère jumeau dans un minuscule coin du plateau, à l'écart du bureau de la présentatrice. Les trois caméras qui se rapprochèrent en glissant masquèrent à la vue de Heat le reste du studio qu'elle ne distinguait pas de toute façon à cause des projecteurs qui l'éblouissaient.

— Merci d'être venue, fit une voix familière, et Greer Baxter se matérialisa dans le cercle de lumière la main tendue.

Nikki la lui serra ; elle allait mentir en lui disant que c'était avec plaisir lorsque la présentatrice s'assit.

— Faites comme si les caméras n'étaient pas là ; concentrez-vous sur moi.

Puis, elle s'adressa à l'un des objectifs braqués sur elle. Ce soir, je reçois en direct la personne qui traque notre tueur en série. Un court générique composé d'animations et d'un montage d'interviews montra Greer Baxter en compagnie des plus grands noms de la scène politique, économique, religieuse et médiatique, sans oublier de grandes figures du cinéma. Une fois cette introduction terminée, le régisseur pointa de son script roulé le milieu de la caméra, à laquelle Baxter s'adressa.

— C'est sans doute le policier le plus célèbre de New York. Nikki Heat, l'inspecteur de la criminelle dont on a tant parlé dans diverses revues nationales, a été décorée pour sa bravoure et présente le plus haut taux d'élucidation de la police de New York. Bonsoir, inspecteur.

— Bonsoir.

— Il y a un tueur en série en liberté. Il a déjà fait trois victimes. Un employé de l'hygiène, un exterminateur de nuisibles et notre regrettée Maxine Berkowitz.

Des photos des victimes se superposèrent à l'écran derrière Nikki et Baxter.

— Que pouvez-vous nous dire au sujet de l'enquête ?

— D'abord, j'aimerais vous présenter mes plus sincères condoléances à vous et à vos collègues ainsi qu'aux familles des victimes. Quant au stade où en est l'affaire, je ne peux guère ajouter d'éléments à ce qui a déjà été divulgué dans les médias.

— Serait-ce parce que vous n'avez pas progressé ?

— À mes yeux, on ne progresse pas tant qu'un tueur n'a pas été appréhendé. Manifestement, nous n'en sommes pas là.

— Et parmi ce qui n'a pas encore été relaté dans la presse ? Pouvez-vous nous faire part d'un élément qui nous rassurerait ?

— Greer, si le fait de divulguer des informations internes pouvait faciliter l'arrestation de cet individu, je serais la première à le faire. Or il existe certains détails que nous devons taire afin de ne pas risquer d'entraver la bonne marche de l'enquête en renseignant le suspect ou en suscitant des imitations.

— Vous ne céderez donc rien.

Greer se pencha légèrement en avant, comme pour un contre-interrogatoire.

— Sauf votre respect, pourquoi venir sur ce plateau si ce n'est pour en dire plus ?

— Je croyais pourtant m'être fait clairement comprendre en vous avertissant que je ne pourrais aller au-delà de ce qui a déjà été rendu public. Mais si vous avez des questions, j'y répondrai volon…

— Très bien, en voici une : nous savons que le tueur laisse des fils de couleur derrière lui. D'après nos confrères…

Elle brandit la une du *Ledger*.

— … les deux premiers étaient rouge et jaune. Or, selon mes sources, il y aurait d'autres couleurs maintenant. Comme du violet ? Et du vert ?

Ses sources ? Nikki regrettait de ne pas avoir accepté davantage de maquillage, car elle se sentait rougir.

— Là encore, je ne me permettrai aucun commentaire.

— Rouge, jaune, violet et vert. On dirait les couleurs de l'arc-en-ciel. Puis-je vous demander si ce tueur a déjà un surnom ?

Avant que Heat n'ait eu le temps de répondre, la journaliste fonça :

— Vous savez comment je l'appellerais, moi, ce tueur ? Arc-en-ciel.

Elle se retourna vers la caméra et répéta. Puis, satisfaite de son effet, elle reprit :

— Inspecteur Heat, vous n'êtes pas très bavarde. Le jour où vous aurez vraiment quelque chose à raconter à nos téléspectateurs, j'espère vous revoir sur ce plateau.

— Très certainement, assura Nikki.

Mais il faudra qu'on m'enfile une camisole de force et qu'on m'attache sur une chaise, songea-t-elle toutefois.

— C'est une première. Il nous reste trente secondes. Vous avez vu un bon film dernièrement, ou vous est-il également impossible d'en parler ?

— Pas vraiment, non, répondit Nikki, qui se décida à sauter le pas. En revanche, je peux vous parler d'une autre affaire sur laquelle nous enquêtons. Le tueur a déjà été appréhendé, mais nous sommes encore à la recherche de ses complices.

Le régisseur entama un compte à rebours de dix secondes. Heat enfonça la main dans la poche de son blazer et en sortit les portraits de Tyler Wynn et de Salena Kaye qu'elle brandit devant la caméra au voyant rouge allumé.

— J'invite le public à nous aider en nous faisant savoir s'il a vu l'une de ces deux personnes. La femme a été aperçue pour la dernière fois près de Coney Island.

— Et c'est terminé, inspecteur, annonça Greer Baxter. Bonne chance pour cette affaire et pour l'arrestation du... tueur Arc-en-ciel.

Dans le taxi qui les ramenait au sud de Manhattan, Rook commenta :

— Une chance que tu aies eu ces portraits dans la poche.

— Oui, c'est fou, dit Nikki. Justement le soir où je passais en direct à la télévision. Ça ne pouvait pas mieux tomber.

Il lui pressa la main.

— Il n'y a pas de hasard.

Le lendemain matin à la vingtième, Wally Irons vint trouver Heat à sa table de travail avant même d'avoir ouvert son propre bureau. Sous l'effet de l'agitation, son teint pâteux virait au rougeâtre.

— Je vous ai vue hier soir au journal de 20 heures avec Greer Baxter. Ne croyez-vous pas qu'il aurait été plus correct de mentionner à votre supérieur ces contacts avec les médias ?

Heat faillit lui rire au nez. Elle n'aurait rien tant aimé que faire preuve d'insubordination et lui rétorquer : « Plus correct de vous demander l'autorisation ou de vous préparer le terrain ? » ou « Faire comme Sharon Hinesburg… et vous demander la permission sur vos genoux, vous voulez dire ? » Néanmoins, l'inspecteur Heat préféra raison garder et, en bonne professionnelle, lui dire la vérité.

— Je ne voulais pas de cette interview. J'y ai été contrainte en haut lieu. Vous souhaitez en parler au bureau du commissaire en question ?

L'herbe coupée sous le pied, Irons en resta d'une glorieuse impuissance.

— La prochaine fois, tenez-moi au courant.

Et il tourna les talons.

Comme une horloge, l'inspecteur Hinesburg arriva d'un pas nonchalant cinq minutes après le patron, intervalle censé entretenir l'illusion qu'elle ne couchait pas avec lui. Elle ronchonna au sujet de la mission que Heat lui avait confiée. Dans aucun des hôtels de Coney Island suggérés par Nikki on n'avait vu Salena Kaye. Certaine que Sharon était l'auteur des fuites concernant le tueur en série à Greer Baxter, au *Ledger* et autres, Heat l'isola en la chargeant du suivi des appels attendus suite à la présentation, à la télévision, des photos de Tyler Wynn et de Salena Kaye.

— Ça me va, tant que je n'ai pas à retourner à Coney Island, maugréa-t-elle.

Alors que Nikki revenait de la cuisine, un agent du poste lui fit un signe de la main pour la prévenir de garder ses distances.

— Attention, on a une sacrée teigne, là.

Le dos appuyé au mur, elle s'arrêta donc pour savourer une cuillerée de yaourt tandis que deux policiers s'efforçaient de traîner un motard menotté jusqu'en salle d'interrogatoire. Juste derrière suivait son avocate. À la vue d'Helen Miksit, Heat se demanda de quelle teigne le policier avait voulu parler.

— Maître, quelle agréable surprise ! Les affaires vont si mal que vous défendez les Sons of Anarchy maintenant ?

Helen Miksit, surnommée le Bouledogue à la fois en raison de son physique et de son sens du contact, ne parut guère ravie de trouver Heat sur son chemin.

— Disons plutôt l'un des plus grands noms de la cosmétique dentaire de Manhattan, même si je ne vous dois aucune explication. En fait, j'espérais ne pas avoir à vous croiser ici.

— Il vous arrive de rappeler quand on vous laisse un message, Helen ?

Contrariée, l'avocate marqua une pause, puis cria à son client par la porte ouverte :

— J'arrive ! Ne dites rien, Howard. Vous m'entendez ? Ne dites rien.

Miksit referma la porte et se tourna vers l'agent qui avait alerté Nikki.

— Il est obligé de rester là, lui ?

L'enquêtrice adressa un sourire au policier qui passa son chemin.

— Inspecteur, vous êtes une empoisonneuse. Deux appels par jour, parfois plus !

— Tout ce que je veux, c'est une brève entrevue avec monsieur Barrett.

Algernon Barrett, un cuisinier émigré de Jamaïque qui avait fait fortune avec une société de restauration et le commerce d'épices, avait également fait partie des clients de la mère de Nikki.

— Barrett pourrait m'aider à localiser deux dangereux suspects.

— Ne me racontez pas d'histoires, Heat. Rappelez-vous quand nous travaillions ensemble à l'époque où j'étais procureur. Tous les jours, j'envoyais balader des flics pour moins que ça pour ne pas me faire envoyer balader à mon tour par le juge au tribunal.

— Je ne suis pas n'importe quel flic, Helen, et je sais que vous ne l'avez pas oublié.

Voyant qu'elle marquait un point, Nikki poussa l'avocate dans ses retranchements.

— Je veux juste deux minutes pour lui montrer quelques photos. Voyez le bon côté des choses : je cesserai de vous harceler.

Helen Miksit pinça les lèvres en une grimace qui, chez elle, ressemblait le plus à un sourire.

— Demain.

Elle pénétra dans la salle d'interrogatoire.

— Appelez d'abord, dit-elle en refermant la porte.

Nikki trouva Rook et l'inspecteur Rhymer au centre de commande qu'ils s'étaient aménagé dans le cagibi où Raley visionnait habituellement ses vidéos. Tous deux au téléphone, ils appelaient les revendeurs des marques préférées de Tyler Wynn. Lorsque Heat leur demanda comment cela se passait, ils levèrent vers elle des regards vides de galériens.

— Tu sais, c'est marrant, fit Rook. C'est toujours stimulant, une bonne idée, jusqu'au moment où tu la mets en pratique.

— C'est fastidieux, mais on a presque fini, annonça Opossum, fidèle à son légendaire optimisme.

— Laisse-moi te faire un topo, reprit Rook.

Il se déplaça près d'un immense bloc de présentation posé sur un chevalet en aluminium, et sur lequel un tableau indiquait l'état d'avancement pour chaque élément.

— Jusqu'ici, le bottier qui lui fabrique ses chaussures sur mesure à Paris indique que monsieur Wynn ne commandera pas une nouvelle paire avant près d'un an, d'après son rythme habituel. *C'est dommage*, commenta le journaliste en français. Le rayon Barbour chez Harrods se renseigne auprès de la direction pour savoir s'ils peuvent nous livrer des informations sur leur client.

— J'appelle Scotland Yard, s'il le faut, proposa Heat.

Le regard de Rook s'éclaira.

— Scotland Yard ? Bon sang ce que j'aime ce boulot.

Tout en continuant son énumération, il expliqua qu'ils avaient commencé par appeler en Europe et sur la côte est, et qu'ils comptaient continuer progressivement vers l'ouest en suivant les fuseaux horaires. En Californie, tout le monde était encore au lit, fit-il remarquer.

— Si je peux me permettre, avant que vous n'ayez trop avancé, j'aimerais souligner un point, intervint Nikki.

— Je sens que je ne vais pas aimer, flaira Rook.

— Il passe peut-être commande sous un faux nom.

— Et voilà !

Il se retourna vers Rhymer.

— Dire que ça me plaisait tant. On allait avoir l'aide de Scotland Yard et tout et tout.

— On a trouvé un ou deux pseudos dans la veste de Wynn, ajouta Heat en sortant. Mais à ta place, j'appellerais aussi ton ami le majordome. Il te donnera peut-être d'autres noms.

Alors qu'elle ouvrait la porte, Raley, dont la main était posée sur la poignée extérieure, fit irruption.

— C'est lui, dit-il, presque haletant, votre tueur en série. Sur la ligne deux.

***

Elle se rua vers son bureau et décrocha la ligne signalée par le clignotement d'un voyant rouge.

— Heat.

— Tout doux, inspecteur, fit la sinistre voix déformée. C'est moi qui vous ai déjà appelée, vous vous souvenez ?

Il partit alors d'un rire triste.

— Le tueur Arc-en-ciel, hein ? Ça me plaît bien, ça. Rouge, jaune, violet, vert. Vert… À qui correspond donc le vert ? Vous ne vous posez pas la question, vous ?

— Si vous me disiez plutôt de quoi il s'agit ?

Elle s'assit et se munit d'un stylo, au cas où. À qui ai-je l'honneur ?

— Vous vous foutez de moi ?

— Il faut bien que je vous appelle par un nom. Vous connaissez le mien. Pourquoi ne pas me donner le vôtre ?

— Ben voyons, et pourquoi pas « Allez vous faire foutre » ? Parce que, si vous comptez m'embrouiller avec vos trucs de psy à la con pour ramener tout ça sur un plan personnel, ce sera ça : Allez vous faire foutre.

— Allons, je voulais seulement…

— Arc-en-ciel, alors, dit-il, soudain amène. Ouais, vous n'avez qu'à m'appeler Arc-en-ciel. Allez vous faire foutre Arc-en-ciel.

Il s'esclaffa de nouveau avant de reprendre un ton glacial.

— Vous croyiez peut-être que vous avez failli m'avoir hier chez ce putain de serrurier, hein ? Vous vous croyez maligne ?

— Assez en tout cas, dit-elle pour le défier un peu.

— Ouh ! Mais c'est qu'elle a du répondant, la petite.

Il marqua une pause et elle entendit son souffle déformé par l'électronique. On aurait dit une éponge à gratter.

— Bon, je vous l'accorde. Jamais vu un flic aussi malin. On ne tardera pas à savoir à quel point, ajouta-t-il. Et pensez vert.

Clic. Ça avait coupé.

HUIT

Bien entendu, il n'y avait pas un enquêteur dans ce poste qui n'ait réfléchi à ces couleurs. Chacun se demandait à quoi ce fil vert pouvait être relié, chacun espérant battre le tueur de vitesse comme ils l'avaient fait pour le serrurier. La différence cette fois, c'est qu'ils voulaient non seulement sauver une vie, mais mettre la main sur cet enfoiré.

— Va te faire foutre, Arc-en-ciel ! lâcha Randall Feller lorsque les enquêteurs se repassèrent l'enregistrement.

De son côté, Heat entoura la seule note qu'elle avait prise pendant sa brève conversation au téléphone : « *Jamais vu un flic aussi malin.* » Elle pesa ces mots, puis appela le Centre d'analyse des crimes violents du FBI à Quantico. Pour plusieurs affaires dernièrement, Nikki avait ainsi sollicité l'aide des analystes de Virginie.

Comme elle pouvait désormais joindre directement l'agent avec lequel elle avait lié amitié, ses rapports avec les fédéraux lui semblaient tout à coup beaucoup moins compliqués. Avec cette interlocutrice, elle entretenait une relation plus personnelle. Elle se sentait comme à la maison, songea-t-elle en souriant.

L'analyste indiqua à Heat qu'elle avait déjà été briefée sur l'affaire et qu'en fait, elle était au courant de tout, y compris des fils de couleur.

— Bien entendu, nous avons cherché ce modus operandi dans notre base de données centrale, expliqua Heat, mais je voulais voir si vous aviez quoi que ce soit de nouveau.

Tandis qu'elle lui résumait l'appel qu'elle venait de recevoir, elle entendit l'analyste pianoter sur son clavier à l'autre bout du fil.

— Pouvez-vous m'envoyer les fichiers WAV des deux appels, inspecteur ? Je vais fouiller de mon côté.

Nikki assura les lui envoyer en pièces jointes par e-mail dès qu'elles auraient raccroché.

— En attendant, il y a un élément que nous n'avons pas encore vérifié pour l'instant. Vous l'entendrez vous-même à la fin de l'enregistrement d'aujourd'hui. Il dit n'avoir jamais vu un flic aussi malin.

— Oh !…

À l'instar de Heat, l'agent du FBI percevait la gravité de la situation.

— Vous voulez que je recoupe avec les crimes en série impliquant un contact vocal direct avec les forces de l'ordre, j'imagine ? Je vous rappelle si je trouve quelque chose.

— Vous êtes une perle, dit Nikki.

— C'est pour la bonne cause, inspecteur Heat.

***

D'abord, Nikki crut à une hallucination. Ces choses arrivaient lorsqu'on était soumis au stress qu'elle subissait, à ses horaires de fou. Elle fit rouler sa chaise pour mieux regarder derrière son écran d'ordinateur. À l'autre bout de la salle de briefing, à l'intérieur du bocal du capitaine Irons, il lui semblait reconnaître de dos…

Mais oui, c'était bien… l'agent Callan, de la Sécurité intérieure, qui serrait la main à Wally. Les yeux écarquillés, Iron Man se leva de son bureau. Tel un poisson privé d'oxygène, il ouvrait et fermait la bouche, complétant le tableau de ce bureau qui ressemblait tant à un aquarium. Puis, les deux hommes se retournèrent, et le visage du capitaine vira au rouge tandis qu'il tendait la main à sa splendide visiteuse, l'agent Yardley Bell.

Figée, Heat ne put que regarder son patron avec des yeux de merlan frit lorsqu'il lui fit signe par la vitre donnant sur la salle de briefing. Les deux fédéraux se tournèrent vers elle, et Nikki les vit lui sourire. Bart Callan au moins semblait sincère.

Une minute plus tard, Nikki prenait place sur une chaise dans le bocal, Irons à côté d'elle, l'air parfaitement inutile.

— Si vous avez besoin de moi…, fit le capitaine.

— Non, votre bureau suffira.

Callan regarda autour de lui.

— À moins que vous n'ayez un autre endroit où nous puissions nous parler en privé.

— Il y a la salle d'interrogatoire, suggéra Wally.

— Nous serons très bien ici, assura Yardley Bell.

Ils attendirent que le capitaine comprenne leur silence. Il les salua en portant deux doigts à sa tempe et quitta le bureau. Après l'avoir fermée, Bell s'appuya contre la porte. Callan rapprocha une chaise près de celle de Nikki et s'assit.

— Je fais désormais partie des meubles ? demanda Heat. Parce que j'avais plus l'impression d'être quelqu'un de spécial quand vous m'enleviez pour m'interroger dans un entrepôt du Queens.

— Ne vous sentez pas piégée, la rassura Bell. L'agent Callan et moi-même passions dans le quartier.

— Fichtre.

Nikki arbora un sourire crédule à la Joey dans *Friends*.

— C'est au sujet d'Eugene Summers, déclara Callan. Vous et Jameson Rook êtes passés chez lui à Chelsea et nous nous demandions pourquoi.

— C'est un interrogatoire ? Vous plaisantez !?

— Pas du tout. Nous ne sommes là qu'à titre d'information. Juste pour boucler la boucle dans notre enquête.

Il afficha un large sourire.

— Double principe de précaution.

Il était aussi crédible que Bell prétendant passer dans le

quartier. Manifestement, ils voulaient quelque chose. Heat s'exhorta donc à se concentrer davantage. Rompue à l'art de l'interrogatoire, elle savait qu'il lui fallait se mettre dans leur tête. Que chercherait-elle à leur place ?

Le code.

Cherchaient-ils le code ? Ou la preuve de son existence ?

— Évidemment, nous savons que Summers a été sous les ordres de Tyler Wynn, continua Callan.

— Alors, de quoi avez-vous parlé ? enchaîna Bell.

— Vous ne lui avez pas posé la question ?

— C'est à vous qu'on la pose.

Yardley la fixait d'un regard lourd de sens. Certes, il était question de savoir qui dominait dans cet entretien, mais peut-être d'autre chose, aussi.

— Naturellement, je voulais savoir si Summers avait eu de ses nouvelles.

— Et ?

— Non.

— Et quoi d'autre ?

Le regard de Bell ne flanchait pas.

Nikki savait que la vérité était encore sa meilleure alliée, mais il n'était pas question qu'elle donne le code. Faute de mieux, elle opta pour *une* vérité.

— Tyler Wynn a des goûts très particuliers, et nous voulions le pister par le biais de ses achats. Comme nous ne savions pas jusqu'où nous pouvions faire confiance à Summers, Rook a prétendu vouloir solliciter son aide pour les besoins d'un article.

Heat s'interrompit. Elle avait vu assez de gens sur la corde raide en dire trop pour savoir qu'il valait mieux s'arrêter là, et vite. Elle se cala donc au fond de sa chaise et leur laissa faire le travail.

— Ce serait donc aussi la version de Rook ? demanda Callan.

Nikki secoua la tête avec dérision.

— Sa version ?

Elle se leva et leur demanda de la suivre.

Le plaisir que Heat espérait tirer de sa mise au point fut rapidement tempéré par la réaction de Rook à la vue de Yardley Bell. Et celle de cette dernière à la sienne.

Nikki ne parvint pas à discerner vraiment leurs expressions. Se regardaient-ils simplement à la manière d'anciens amants ou ces sourires trahissaient-ils un dossier toujours en cours ? Elle s'interposa entre eux.

— Voici le poste de commande improvisé par Rook pour retracer les achats de Wynn avec l'inspecteur Rhymer.

— Comme c'est mignon, commenta l'agent Bell.

— Je viens d'expliquer à nos amis du Bureau que nous sommes allés voir ensemble Eugene Summers à seule fin de mettre sur pied cette entreprise, déclara Heat à Rook, ostensiblement.

— C'est exact, confirma-t-il. Et on verra si l'expert en bonnes manières reste poli quand il découvrira que cet entretien en profondeur n'était pas pour un article.

Bien vu. Même s'il n'avait pas relevé son avertissement, Rook savait se montrer circonspect.

— J'aimerais voir comment vous procédez, Jameson, proclama Yardley Bell.

Elle se retourna vers les autres.

— Vous pouvez nous laisser un instant ?

Heat n'aimait pas l'idée qu'on les sépare. Ni d'un point de vue tactique ni sur le plan personnel. Mais lorsque Rhymer se faufila dehors avec son Pepsi light et son sandwich à moitié entamé, Callan tint la porte à Nikki. Elle hésita et finit par obtempérer.

Lorsqu'ils furent de nouveau seuls dans la cage de verre du capitaine, Heat passa à l'attaque.

— Alors, diviser pour mieux régner, c'est votre stratégie ?

— Pour votre gouverne, ce n'était pas mon idée de venir vous coincer ici.

— Qui dirige cette affaire, agent Callan ?

— C'est compliqué. C'est moi qui tiens les rênes, mais l'agent Bell a le bras aussi long qu'un Bigfoot. Depuis qu'elle m'est tombée sur le poil, elle prend des décisions à me faire arracher les cheveux.

Il leva les paumes au ciel.

— D'où notre présence ici.

— D'où mes réticences à me laisser embringuer dans votre petit monde, rétorqua-t-elle.

— Je voulais vous en reparler justement.

— Gardez votre salive.

— Et si je vous disais que je suis d'accord avec vous ?

Il attendit, le temps que l'effet de surprise se dissipe.

— C'est vrai. J'ai réfléchi depuis ce verre qu'on a pris ensemble l'autre soir et je ne crois pas que ce soit une bonne idée de faire équipe, vous et moi.

Elle l'étudia, l'air méfiant.

— Comme ça, vous avez changé d'avis ?

— Le cœur a ses raisons…

Il jeta un regard vers la vitre comme pour s'assurer qu'il n'allait pas être interrompu. Ou qu'il pouvait parler à l'abri des oreilles indiscrètes, peut-être.

— Heat, je crois que je me sens un peu trop proche de vous pour que nous puissions travailler côte à côte.

— En effet, s'empressa-t-elle de répondre avant de se sentir perdue.

Elle n'était pas préparée à cela, pas du tout.

Un été au cap Cod, quand elle était adolescente, Nikki s'était mis en tête d'apprendre seule à faire de la planche à voile. Alors, elle s'était lancée dès son petit-déjeuner terminé, mais la journée s'était révélée très éloignée de l'image de pur bonheur de glisse sportive qu'elle s'en était faite. Du matin au soir, elle n'avait cessé de se cogner, de chavirer et de tomber, ne trouvant l'équilibre que pendant quelques secondes avant qu'un brusque coup de vent ou une vague ne la renverse à nouveau. Nikki fixa Bart Callan du regard et se demanda pourquoi sa vie entière en était arrivée à ressembler à cette journée. De toutes les vicissitudes qu'elle avait eu à subir ces derniers temps, de toutes les complications qu'elle avait eu à gérer, celle-ci s'annonçait la plus perni-

cieuse. Il serait dangereux de ne pas s'y prendre correctement.

— Je ne voulais pas aborder le sujet, mais je crois que
vous avez perçu les signaux, dit-il.

Comme elle ne pipait mot, il continua :

— En tout cas, j'ai bien reçu les vôtres.

Et voilà : la seconde vague, celle qui vous prenait par
surprise. Avait-elle flirté ? Elle n'en avait vraiment pas l'impression. Avait-elle eu quelques pensées ? Mais cela arrivait
à tout le monde. En se recentrant, Heat sut exactement quoi
répondre :

— Bart, il faut que je vous dise. Je sors avec quelqu'un
en ce moment, dit-elle en soulignant son propos d'un regard
sans ambiguïté.

Elle ne développa pas. Pas question de l'assurer que
c'était quand même un mec bien ni rien lui dire d'autre qui
puisse indiquer que la porte restait ouverte ou qui donne
matière à interprétation.

— C'est important pour moi, ajouta-t-elle pour enfoncer
le clou.

— Je comprends, fit-il en hochant la tête.

Elle sourit.

— Bien.

Puis, le regard de Callan balaya le couloir où Yardley
Bell se trouvait en pleine conversation avec Rook.

— De toute façon, on reste en contact.

Il se retourna vers Nikki.

— On ne sait jamais.

***

Dès le départ de ses compagnons surprises, Heat se hâta
de revenir aux affaires urgentes. Entre faire le tri des pistes
à suivre, briefer le capitaine, tenir la presse à distance, éliminer les aveux et les imitateurs bidon et les réunions avec
ses enquêteurs, la chasse au tueur en série ne lui avait pas
laissé une seule minute avec Rook.

Il leur fallut attendre 21 heures pour se retrouver ensemble, à l'arrière de la berline de luxe avec chauffeur qu'il avait commandée pour rentrer chez lui.

— De quoi avez-vous parlé, toi et l'agent Yardley ?

— Si tu veux savoir si j'ai évoqué le « truc », non, je ne l'ai pas mentionné. Je ne suis quand même pas si stupide.

— Peut-être pas finalement, le taquina-t-elle. En tout cas, tu as vite capté pour Eugene Summers.

— Hé ! Mais je peux aussi être très fourbe. Sauf avec toi, bien entendu. Pour toi, je suis un livre ouvert, surtout sous la couette.

Il voulait badiner. Heat voulait être rassurée.

— Et donc, de quoi avez-vous parlé, tous les deux ?

— Eh bien, à sa demande, je lui ai fait un rapide topo sur mes recherches concernant Tyler Wynn.

— Jusqu'où es-tu allé ? s'écria Heat, irritée par l'ingérence de Yardley Bell – son côté « Bigfoot », comme disait Callan – dans son affaire.

— Assez loin pour découvrir que je brassais peut-être beaucoup d'air pour rien. Comme toi, Yardley m'a fait remarquer qu'il utilisait quantité de fausses identités et qu'en plus, il faisait peut-être faire ses courses par un tiers.

— C'est ça, sa contribution ? Pisser sur ton enquête, en gros ?

— Non, en fait, elle m'a bien aidé. Nikki, elle m'a suggéré une nouvelle et brillante stratégie.

Si Rook se rendait compte qu'il l'agaçait par son exubérance, il n'en laissait rien paraître.

— Selon Yardley, de plus en plus de commerçants utilisent la technologie RFID.

— Mais encore ?

— La radio-identification. Tu sais, ce badge de télépéage qui soulève la barrière au péage ou ces étiquettes électroniques sur les CD, par exemple, qui déclenchent l'alarme dans les supermarchés ? Ce sont des transpondeurs qui émettent un signal radio. Eh bien, grâce aux progrès techniques, ces puces électroniques ont désormais la taille d'un grain de riz, et fabricants et commerçants les incorporent aujourd'hui dans leurs produits pour gérer leurs stocks et analyser le comportement des consommateurs. Et comment s'y prennent-ils ?

Il marqua une pause pour mieux ménager son effet.

— En suivant les puces à la trace pour voir où leurs produits sont distribués géographiquement.

Emporté par son excitation, il lui frappa la cuisse.

— Ton enthousiasme pour ces choses me fait peur, Rook.

— C'est plus fort que moi. Tu te rends compte ? Mais si, forcément. Si on trouve assez de produits sur la liste de Tyler Wynn présentant des radio-étiquettes de ce genre, leurs puces électroniques pourraient nous mener jusqu'à sa porte, peu importe le nom qu'il a utilisé.

À contrecœur, timidement mais objectivement, Heat reconnut que l'idée de Yardley Bell n'était pas dénuée d'intérêt, au bout du compte. Elle informa Rook qu'elle affecterait davantage d'hommes et de moyens à cette opération dès la première heure le lendemain.

— Et on pourra dire que c'est une unité opérationnelle ?

— Non.

— J'ai toujours rêvé de faire partie d'une unité opérationnelle.

— Garde ça pour les jeux vidéo auxquels tu t'adonnes en caleçon.

Il se détourna pour regarder le Bryant Park défiler par la vitre.

— Pourquoi tant de haine ?

Lorsqu'ils furent arrivés au loft, Rook se rendit dans la cuisine pour faire chauffer de l'eau pour les cheveux d'ange dont il comptait agrémenter ses scampi, tandis qu'elle leur servait un verre de sancerre.

D'un accord tacite, ils avaient pris l'habitude de dîner moins souvent à l'extérieur depuis la tentative d'empoisonnement. Ni l'un ni l'autre ne voulait reconnaître qu'ils vivaient en état d'alerte permanente.

— Tu tiens le coup ? s'enquit-il.

— Je ne suis pas encore en état de mort cérébrale, mais presque.

Il leva son verre.

— Au cerveau mort vivant. Ça fait de toi presque un zombie. Si tu veux te relaxer et prendre une douche, proposa-t-il après qu'ils eurent trinqué, je vais faire revenir un peu d'ail et frire ces langoustines.

— Tu sais ce que j'aimerais vraiment faire ? fit-elle.

— Absolument. Tu te recollerais bien un petit coup au « truc ».

— Rook, on est seuls. Tu peux dire le « code ».

Il fit mine de bouder.

— Oh ! tu parlais du code. J'espérais plutôt qu'il soit question du « truc »…

— Tu m'écœures ! s'esclaffa-t-elle.

— J'en ai caché une copie dans mon bureau ! cria-t-il dans son dos tandis qu'elle se dirigeait vers le fond du couloir. Dans le tiroir du haut du meuble classeur, sous « code de Nikki ».

Et elle l'entendit rire.

Réveillée à 4 heures du matin, Heat se faufila hors du lit, enfila un short et un haut de sport et quitta discrètement la chambre. Quelques minutes plus tard, elle traversait pieds nus le toit de Rook et s'asseyait sur le muret pour contempler New York qui ne dormait plus guère.

Les orages de printemps annoncés pour le matin n'avaient pas encore éclaté, mais les gros nuages noirs qui s'amoncelaient par l'ouest avalaient les lumières de la ville pour les recracher rouge sang.

Nikki luttait contre le désespoir. Quelque part parmi ces tours de béton se cachait un tueur en série qui errait en toute liberté.

De même, sans doute, que l'homme responsable du meurtre de sa mère. Sans parler de sa complice, qui avait failli la tuer. En regardant autour d'elle, Heat se sentit vulnérable, puis elle tenta de se convaincre que cela ne la touchait pas. Sans y parvenir tout à fait.

Jusque-là, si elle avait réussi à sauver une cible du tueur en série, Heat ne disposait d'aucune piste solide, rien sur quoi s'appuyer vraiment. En ce qui concernait Wynn et Kaye, sa traque n'avait rien donné, ce à quoi s'ajoutait l'intervention des fédéraux : le fougueux et compétent, mais fâcheusement trop amical Bart Callan, et cette Yardley Bell qui venait perturber son enquête et menacer son couple.

Au lit avec Rook, Heat avait essayé de chasser ces démons de son esprit. Comme elle ne pouvait pas dormir, elle avait décidé, pour être productive, de projeter mentalement les lignes, les points et les gribouillis du code de sa mère sur l'étendue blanche du plafond.

La solution ne venant toujours pas, elle avait changé de décor. Le talon posé sur les ornements de la frise du mur, Heat concentrait son attention sur sa respiration au lieu des klaxons des taxis, des sirènes et du vacarme des camions-poubelles à l'œuvre. Son regard vagabonda jusqu'à ce qu'elle ne distingue plus les emblématiques Empire State Building et immeuble Chrysler dominant la forêt de gratte-ciel de Manhattan.

Sa vision fusionna alors avec le léger voile de brume urbaine qui flottait à distance intermédiaire. Les notes de piano de son enfance surgirent et se fondirent dans le flou des lumières des appartements des tours devant elle. Puis, ces étranges notations au crayon apparurent en filigrane. Elles étaient si vivaces dans son esprit que Nikki pouvait les lire aussi distinctement que sur la feuille de la partition.

Cependant, elle avait beau les étudier sur le papier, sur un plafond ou sur la ligne d'horizon cramoisie de Tribeca, il n'en ressortait rien.

— Ça fait longtemps que tu t'escrimes là-dessus ? fit une voix derrière elle.

Comme elle avait laissé la porte d'accès entrouverte, Nikki n'avait pas entendu Rook sortir sur le toit. Elle s'inclina vers la droite, où l'aube commençait à pointer au travers du ciel chargé.

— Une ou deux heures, je crois.

— Pas ce soir. Je veux dire en tout.

Comme elle ne disait rien, car il connaissait parfaitement la réponse, il poursuivit :

— Près d'un mois, Nikki. Il serait temps.

— Non.

Sa réponse fut si ferme que des pigeons s'envolèrent. Puis, elle se modéra.

— Pas question que je parle de ça à la Sécurité intérieure. Ou à Yardley.

— Je suis d'accord.

— Qu'est-ce qu'on fait, alors ?

— Tu me fais confiance, non ? demanda-t-il. Je suis sérieux, tu me fais confiance ?

— Quoi ?

— Je connais un type. Un casseur de codes.

Cette fois, Heat ne protesta pas. Elle continua juste de contempler la ville qui s'animait peu à peu.

Puis, elle acquiesça d'un hochement de tête presque imperceptible et se tourna pour la première fois vers lui, toujours debout sur le toit.

— Rook ?

— Oui ?

— Tu n'as rien sur le dos.

***

Rook trouva Keith Tahoma où il pensait le trouver à 7 heures du matin : sur Union Square, à jouer aux échecs sur deux tables du parc en même temps. Et à l'emporter dans les deux cas.

Sous le regard patient de Nikki, le vieil homme maigre et moustachu passait d'un plateau à l'autre et jurait derrière ses lunettes de soleil en secouant sa queue de cheval grise. Certains de ses gestes trahissaient un trouble obsessionnel compulsif flagrant.

— Tu te fous de moi ? murmura-t-elle à Rook derrière un sourire tendu.

Même si Heat avait intellectuellement accepté l'idée qu'il était temps de solliciter l'aide d'un expert pour le code, Rook n'avait pas encore réussi à surmonter ses réticences émotionnelles.

— Écoute, tu as dit toi-même que Wynn cherchait peut-être à dissimuler quelque chose d'imminent.

Il tapota les copies des partitions annotées qu'ils avaient scannées.

— On a peut-être la réponse là, sous notre nez. Et plus tu retardes ce moment, plus on a de chances de rater le coche pour stopper ce qui se prépare, selon toi. Maintenant, si tu préfères t'entêter à faire la fière et laisser le temps filer en continuant de te taper la tête contre le mur, libre à toi. Mais si tu veux sérieusement déchiffrer ce truc, je lui fais entière confiance.

L'expert de Rook déchira six paquets de sucre et les versa tous dans son gobelet en carton. Ensuite, il remua son café en agitant ses bras décharnés, puis en but une gorgée en adressant un clin d'œil théâtral à Nikki, de l'autre côté de la table.

— Monsieur Tahoma, je me suis laissé dire que votre grand-père était l'un des Navajos employés par le gouvernement américain pour coder les ordres pendant la Seconde Guerre mondiale, commença-t-elle.

— Si vous êtes une amie de Rook, vous pouvez m'appeler Puzzle Man, OK ? Et en effet, mon s*hi'nali* était un « messager du vent », carrément, ouais.

Il souffla sur son café et le reposa.

— Avec son unité, il créait des codes pour les marines à partir de notre langue navajo. Ça a mis la pâtée aux Japonais. Si j'ai ça dans le sang ? Sans blague. J'ai passé la guerre froide dans l'armée à manger des *schnitzel* et à déchiffrer les signaux émis par Berlin Est, en gros à gagner plus de médailles que je ne pourrais jamais en porter pour avoir fait tourner les Soviétiques en bourriques. L'Agence nationale de la sécurité m'a mis le grappin dessus et je me suis retrouvé à décrypter des télégrammes secrets sur tel avion de ligne abattu au-dessus de la Corée, telle tente abritant Kadhafi et tel acheteur de munitions pour les rebelles tchétchènes.

— C'est là que vous vous êtes rencontrés, vous et Rook, en Tchétchénie ?

— Ça va pas, non ?! dit-il. C'était à une convention *Star Trek*.

Rook haussa tristement les épaules.

— Je suppose que vous ne travaillez plus pour le gouvernement ? demanda-t-elle à Tahoma.

— Qu'est-ce qui m'a trahi, le short ou les tongs ?

Son rire aigu fit retourner quelques têtes, puis il se pencha pour lui parler à voix basse.

— J'ai été invité à me consacrer à des projets plus personnels suite à une évaluation psychologique indiquant que je pouvais être limite.

Il loucha d'un œil et arbora un large sourire.

— Comme si c'était un inconvénient chez les barbouzes !

Curieusement, ce doux dingue facilita les choses à Nikki. Le profil qu'elle établit d'instinct, sans aucun appui scientifique, lui permit de sauter le pas. Puzzle Man semblait en effet posséder un don génial qui en faisait l'inadapté social qu'il était et devoir sa survie à la stricte observation de règles très personnelles. C'était un fou qui certes cassait les codes, mais qui en suivait un dans la vie.

Par ailleurs, comme le disait si bien Rook, plus elle laisserait traîner les choses, moins elle aurait de chances de trouver Wynn ou de détourner ses projets, voire les deux. Il était temps de laisser Puzzle Man s'y essayer.

Dix minutes plus tard, à la table de cuisine du placard à balais encombré qu'il occupait au-dessus de la librairie où il travaillait à temps partiel, Keith Tahoma poussa le premier jet du recueil de sudokus-acrostiches en 3D qu'il était en train de concevoir et examina les copies de la partition codée de Heat. Elle voulut lui en expliquer la provenance, que les marques au crayon entre certaines des notes étaient apparues sur les morceaux de son vieux livre d'exercices au piano et que sa mère, dont elle reconnaissait l'écriture, avait été tuée en cachant à des espions des informations secrètes inconnues. Mais à peine eut-elle ouvert la bouche que Puzzle Man, le regard rivé sur les partitions, la coupait d'un claquement de doigts. Au bout de quelques minutes, il leva les yeux vers eux.

— Ben, je suis impressionné. Et pourtant, j'en ai vu : du chiffre de Vigenère, des carrés de Polybe, des tableaux de Trithémius, des disques d'Alberti, des grilles de Cardan, de l'Enigma, la sculpture Kryptos... J'ai été formé à l'acrophonie, à l'ajout de redondances, aux coupures de mots, aux symboles des Eddas... Mais ça, ouah !

— Ça raconte quoi ? demanda Rook.

— J'en ai pas la moindre idée !

Le visage de Heat s'allongea.

— Mais ne désespérons pas. Laissez-moi le temps de me creuser un peu le ciboulot.

À la porte, en repartant, Rook lança un au revoir, mais Puzzle Man n'entendit rien ; il était déjà plongé dans ce nouveau casse-tête.

À son arrivée à la vingtième, Nikki commença par demander à Malcolm et Reynolds de donner un coup de main à Rook et Rhymer pour traquer les radio-étiquettes de Tyler Wynn. Elle savait que le capitaine Irons piquerait une crise lorsqu'il apprendrait qu'elle avait retiré ces hommes de l'enquête sur le tueur en série, mais la localisation de ces puces électroniques représentait la plus sérieuse de toutes les pistes des deux affaires réunies. Or, par sa formation et son expérience, l'inspecteur Heat savait que la piste à suivre était la piste sérieuse jusqu'à ce qu'une plus sérieuse se présente.

Ce qui se produisit en milieu de matinée.

Rivalisant de vitesse, Raley et Ochoa vinrent la trouver à son bureau.

— Inspecteurs, vous faites encore une drôle de tête.

— Vous préférez mon rictus jubilatoire ? demanda Ochoa en exagérant un sourire.

— On a passé la matinée au siège de la Terreur des punaises de lit, à Long Island City, enchaîna Raley. Vous devriez voir l'endroit : il y a une gigantesque punaise de lit en métal sur le toit.

— Bref, continua son équipier, on y était pour regarder la compta de la victime, comme vous nous l'aviez demandé pour Conklin.

— Et vous avez trouvé un lien avec l'une des autres victimes ?

— Non, mais peut-être une « chaussette dépareillée », comme vous dites, répondit Ochoa. Et on se demande s'il n'y aurait pas une nouvelle victime.

— Voici les copies des comptes clients de Douglas Sandmann.

Raley brandissait un dossier.

— Il lui arrivait de procéder à des inspections dans des immeubles pour lesquelles il se faisait payer par un tiers sans aucun rapport avec lesdits immeubles.

— Alors, on a interrogé sa femme à ce sujet, enchaîna Ochoa, et elle a dit : « Oui, en effet, Doug se faisait un peu d'argent avec ce gars qui avait accès à des immeubles et des appartements sous prétexte d'inspection. »

— Mais, en fait, il espionnait pour le type qui le payait. Le tiers, quoi, expliqua l'inspecteur Raley.

— Et voilà ce qui nous a alertés, continua Ochoa. Vous savez, ce petit morceau de main tiré d'un tableau que le tueur en série nous a laissé ? Le tiers en question bosse pour le marché de l'art.

— Je suppose que vous avez un nom, conclut Heat.

Raley ouvrit le dossier. Nikki fut abasourdie en découvrant de qui il s'agissait.

***

Le temps que Heat, Rook et les autres enquêteurs débarquent à la marina sur l'Hudson, au niveau de la 79ᵉ Rue Ouest, les gardiens avaient déjà découvert le corps de Joe

Flynn. Il se balançait à un peu moins d'un mètre sous l'eau, entre le ponton et la coque du cinquante pieds sur lequel il avait élu domicile. Ils n'eurent pas besoin de l'avis du médecin légiste pour savoir qu'il ne pourrait être ranimé. Il avait le visage gonflé, et ses yeux, tournés vers le ciel à travers l'eau sale du fleuve, lui sortaient de la tête. Son corps était boursouflé par les gaz, et sa peau blafarde avait viré au vert.

Un coup de tonnerre au loin se mêla au bruit des moteurs Detroit diesel série 60 de la vedette de la capitainerie du port qui ralentit pour s'arrêter de l'autre côté de la digue. La surface lisse des eaux protégées de la marina fut bientôt troublée par les premières gouttes de l'orage en approche. Heat mit un genou à terre.

À travers les rides à la surface de l'eau, elle distinguait le manche en bois d'un petit couteau du genre de ceux utilisés par les peintres – une spatule sans doute – planté dans sa gorge. Elle remarqua également que le cadavre de Joe Flynn ne portait pas de chaussures. Il avait une chaussette de couleur différente à chaque pied : une claire et une foncée.

— Inspecteur Heat ? Vous pouvez monter ? déclara l'inspecteur Feller en remontant du carré dans le cockpit.

Le léger tremblement dans sa voix la fit se retourner, ainsi que tous les autres, vers lui.

Nikki enfila ses gants en latex et grimpa à bord.

Sans un mot, Randall Feller s'écarta pour la laisser passer. Afin de préserver empreintes et ADN, Heat évita de toucher la rambarde en laiton poli en descendant l'escalier en teck menant au vaste et opulent carré doté d'une cuisine et d'un salon. Aux bruits de pas derrière elle, Nikki fit place aux autres enquêteurs et à Rook.

La cabine était d'une hauteur suffisante pour que tous puissent tenir debout. Là – sous leur nez, à hauteur d'yeux –, un grand portrait de Joe Flynn, pris sur le site Internet de Quantum Retrieval, pendait du plafond.

Il était accroché par une rangée de fils de couleur de huit centimètres de long. Rouge, jaune, violet et vert : les couleurs de l'arc-en-ciel.

Finalement, après quelques instants de silence à regarder la photo de la dernière victime se balancer doucement au gré des mouvements du bateau, Heat prit la parole :

— Vous avez tous remarqué ?

— Difficile de faire autrement, répondit Ochoa. Chaque couleur correspond au fil trouvé sur chacune des victimes.

— Et il y en a une nouvelle, annonça Feller d'une voix étranglée.

Tous contournèrent la photo à sa suite. Scotchée au dos, un nouveau cordon – orange – était tendu comme un fil à linge jusqu'à la cabine à l'avant, derrière la porte de laquelle disparaissait son extrémité.

Ensemble, les Gars s'avancèrent pour voir s'il était relié à un indice concernant la prochaine cible du tueur. Il ne leur fallut qu'un instant.

Les deux enquêteurs revinrent, blêmes.

NEUF

— Je vous place sous protection, Heat. Croyez-moi, ce peigne-cul ne vous approchera pas.

Les ressorts du fauteuil de direction grincèrent sous le poids du capitaine Irons lorsqu'il bascula en arrière et croisa les bras sur son ventre.

Elle s'efforça de ne pas prêter attention au fait qu'il avait du mal à joindre les mains et devait donc se contenter de croiser les doigts.

— J'apprécie réellement votre soutien, capitaine, mais...

— Il n'y a pas de mais qui tienne. Il n'est pas question de laisser la cover-girl de la police de New York se faire tuer si je peux l'empêcher.

Comme il était agréable, songea-t-elle, d'entendre que le souci de son chef pour sa sécurité était en fait surtout lié à la crainte de voir son meurtre faire obstacle à sa carrière.

Nikki aurait beau rejeter sa proposition de garde du corps et obtenir gain de cause, il lui fallait bien admettre qu'elle était profondément ébranlée par la découverte de la photo de la dernière victime reliée au fil orange dans la cabine avant de ce voilier.

La référence du capitaine à la cover-girl ne lui échappait pas non plus. La photo choisie par le tueur en série était une copie de celle qui avait illustré l'article de Rook pour *FirstPress.com*.

— Sauf votre respect, monsieur, les risques de ce genre sont monnaie courante dans notre métier. Je suis armée, entraînée et le pire cauchemar de ce type. En outre, avec deux grandes affaires en cours, il est hors de question que je sois empêtrée dans mes enquêtes par une bande d'officiers de police qui n'arrivent pas à suivre.

Ou, pire, Sharon Hinesburg, parvint-elle à se retenir d'ajouter.

— Vous ne m'aidez pas beaucoup, là, Heat. Vous avez non seulement deux affaires, mais deux menaces de mort sur les bras. J'ai envie de vous suggérer de prendre un café pour vous réveiller et redescendre sur terre, mais il risquerait d'être rempli de cyanure.

— Très drôle, monsieur.

— Vous voyez très bien ce que je veux dire.

Ne pouvant convaincre son supérieur par la logique ou par une bravade, Heat joua son va-tout : la peur.

— À vous de voir, capitaine. Mais il ne faudra pas venir pleurer quand les médias apprendront que vous gênez les progrès de ces enquêtes en me ralentissant.

— Qui irait dire une chose pareille ?

Elle haussa les épaules.

— Il y a toujours quelqu'un pour vendre la mèche. Vous ne l'ignorez pas.

Il marqua une pause, puis lui signifia qu'il se rendait en lui conseillant de surveiller ses arrières et de ne pas hésiter à appeler les renforts à la moindre alerte, ne serait-ce que le cri d'un chat. Heat quitta son bureau soulagée. Elle avait bien fait de ne rien dire au sujet de l'appel qu'elle venait de recevoir de son amie de Quantico.

L'analyste du FBI lui avait signalé deux correspondances dans la base de données pour la combinaison « approche des forces de l'ordre » et « voix électroniquement déformée » lors de ses recherches sur les homicides multiples non résolus. Dans chaque affaire, un suspect affirmant être le tueur en série avait pris contact de manière anonyme avec des enquêteurs de Bridgeport, dans le Connecticut, en 2002, et Providence, dans le Rhode Island, en 2007.

Les deux policiers étaient morts.

***

Heat appela Helen Miksit pour lui annoncer qu'elle aurait une demi-heure de retard au rendez-vous qu'elle avait fixé avec Algernon Barrett le jour même. Comme elle s'y attendait, le Bouledogue se hérissa et accusa Nikki de jouer avec les nerfs de son client pour le déstabiliser.

— Maître, si telle était mon intention, je ne prendrais pas la peine de vous prévenir. Je vous aurais laissé ruminer les raisons de mon retard.

Il lui fallait encore un peu de temps pour joindre les brigades criminelles de Bridgeport et de Providence. Heat aurait pu déléguer ces vérifications à ses subordonnés, mais cela les aurait sans doute alarmés, et la dernière chose qu'elle souhaitait était de se voir affublée d'une protection rapprochée. Les enquêteurs de ces deux autres États se rappelaient manifestement les affaires et n'eurent pas besoin d'exhumer leurs archives ; les meurtres de flic ne tombaient jamais dans l'oubli.

Dans les deux villes, les affaires n'avaient jamais été résolues. En se référant aux tableaux blancs à l'autre bout de la salle de briefing, l'inspecteur Heat relaya les principaux points concernant son propre tueur en série, y compris ses victimes et son modus operandi. Rien ne correspondait : pas de fil de couleur, pas d'accessoire ni de lien apparent entre les victimes.

La seule similitude résidait dans le fait que le tueur avait modifié sa voix pour prendre contact par téléphone avec le responsable de l'enquête.

Lorsqu'elle demanda comment chacun des policiers était mort, elle constata une similitude supplémentaire. Tous les deux avaient été abattus à l'improviste après avoir été attirés dans un piège tendu par le tueur.

Le placard d'où Rook et l'inspecteur Raley commandaient leurs recherches sur Tyler Wynn étant devenu trop petit compte tenu de la présence additionnelle de Malcolm et de Reynolds, le centre des opérations dut déménager et installer ses pénates dans un coin au fond de la salle de briefing.

Les trois enquêteurs appelaient en chœur les distributeurs aux quatre coins du pays et accumulaient des données concernant le parcours des puces de radio-identification incorporées dans les emballages des marques préférées de Wynn. Ils transmettaient leurs résultats à Rook, qui, entre deux appels, déplaçait sur une carte des trois États les punaises de couleur correspondant aux zones de distribution de chaque produit, des vêtements au whiskey en passant par les lunettes de soleil et les saucisses artisanales.

— Le truc, expliqua Rook à Nikki lorsqu'elle vint le rejoindre, c'est qu'on ignore quels produits arrivent chez Wynn – s'il y en a. L'idée, en tout cas, c'est que, si on trouve assez de recoupements avec ses habitudes de consommation, on parviendra à réduire la liste.

— Entendu. Donc, si seulement cinq personnes achètent, disons… du Barbour, du Whistlepig et des saucisses D'Artagnan, vous aurez au moins réduit la liste des clients probables et on pourra aller frapper aux portes.

Elle jeta un coup d'œil aux punaises de couleur sur la carte.

— Je ne vois guère de recoupement pour l'instant.

— C'est lent mais prometteur.

— Bien, continue pendant que je vais interroger l'assistante de Joe Flynn, puis Algernon Barrett.

— Tu n'es pas sérieuse ?

Ce jugement lui déplut.

— Rook, tu sais que je m'efforce de le coincer.

— Je sais. C'est juste que… d'abord il y a eu Tyler Wynn et Salena Kaye, et maintenant, c'est le tueur en série qui veut ta peau. Tu crois que c'est bien sage d'aller te balader partout avec deux assassins à tes trousses ?

Comme si la vie n'était pas assez pourrie comme ça, Nikki sentit qu'il semait la peur dans son esprit et que si elle le laissait faire elle était morte.

— Rook, je refuse de vivre dans la paranoïa, objecta-t-elle. Et le seul moyen pour moi de les arrêter, c'est de tout faire pour les arrêter.

— Quelle logique implacable ! dit-il avec mordant. Peut-être qu'avec un peu de chance, ils te tomberont dessus en même temps et tu n'auras qu'à te baisser pour qu'ils s'entre-tuent.

Heat interrompit son rire sarcastique en le saisissant par la chemise pour le tirer hors de portée des oreilles indiscrètes.

— Je ne le dirai qu'une fois : c'est comme ça que je fonctionne. Je suis multitâche. Je fais tourner des assiettes. Je vis dangereusement. Je n'y peux rien. Pourquoi ? Je te renvoie à John Lennon, Rook. Des meurtres se produisent pendant que je multiplie les projets. Mais je veille à accomplir mes projets. Et en effet, ça inclut d'aller interroger les personnes présentant un intérêt pour l'enquête, comme Algernon Barrett.

***

Dans la voiture, bercée par le rythme des essuie-glaces sous la pluie, Heat se calma. Rook avait appuyé là où cela faisait mal, mais il lui avait présenté des excuses, expliquant qu'il angoissait à cause du fil orange relié à sa photo. Nikki s'était alors montrée indulgente. En fait, elle avait même redoublé de vigilance en rejoignant sa voiture ; elle avait scruté les fenêtres et les toits à sa sortie du poste. Même les coups de tonnerre la faisaient sursauter. Le temps de rejoindre l'étage de Quantum Retrieval par l'ascenseur, elle décida que son agressivité envers Rook méritait qu'elle s'arrange pour arrondir les angles plus tard.

L'assistante de Joe Flynn était assise dans le bureau de son défunt patron, toutes lumières éteintes. Le pâle soleil qui filtrait à travers les nuages gros de pluie effaçait les couleurs des grands tableaux ornant les murs. La jeune femme avait les yeux rouges et gonflés. Nikki aborda l'interrogatoire en douceur, avec empathie. Malgré tout, ses questions au sujet des récentes activités du détective privé, de son comportement, de ses nouveaux clients, etc. n'éclairèrent pas davantage la pièce. Le privé n'avait en rien dérogé à ses habitudes et rien n'était non plus venu entamer sa bonne humeur ; il n'existait aucun conflit, dispute ou menace dans sa vie.

La seule chose sortant de l'ordinaire était que Flynn avait égaré son iPad, une version bêta qu'il chérissait parce qu'elle lui avait été offerte par Apple après qu'il eut recouvré pour la firme un prototype perdu.

Or personne ne remettait la main dessus. L'assistante souligna que son dernier contact avec son patron remontait à quelques jours, alors qu'il quittait le bureau. Elle ne s'était pas étonnée de son absence, car, lorsqu'il était sur une affaire, il lui arrivait parfois de ne pas passer du tout. Il disait que cela faisait partie des joies du métier. Il revenait toujours avec des tas d'anecdotes sur les voleurs d'art du monde entier et un mal fou à se remettre du décalage horaire.

— Il a dit où il allait ?

— Pas exactement, dit l'assistante. Juste qu'il devait voir quelqu'un pour des renseignements sur un tableau volé.

— Le Cézanne ? demanda Heat.

Surprise, l'assistante leva la tête. Nikki sortit sa photocopie du *Garçon au gilet rouge*.

— Comment le savez-vous ?

Lorsque Randall Feller arriva, Nikki le chargea de vérifier les journaux d'appels téléphoniques, les e-mails, l'historique des recherches sur Internet et les relevés bancaires de Joe Flynn. L'enquêteur suggéra de remettre ces vérifications de routine à plus tard pour l'accompagner à son entrevue dans le Bronx. Elle eut du mal à lui faire entendre qu'il n'en était pas question.

En traversant la Harlem River, Heat fit rapidement le point. Sa précédente rencontre avec Algernon Barrett, environ un mois plus tôt, avait été houleuse mais surtout improductive. Au lieu de lui fournir des renseignements sur sa mère, Barrett s'était réfugié dans les jupons de son avocate, de sorte que Nikki avait dû jouer les méchants flics pour l'énerver et voir ce qu'il en ressortirait. En vain. Cette fois, elle se montrerait gentille, d'autant qu'elle ne le considérait pas comme un suspect potentiel pour ce meurtre ; peut-être ce changement de méthode fonctionnerait-il mieux.

Le Jamaïcain s'était sorti de la pauvreté en prenant des paris illégaux sur les courses de chevaux depuis son stand de rue à New York, où il avait immigré au début des années 1990. Sa petite amie, qui avait fait des études de commerce à Fordham, avait ensuite élaboré un plan de commercialisation pour ses recettes et ses épices antillaises.

Deux ans plus tard, l'entreprise de restauration d'Algernon avait franchi la barre du million de dollars de bénéfices. Et elle ne cessait de prospérer.

Lorsque Heat appuya sur la sonnette pour annoncer son arrivée à l'entrée de la zone industrielle de la 132e Rue, le portail en métal roula sur le côté pour lui permettre d'accéder au siège d'un empire digne du rêve américain.

Elle trouva ses interlocuteurs exactement comme elle les avait laissés un mois auparavant. Mis à part le changement de vêtements, Algernon Barrett et son avocate auraient pu ne jamais avoir quitté le bureau. Le magnat des épices en survêtement était assis derrière son bureau, une casquette des Yankees turquoise trônant sur ses dreadlocks qui lui tombaient sur les épaules. Assise sur une chaise, Helen Miksit prit acte de la présence de Heat sans se lever. Nikki entama son numéro de charme par un sourire et une poignée de main énergique à chacun.

— Merci de prendre le temps de me recevoir. Vous devez être débordé. J'ai remarqué une longue file d'attente sur votre parking. Vous embauchez ?

— Vous n'avez pas à répondre à ça, rappela le Bouledogue à son client. Inspecteur Heat, vous disiez que vous aviez besoin d'aide pour identifier des suspects. Si nous nous en tenions à ça ?

Algernon quitta ses lunettes de soleil Kate Spade Vita.

— Ça ne me dérange pas. Qu'elle sache que je ne suis pas un voyou, d'accord ?

Il se tourna vers Nikki.

— Je m'agrandis. Les camions-restaurants, c'est complètement dépassé. Aujourd'hui, le truc, c'est la boutique éphémère. Je viens juste d'obtenir des licences pour m'installer dans les meilleurs endroits surprises de New York. Finies les parties de cache-cache sur les réseaux sociaux. Cette semaine, on va voir fleurir mes boutiques à la gare de Grand Central, au pied de l'Empire State Building, sur Columbus Circle et Union Square ainsi que devant les stades.

Il rechaussa ses Vita.

— Vous cherchez un emploi ?

— On ne sait jamais. Toutes mes félicitations, en tout cas, monsieur Barrett. Il faudra que j'aille voir ça de près.

Il se leva et ouvrit le tiroir du bureau.

— Je vous offre un coupon gratuit.

Il lui tendit alors un faux billet géant avec sa photo à la place du chef d'État. Helen Miksit suggéra alors que l'enquêtrice en vienne au but de sa visite.

— D'abord, monsieur Barrett, vous n'êtes soupçonné de rien. Je sollicite uniquement votre aide parce que ma mère a donné des leçons de piano à votre fille…

— Ah oui, la gentille Cynthia.

— … Merci. Voilà, j'aimerais que vous réfléchissiez à cette période. Puis-je vous demander si vous avez déjà vu une de ces personnes ?

Elle se rapprocha du bureau par le côté et étala deux portraits de Tyler Wynn, l'un datant de 1999 environ, l'autre actuel.

Il les étudia longuement, puis fit non de la tête. Lorsqu'elle posa la photo de Salena Kaye sur son sous-main, Nikki décela une réaction.

— Quoi, monsieur Barrett ? Vous la reconnaissez ?

— Non, mais j'aimerais bien. Je pourrais passer du bon temps avec elle.

Il émit un gloussement salace.

— Non, croyez-moi.

Elle passa à la dernière photo : le Dr Ari Weiss en compagnie de François Sisson, le médecin de Wynn à Paris, surpris par une caméra de surveillance alors que les deux hommes discutaient à l'avant d'une voiture garée.

— Je regrette, dit le Jamaïcain. Je ne les connais pas non plus.

— Bien, nous en avons donc terminé, déclara Miksit en se levant. Et par terminé, j'entends pour de bon, n'est-ce pas ? Vous allez laisser mon client en paix ?

— Absolument, mais avant, juste une dernière question.

Nikki se rassit. L'avocate également, non sans consulter sa montre.

— Monsieur Barrett, pourriez-vous réfléchir encore ? Vous rappelez-vous avoir vu ma mère en compagnie de quelqu'un, même avant ou après ces leçons de piano ?

Il inclina la tête vers le plafond acoustique et tortilla le bout d'une dread. Alors qu'il commençait à secouer la tête, il se reprit :

— En fait, je me souviens d'une fois. Je m'en rappelle parce que, oh là là, ça m'avait carrément énervé.

Doucement, Heat ouvrit son bloc à spirale.

— J'étais énervé parce qu'ils avaient interrompu la leçon de ma petite Aicha. Ce jour-là, voyez-vous, on avait cours chez Cynthia, à Gramercy Park, parce que j'avais à faire à Manhattan. Au beau milieu de la leçon, dring dring, ça sonne à la porte, alors, la prof fait : « Excusez-moi » et s'en va en laissant ma fille plantée là pendant qu'elle se dispute avec quelqu'un sur le perron.

— Entendiez-vous de quoi il était question ?

Nikki se pencha en avant sur sa chaise, pleine de nouveaux espoirs.

Miksit s'en mêla :

— Inspecteur, cela fait plus de dix ans. Comment voulez-vous qu'il s'en souvienne ?

— D'argent, dit Algernon Barrett. Quand il est question de grosses sommes d'argent, ça ne s'oublie pas.

— Quel argent ? Quelles sommes ? demanda Heat. Vous vous rappelez ?

— Non seulement je me souviens de la somme, mais aussi de ce que votre mère disait.

Nikki cessa un instant de prendre des notes et riva les yeux sur lui.

— La prof, elle a dit : « Deux cent mille dollars, c'est rien pour vous, alors, lâchez-moi. »

Barrett venait de mentionner la somme exacte que le FBI avait confiée à sa mère par l'entremise de l'agent Callan pour payer son informateur.

— Avez-vous entendu la suite de la dispute ?

Il réfléchit.

— C'est tout ce qui me revient, affirma-t-il.

— Vous n'auriez pas vu avec qui ma mère se disputait, par hasard ?

— Vous plaisantez, ma petite dame ? Si j'entends dire à quelqu'un que deux cent mille, c'est rien, je vais voir qui c'est.

Il replia les doigts d'une main dans la paume et regarda Nikki par la lunette qu'il venait de confectionner.

— J'ai jeté un œil par le judas.

Il marqua une pause.

— Ça avait l'air d'un flic.

Heat s'y attendait.

— Vous pourriez me le décrire ? demanda-t-elle par routine.

— Le ? C'était une femme, pas un homme.

— Et elle avait l'air d'un flic ?

Nikki barra le nom de Callan.

— Vous pouvez me la décrire ?

Il réfléchit de nouveau.

— Désolé... Ça fait trop longtemps... et trop de pétards, s'esclaffa-t-il.

— Une figure de style, pas un aveu, s'empressa de préciser son avocate.

Le soir, la seule réaction de Rook au récit de cette conversation, y compris le projet de boutiques éphémères d'Algernon Barrett, fut de déclarer qu'il mourait de faim et d'insister pour qu'ils dînent pour de bon.

— Rien ne nous empêche d'être des enquêteurs dévoués, que dis-je, obsédés et de faire au moins un repas qui ne soit pas livré dans un sachet gras avec un numéro en lieu et place d'un nom de plat.

— Je ne sais pas, fit Heat, j'aime bien mon quarante-six, et je ne crache pas sur le onze, non plus.

— Te voilà prête pour le loto des anciens.

— Tu cherches à me couper l'appétit ?

— T'inquiète, je sais comment me racheter.

Et de fait. En entrant au Bar Boulud, le bistro français de Daniel Boulud, en face du Lincoln Center, Nikki sentit s'envoler sa culpabilité à l'idée d'une pause.

— De plus, comme le souligna Rook, on peut continuer à parler boutique, si on baisse un peu la voix.

Ils s'installèrent à une table au fond, à côté de la vitrine de charcuterie.

— Pour te dire à quel point je suis plongé là-dedans, expliqua-t-il pendant qu'elle sirotait son Sidecar, quand je regarde tous ces saucissons et ces fromages derrière le bar, je ne vois que les habitudes de consommation de Tyler Wynn et l'état d'avancement de nos recherches.

— Ça fait du bien de s'éloigner un peu du bureau, dit-elle en frottant le bout de son pied contre sa jambe sous la table.

— C'est vrai.

Il reposa son Prohibition Manhattan et plissa le front.

— Pourtant, je préférais quand on faisait équipe.

— Mais on travaille ensemble.

— Oui et non. J'ai plus l'impression qu'on est sur deux rails parallèles. Tu fais tes trucs de ton côté, et moi, les miens du mien. Tu me manques. Notre relation me manque.

J'aimerais que ce soit comme avant. Comme il y a un mois, je veux dire.

— Moi aussi. Mais voilà : bienvenue à la police. C'est toujours comme ça quand tout s'accumule… et c'est pour cette raison que je me suis emportée contre toi aujourd'hui. Je regrette. Mais la plage et les Janet Evanovich nous attendent quelque part.

— Et les parties de jambes en l'air.

— Évidemment.

Leurs deux téléphones portables étaient posés devant eux. De l'avant-bras, elle les poussa sur le côté et caressa la nappe.

— Ici même. Ça te dit ?

— Inspecteur, un peu de tenue, je vous prie, dit-il en feignant le reproche. Vous êtes une femme à abattre.

Ils commandèrent les noix de Saint-Jacques grillées et l'agneau aux cavatelli. Tout en partageant son assiette avec lui, elle lui résuma sa visite chez Quantum Retrieval.

— Tu sais ce qui me tracasse dans le meurtre de Joe Flynn ? demanda-t-il alors.

— Oh ! Oh ! Je connais ce ton. N'est-ce pas le petit moteur de la théorie du complot que j'entends se mettre en marche ?

— Ce que tu entends, c'est la curiosité d'un journaliste à l'esprit ouvert qui fait la lumière sur des considérations inéluctables. Par exemple, le fait que ce meurtre crée un recoupement avec les deux affaires sur lesquelles tu travailles. Ou encore, comment se fait-il qu'Arc-en-ciel ait découvert le rapport entre toi et Flynn ?

— Rook, tu ne viens quand même pas sérieusement de l'appeler Arc-en-ciel ?

— Mais même un tueur en série a besoin d'une marque ! Quoi qu'il en soit, ce que je veux dire, c'est que le vrai lien n'est peut-être pas entre Flynn et toi, mais entre toi et ce que manigance Tyler Wynn.

Un sourire ironique aux lèvres, elle continua de mastiquer sa bouchée de noix de Saint-Jacques.

— Ne te moque pas, j'ai cogité. Ta mort rendrait quand même bien service à Tyler Wynn.

— Il va sérieusement falloir te faire soigner, Rook. C'est complètement tordu : tuer quatre personnes juste pour m'atteindre, moi ? Arrête de ramer.

— Maudite logique, dit-il. Enfin, au moins on en aura discuté.

— Ne le prends pas mal. Je suis quand même d'accord sur un point. Tu as posé une très bonne question : comment Arc-en-ciel a-t-il fait le rapprochement entre Joe Flynn et moi ?

— Arc-en-ciel, c'est accrocheur, commenta-t-il.

Une fois la table desservie, elle demanda à Rook si Yardley Bell avait déjà travaillé pour Bart Callan. Comme il n'en savait rien, elle lui raconta son entrevue avec Algernon Barrett et la dispute dont il disait avoir été témoin avec la femme qui avait l'air d'un flic.

— Primo, ce Jamaïcain est-il ton témoin le plus fiable ? Et deuzio, ça veut dire quoi, de toute façon ? Cette fois, c'est toi qui attaques la falaise, non ?

La blague les fit rire tous les deux.

— On ne sait jamais ce que les choses signifient, objecta-t-elle. On réunit autant de faits que possible en espérant que ça finisse par aboutir à quelque chose.

— Très bien. Dans ce cas, tu veux que je pose la question à Bell ?

— Non.

— Pourquoi ?

— Je ne sais pas. Mais non, j'aime mieux pas.

Il marqua une pause.

— Tu pourrais demander à l'agent Callan.

— Je ne crois pas.

— Pourquoi ? Il me semble que vous êtes en bons termes, tous les deux. Vous êtes bien sortis boire un verre ensemble pendant que j'étais en France ? Relaxe, ça ne m'a pas du tout rendu jaloux, ajouta-t-il en sentant qu'elle le mesurait du regard. Ça arrive tout le temps que les gens se retrouvent autour d'un cocktail pour un rendez-vous de boulot. Même dans un petit bar discret du Carlyle.

Malgré la contrariété de se voir prise en défaut, Nikki sourit.

— Mais ça ne t'a pas du tout rendu jaloux.

Le téléphone portable devant lui vibra. L'identificateur d'appel indiquait YARDLEY BELL.

— Elle tombe à pic, dit Heat. Vas-y, réponds.

Il saisit le téléphone, mais le lui tendit.

— On a dû les mélanger. C'est le tien.

Lorsque Nikki l'eut en main, la vibration lui remonta jusque dans le poignet. Elle décrocha.

— Heat à l'appareil.

— On l'a trouvé.

Nikki sentit la tête lui tourner. Un regard à son verre, encore à moitié plein, lui prouva que le cocktail n'était pas en cause.

— Qui donc ?

La question lui parut stupide au moment où elle lui sortit de la bouche – mince, il fallait que ça tombe sur Yardley Bell –, mais elle cherchait un ancrage dans le concret ; Nikki voulait entendre quelque chose à quoi se raccrocher, car son champ visuel rétrécissait, et le monde autour d'elle commençait à se mouvoir au ralenti. Elle voulait être sûre.

— Tyler Wynn, annonça l'agent Bell. On l'a situé. Il vous faut combien de temps pour rassembler vos hommes ?

DIX

Une bouffée d'adrénaline submergea Heat, mais elle n'en perdit pas l'esprit pour autant. L'entraînement l'emporta sur l'émotion, et elle passa en un instant de l'euphorie au pragmatisme.

Avant même de se lever de table, elle appela le central à la vingtième et réclama l'envoi d'urgence d'une voiture de patrouille au Boulud. Mieux valait qu'on passe la prendre, car c'était la mauvaise heure pour le taxi.

Tandis qu'ils se précipitaient vers la sortie, Nikki, toujours au téléphone, indiqua au central la liste des enquêteurs qu'elle souhaitait dépêcher à la base déjà établie par la Sécurité intérieure dans l'East Side.

Heat n'eut pas à réfléchir longtemps. Elle demanda tout le monde sauf Sharon Hinesburg.

De son côté, Rook appela directement l'inspecteur Rhymer, qu'il savait encore en train d'œuvrer sur les radio-étiquettes dans la salle de briefing. Le temps que chacun raccroche, la voiture de police effectuait un demi-tour sur Broadway à grand renfort de gyrophares et de sirènes pour prendre Heat et Rook sur le trottoir.

Moins de deux minutes s'étaient écoulées depuis l'appel de Bell. Une éternité pour Heat.

La Sécurité intérieure s'était installée entre la 57e Est et Sutton Place, une zone couvrant un tranquille cul-de-sac résidentiel et le square au bord de l'East River. Il y avait largement la place pour accueillir le centre de commande mobile et avoir la maîtrise absolue de la zone.

D'un bond, Heat et Rook descendirent de voiture près du périmètre de sécurité et se faufilèrent entre la rangée de Crown Victoria banalisées, de Chevrolet Malibu, de camions de pompiers et d'ambulances jusqu'au camping-car blanc, où ils trouvèrent les agents Callan et Bell debout devant la porte ouverte. Yardley Bell les avait déjà repérés de loin.

— Désolée de troubler votre petite sortie en amoureux ! lança-t-elle.

Nikki l'aurait volontiers giflée. Et tant pis s'il ne s'agissait que d'humour de flic. Ce n'était sans doute d'ailleurs rien de plus, mais peut-être était-ce quand même une remarque désobligeante de la part d'une ex. Pour la seconde fois de la soirée, en parfaite professionnelle, Heat ravala ses sentiments pour se concentrer sur le boulot.

— Si vous voulez bien me mettre au courant, suggéra-t-elle.

D'un signe de tête, l'agent Callan les invita à l'intérieur du camping-car, pourvu de toute la technologie nécessaire pour assurer le commandement et les transmissions lors d'une opération tactique.

— Cool, fit Rook, on se croirait dans le canot de sauvetage d'Air Force One.

Prenant un air renfrogné, il imita Harrison Ford.

— Descendez de mon camping-car. Illico, ajouta-t-il lorsqu'il se rendit compte qu'ils le regardaient fixement.

— À ce qu'on sait, Tyler Wynn possède une planque dans un appartement au quatrième étage d'un immeuble proche de la 1ʳᵉ Avenue, déclara Callan.

Un subordonné attablé à la console afficha une photo satellite du quartier avec une résolution incomparable à ce qu'on pouvait trouver sur Google Earth. Puis, il toucha l'écran pour zoomer sur l'immeuble en question. Callan continua.

— Comme le reste de ce quartier, il est essentiellement occupé par des plus de soixante-cinq ans fortunés.

— C'est ce qui s'appelle se cacher au grand jour, dit Heat.

— Exactement.

— Que vouliez-vous dire par « à ce qu'on sait » ? demanda-t-elle alors. Vous l'avez vu ou vous avez un témoin oculaire ?

— Nous ne l'avons pas vu nous-mêmes, même si nous disposons d'une couverture panoramique de l'immeuble. On y a envoyé une de nos équipes techniques sous prétexte d'une opération de maintenance sur le système de surveillance, expliqua l'agent. En gros, ça nous a permis de nous brancher sur leurs caméras sans sonner l'alarme, au cas où Wynn graisserait la patte du portier ou du concierge pour qu'il le prévienne.

Sur un signe de Callan, l'opérateur ouvrit une fenêtre dans laquelle s'afficha une vidéo de sécurité dont il figea l'image. Tyler Wynn descendait de l'ascenseur au quatrième étage, une raquette de tennis à la main.

— C'est votre homme ?

— D'après le time code, c'était juste après dix heures ce matin, fit remarquer Heat. C'est sa dernière apparition ?

— Affirmatif. On a passé la vidéo au peigne fin depuis ce moment et vérifié toutes les issues possibles. La cible est entrée ce matin et n'est pas ressortie.

— Comment l'avez-vous trouvé ? demanda Rook.

— Mais grâce à toi, intervint l'agent Bell.

Sa caresse sur l'épaule du journaliste n'échappa pas à Nikki. Ni le fait que sa main s'y attarde avant de lui descendre dans le dos.

— Tant mieux, mais ça ne nous dit pas comment.

— Tu m'as donné l'idée, hier, de le pister par le biais de ses achats. Tu sais, les puces de radio-identification ?

— Évidemment que je sais, rétorqua Rook. On ne fait que ça au poste.

— Et c'est mignon de votre part, dit-elle, un peu condescendante cette fois, sans s'adresser à Rook. Mais c'est nous les grands. On a les moyens. On fait ça les yeux fermés. C'est d'ailleurs ce qu'on a fait. Nos serveurs ont tourné toute la nuit et – grâce à ta liste des goûts de connaisseur de Wynn – ils nous ont craché des recoupements dont l'analyse nous a conduits à cette adresse. On a envoyé les petits génies de la technique se brancher sur les caméras de surveillance et, dès midi, on l'avait.

— Midi ?! s'écria Heat, incapable de contrôler son explosion de rage. Vous vous foutez de moi ? Vous êtes au courant depuis ce midi ?

Elle se retourna vers Rook et le vit fulminer également, ce qui ne fit que nourrir sa colère et son ressentiment.

— Vous débarquez à mon poste, vous me piquez quasiment mon enquête – sans dire en plus à ma brigade qu'on perd carrément notre temps, vous copiez nos méthodes et maintenant vous voudriez qu'on vous jette des fleurs et qu'on vous lèche les bottes ?

Elle tourna brusquement la tête vers Callan.

— C'est ça, ce que vous appelez une interface de coopération, chez les fédéraux ?

Avant que Callan n'ait eu le temps de répondre, Bell intervint :

— Oh ! ça va, inspecteur Heat. Ce n'est quand même pas votre premier rodéo ? Qu'on soit au courant depuis l'heure du déjeuner ne change rien au fait qu'il nous a fallu chaque seconde de tout ce temps pour nous organiser. Il est là, on est là et on ne le laissera filer nulle part. Et secundo…

L'agent se rapprocha de Nikki en donnant un coup de coude à Callan pour lui signifier, littéralement et symboliquement, de dégager de son chemin.

— … je le tiens. Il est sous bonne garde. De quoi vous plaignez-vous ?

Nikki marqua une pause. Comme sa fureur retombait, elle se reprit :

— De rien, dit-elle, le pensant vraiment.

Si on mettait de côté son ingérence, Yardley Bell s'en était très bien sortie. En une seule journée, elle avait accompli ce à quoi Nikki n'était pas parvenue en un mois. Comble de l'ironie, l'enquêtrice n'avait parlé aux fédéraux de la piste des habitudes de consommation de Wynn que pour mieux leur cacher l'existence du code. Non seulement Yardley avait marché, mais, en quelques heures, elle avait retrouvé l'homme qui avait ordonné le meurtre de sa mère. Remise en selle, Heat regarda Callan, puis de nouveau Bell.

— En quoi puis-je vous aider ?

L'agent Callan s'avança d'un pas, comme pour rappeler à tout le monde son rôle de responsable des opérations.

— Vous dirigerez la capture, annonça-t-il.

Alors que Bell se tournait vers lui pour protester, il continua :

— On a déjà réquisitionné des hommes à la dix-septième. J'ai décidé que nous allions poursuivre la coopération avec les forces de l'ordre locales en confiant l'interpellation à l'inspecteur Heat. Fin de la conversation.

***

— Pas question, Rook, tu restes là ! lança Nikki en revenant de son entrevue avec le responsable de l'assaut. À ses basques, Rook allongeait le pas pour se frayer un chemin parmi la douzaine de policiers lourdement armés – l'élite du SWAT de New York – en treillis noirs, casqués et gantés. Le reporter la rejoignit près des enquêteurs de la vingtième, qui enfilaient leurs gilets pare-balles à l'arrière de leur voiture.

— Toi qui regrettais le bon vieux temps, Rook, eh bien, voilà : tu restes dans la voiture.

— Que dites-vous de ce pèlerinage sur le sentier du souvenir ? le taquina Ochoa.

— C'est plutôt le boulevard des rêves brisés[1], renchérit Raley.

— Enfin, Nikki, après tout ce chemin pour en arriver là… Pourquoi ne pas m'emmener ?

---

1. Référence à la chanson de Green Day intitulée *Boulevard of Broken Dreams*.

— On en a déjà parlé cent fois. Tu nous gêneras. Et c'est dangereux.

— Ah ! mais cette fois j'ai apporté de quoi me protéger.

Il défit la fermeture éclair d'un sac de gym.

— J'ai appelé Rhymer exprès. Et voilà.

Du sac, il sortit son propre gilet pare-balles. Un mot était inscrit au pochoir devant et dans le dos : REPORTER.

— Tu plaisantes ! fit Heat en serrant les bandes velcro du sien.

Debout devant le coffre ouvert de sa voiture, l'inspecteur Feller apostropha Rook.

— Hé ! C'est quoi ces deux trucs, comme des pièces d'or, brodés sur le devant ?

— Ça ? Des Pulitzer. Il y a encore de la place pour les suivants, répondit Rook.

— Un gilet pare-balles bling-bling ? fit Sharon Hinesburg.

Tous se retournèrent vers l'enquêtrice qui s'approchait en enfilant son propre matériel.

— Et alors, on oublie de me prévenir ?! Heureusement que j'avais toujours l'ordi allumé à la maison.

Les bavardages cessèrent et les enquêteurs se consacrèrent à leurs préparatifs en l'évitant du regard. Le secret n'en était pas un pour la brigade.

— Inspecteur Heat, vous auriez un instant ?

Hinesburg la prit à part et baissa la voix.

— Écoutez. Je ne suis pas aveugle. J'ai bien conscience qu'on me tient à l'écart et que c'est à moi que reviennent les basses corvées. Je sais aussi que ce n'était probablement pas un accident si personne ne m'a appelée pour ça.

Voyant les larmes lui monter aux yeux, Heat se dit deux choses : primo, Sharon avait découvert le secret de polichinelle et, deuzio, elle n'avait toutefois pas de temps pour cela. Elle décida donc d'être sincère. Du moins à ce dernier sujet.

— Sharon, ce n'est pas le moment.

— Je vous promets de m'appliquer. Vous n'aurez pas à le regretter.

C'étaient les deux dernières secondes que Nikki pouvait se permettre de lui accorder.

— Tenez-vous prête, dit-elle.

Avec ses hautes tours de bureaux et d'appartements de luxe, Sutton Place ne se prêtait guère à un recours à l'appui aérien. Toutefois, lorsque la première phase de l'opération commença et que son unité remonta la 57e Est au pas de gymnastique et en silence vers la porte d'entrée de l'immeuble Kluga, Heat constata qu'elle bénéficiait de la fameuse couverture panoramique dont l'agent Callan était si fier. Au lieu d'un hélico, c'était la Sécurité intérieure et les tireurs d'élite qui les couvraient depuis le haut des toits. En parallèle, un contingent de la célèbre brigade Hercule assurait leurs arrières en avançant par la 58e Est.

Une fois sa position atteinte, au milieu du pâté de maisons, à deux portes de l'entrée de Wynn précédée d'un grand dais, Nikki fit signe de la main à ses hommes de s'arrêter. Tous se plaquèrent dos à la façade de pierre afin d'être le moins visibles possible depuis les fenêtres.

— Heat en position, chuchota-t-elle dans le micro qu'elle portait sur l'épaule.

— Bien reçu, Heat, entendit-elle Bart Callan lui répondre dans son oreillette depuis l'intérieur du camping-car. Nous vous avons en visuel. Hercule a également confirmé sa position.

— On y va dans une minute. À vos marques.

— Bien reçu, répondit la voix du chef de l'équipe Hercule.

Nikki brandit un index à l'adresse de son unité, puis attendit que la longue minute s'écoule en s'efforçant de ne pas penser à cet aboutissement qui signifiait tant pour elle. Ce n'était pas le moment de se laisser aller à ses émotions. En un instant pareil, il ne fallait penser qu'à deux choses. Elle se les remit en tête, comme chaque fois. À l'Académie de police, la petite pancarte figurait dans tous les halls, dans chaque salle de classe, même dans le stand de tir au sous-sol. Elle se remémora les mots qui l'avaient sauvée en toutes circonstances : UN BON FLIC PENSE TOUJOURS TACTIQUE ET COUVERTURE.

Au-dessus d'elle, derrière elle et de l'autre côté des immeubles se trouvait la meilleure couverture dont elle pouvait disposer. Lors de la planification de l'attaque avec les forces d'intervention et le responsable sur site de la dix-septième, ils avaient passé en revue le plan de l'immeuble pour définir non seulement les accès tactiques et leurs solutions de rechange, mais aussi en couvrir les passages intérieurs. Chaque flic avait été affecté à un point d'entrée et chargé de mémoriser le trajet pour s'y rendre – les ascenseurs, l'accueil, le hall des boîtes aux lettres, la salle de gym privée, les cages d'escalier, et même le vide-ordures, au cas où M. Wynn opterait pour une issue aussi peu digne pour s'échapper. Et qui sait s'il ne survivrait pas à une chute du quatrième étage, auquel cas, Sharon Hinesburg l'attendrait.

Encore douze secondes à attendre. L'inspecteur Heat inspira un peu d'air frais, alluma son micro et, en dernière instruction avant d'entrer, répéta ce qu'elle avait déjà dit avant de quitter la base.

— Faites attention, mais essayez de me le prendre vivant. Je veux savoir sur quoi il travaillait.

Lorsque sa montre indiqua que la minute était écoulée, elle lança calmement l'assaut.

— Go !

Et ils passèrent à l'action.

S'ils n'avaient pas porté de gilets pare-balles et des mitrailleuses 9 mm, on aurait pu croire qu'ils se livraient à un ballet. L'inspecteur Rhymer se glissa devant Heat, comme prévu, montra sa plaque au portier et resta à l'abri du dais avec lui pour veiller à ce que personne ne prévienne à l'étage. Les doubles portes vitrées s'ouvrirent automatiquement, et un officier les coinça dans cette position avec des sacs de sable.

— Police, on ne bouge plus ! cria Nikki en s'engouffrant dans le hall. Sortez de derrière le comptoir et du bureau les mains bien en vue, et restez là avec l'inspecteur Feller.

Le concierge en uniforme et la gérante obtempérèrent, la mine effrayée, découvrant subitement des taches sur le marbre poli.

— N'ayez crainte, les rassura Heat.

La nervosité des deux employés ne sembla aucunement apaisée par le défilé des hommes en noir de la brigade Hercule qui, entrés par-derrière, gagnèrent la cage d'escalier.

— Vous voulez la clé de l'un des appartements ? demanda la gérante, Carlotta, d'après son badge en laiton.

— On a ce qu'il faut, fit une voix à côté du bureau du directeur.

Carlotta écarquilla les yeux lorsqu'en se retournant, elle découvrit un policier qui tenait un bélier dans ses mains. À son grand soulagement, elle se rendit compte ensuite que ce n'était pas lui, mais l'inspecteur Ochoa qui venait de parler. Il contournait le comptoir avec le passe de l'appartement 4A qu'il venait de décrocher du tableau dans le cagibi. Néanmoins, le policier au bélier monta dans l'ascenseur avec Heat et les Gars, juste au cas où.

Au moment où les portes se refermaient, Rook, vêtu de son gilet REPORTER, se faufila pour les rejoindre.

— Quatrième, s'il vous plaît.

Pendant le trajet, il fit mine de ne pas voir le regard irrité de Nikki.

— Je vends des abonnements pour le mensuel *Bouffondeservice*. J'ai l'impression d'avoir une touche au 4A.

— OK, pour la dernière fois, Rook. Tu as une mission : tu restes là-dedans et tu gardes la porte ouverte.

— Vous n'avez pas un sac de sable pour ça ?

— Tu feras l'affaire.

Au quatrième, les portes s'ouvrirent et elle se mit en position de combat. Brandissant son Sig Sauer, elle prit la tête du groupe et sortit dans le couloir. Conformément au plan, une équipe de la brigade Hercule avait déjà pris position près de la porte ouverte de la cage d'escalier et derrière la causeuse proche de l'ascenseur, prête à les couvrir avec leurs fusils d'assaut et leurs mitrailleuses.

Communiquant par gestes uniquement, ils avancèrent à pas de loup sur la moquette jusqu'à l'appartement du fond, dont le numéro, 4A, était gravé sur un carré bleu pâle de verre dépoli fixé au mur.

De l'intérieur leur parvenait un air de musique assourdi émanant d'une radio ou d'un lecteur MP3. Heat crut reconnaître *Trav'lin' Light* par Billie Holiday, ce qui évoqua en elle le doux souvenir d'un concert de jazz en compagnie de Rook, dans un autre temps, à Paris.

Elle s'agenouilla près du montant de la porte tandis que les autres l'encadraient. Ochoa, le plus près du bouton, tenait la clé. En tendant l'oreille pour discerner les bruits à l'intérieur malgré la musique, Nikki entendit un homme chanter en chœur.

Cette voix lui était parfaitement familière. Elle l'avait entendue, désincarnée, sur une vieille VHS pleine de grain tournée quand elle avait cinq ans alors qu'elle jouait du Mozart pour lui aux côtés de sa mère.

Elle l'avait entendue durant ses insomnies quasi quotidiennes de ce dernier mois donner l'ordre à son ex de la pousser devant la prochaine rame de métro.

Encore maintenant, malgré le martèlement de son pouls accéléré, elle l'entendait balancer avec désinvolture les derniers mots qu'elle l'avait entendu prononcer alors qu'il la laissait pour morte dans cette station fantôme. La voix de l'autre côté de la porte avait dit : « Tue-la s'il le faut. »

Se tournant vers son groupe, Heat se toucha l'oreille et, d'un signe de tête, indiqua qu'elle entendait bien Tyler Wynn à l'intérieur. Puis elle brandit trois doigts pour annoncer le compte à rebours. Toujours accroupie, elle se retourna pour s'assurer que les membres de la brigade Hercule dans le couloir avaient suivi.

C'est là qu'une explosion retentit à l'intérieur du 4A. Le sol trembla, des photos se décrochèrent du mur et, sous l'effet du souffle, Nikki se retrouva les quatre fers en l'air.

***

Des mains gantées de noir la saisirent par le dos de son gilet pour la relever. Un géant de l'équipe d'intervention cherchait à la tirer en arrière pour l'écarter de la porte et la faire reculer dans le couloir.

Il la déposa près de Rook, devant l'ascenseur, et retourna en courant vers l'appartement, bousculant au passage Raley et Ochoa qui dégageaient la zone.

Dans la cohue, des alarmes de voiture se déclenchèrent, et quelques locataires effrayés ouvrirent leur porte en réponse aux braillements de Nikki et des autres qui leur criaient d'évacuer aussitôt par les escaliers. Ils ne se le firent pas dire deux fois. Heat remarqua les portes fermées de l'ascenseur. Elle se rendit compte également que son oreillette était tombée. Dès qu'elle l'eut remise en place, elle fut assaillie par un déferlement d'annonces : « Équipe de déminage en route… Ambulances prêtes à intervenir dès la fin de l'alerte… Échelle et camion-citerne en approche. »

Heat alluma son micro.

— Aucun blessé dans le couloir du quatrième.

— Bien reçu, pas de blessé, répondit l'agent Callan.

— Les secours évacuent les voisins du quatrième par les escaliers ; interceptez-les dans le hall et faites-les sortir par-derrière.

— C'est fait, indiqua Callan. Dégagement des étages supérieurs et inférieurs en cours.

— Cible repérée à l'écoute à l'intérieur du 4A, aucun visuel pour l'instant.

Nikki regarda dans le couloir et continua. Porte intacte.

— Attendez le déminage.

— Bien reçu. J'attends.

Nikki croisa enfin le regard de Rook.

— Ça va ? demanda-t-il.

Elle acquiesça de la tête.

— Et toi ?

Les portes de l'ascenseur s'ouvrirent, et un démineur en combinaison sortit d'un pas lourd, flanqué de deux membres de la brigade Hercule.

— C'est officiel, on se croirait dans *Star Wars*, déclara Rook à Heat sur leur passage.

Tout le monde patienta dans la cage d'escalier pendant que l'as du déminage ouvrait la porte, au cas où elle aurait été piégée.

— C'était quoi, à ton avis ? demanda Rook. Tu crois que Wynn savait qu'on était là ? Qu'il a foiré une bombe qu'il était en train de fabriquer ?

Se rendant compte qu'il parlait dans le vide, il s'interrompit.

— J'ai compris, je me tais.

Et il attendit. Tous attendaient. Finalement, Heat entendit l'annonce du feu vert dans son oreillette…, suivi de l'appel aux ambulanciers pour venir au secours d'une victime.

— Il est vivant ! s'entendit-elle hurler à travers le couloir. Envoyez-moi les secours… Illico, dit-elle au micro en gagnant la porte de Wynn.

L'appartement était un duplex. D'après le plan qu'elle avait en mémoire, il y avait un salon, un couloir, des toilettes, une cuisine et une salle à manger, en bas ; deux chambres et deux salles de bain, en haut. Heat se précipita par la porte d'entrée et tourna à gauche, car le démineur avait indiqué par radio que la victime se trouvait dans la cuisine. Elle avança péniblement à travers la fine couche de fumée bleue en suspension dans le couloir. En passant devant eux, l'enquêtrice fit signe de la main à Raley et Ochoa, qui la couvraient, de vérifier le placard et les toilettes. Cinq pas plus loin, un filet rouge cramoisi dont elle ne voyait pas la provenance s'écoulait de la cuisine sur le parquet.

Une vision surréaliste l'accueillit au détour de la porte. Agenouillé par terre, le démineur, encore tout harnaché, tentait d'arrêter le sang qui pissait du cou de Tyler Wynn en appuyant directement sur la plaie. En un éclair, Heat évalua la situation. Le vieil homme avait tout le flanc arraché, du côté exposé à l'explosion qui, comme elle pouvait le constater – très graphiquement – avait eu lieu près de la table de la salle à manger, de l'autre côté du bar. Le coin repas avait été littéralement emporté : les chaises en cuir étaient déchiquetées, il n'y avait plus une vitre aux fenêtres, les stores verticaux – pour ceux qui restaient – se balançaient au gré du vent, en lambeaux calcinés, et l'épaisse table en verre avait volé en éclats. Des fragments en jonchaient le sol, le reste était éparpillé tout autour, mêlé au contenu de la bombe : un assemblage de vis, de clous et de billes métalliques dont murs et plafonds étaient criblés.

Au moment de l'explosion, Wynn se trouvait dans la cuisine. Le bar en granit avait empêché que la partie inférieure de son corps ne soit elle aussi transformée en steak tartare. Heat s'agenouilla à côté du démineur et tendit le bras pour boucher une vilaine plaie sur la poitrine de Wynn.

Mais elle dut aussitôt retirer sa main en sentant quelque chose de pointu sous sa paume. En soulevant le lambeau de chemise trempé, elle découvrit la lame brisée du couteau à pain que la déflagration lui avait projeté dans les côtes en l'arrachant de son socle en bois sur le plan de travail.

— Heat, siffla-t-il dans une quinte de toux.

— Les secours arrivent. Tenez bon. Ne bougez pas.

D'un torchon trouvé par terre, elle fit une compresse qu'elle lui appliqua sur l'entaille qu'il présentait au front, si profonde qu'on lui voyait le crâne. Comme sa plaie à la poitrine saignait encore abondamment, avec précaution elle plaça deux doigts de chaque côté de la lame et appuya.

— Était-ce… ?

Il toussa de nouveau.

— N'essayez pas de parler, conseilla-t-elle.

— C'était… Salena ?… Est-ce que Kaye… m'a retrouvé ?

— Respirez. Ne parlez pas. Contentez-vous de respirer et restez avec moi. Écoutez, les secours arrivent.

En réalité, Nikki voulait qu'il parle. Mais elle voulait d'abord qu'il reste en vie afin qu'il puisse le faire amplement. Lorsque les secours eurent pris le relais, elle se leva, les coudes et les genoux maculés de sang, mais insista pour rester à ses côtés, au cas où il prononcerait encore quelques mots. Cela paraissait peu probable. Même sans formation médicale, Heat, qui s'était souvent trouvée en présence des secours, savait reconnaître un état critique au ton de l'urgentiste. D'après son évaluation, ils avaient du mal à stabiliser le blessé.

— Il faut l'emmener tout de suite, déclara l'ambulancier.

Heat descendit avec le brancard dans l'ascenseur, puis grimpa à l'arrière de l'ambulance pour l'accompagner.

Si Tyler Wynn devait mourir, elle voulait être là lorsque cela se produirait. Et aussi s'assurer qu'il ne s'échappe pas, bien sûr.

***

À peine les doubles portières furent-elles refermées qu'il roula la tête vers elle. De la main de son bras valide, celui dont les tendons et les os n'étaient pas à vif, il lui fit signe d'approcher. Elle s'agrippa à la rampe du brancard pour garder l'équilibre et se pencha à quelques centimètres de son hideux visage déchiqueté.

— Je regrette, geignit-il.

Voyant qu'il étouffait un cri, elle posa la main sur son poignet valide.

— J'aimais votre mère. Je…

Il ravala un sanglot et ferma les yeux, de sorte qu'elle crut qu'il agonisait, mais il les rouvrit dans l'instant. Ils étaient remplis d'une force et d'une détermination retrouvées.

— J'ai vendu mon âme. Ils ont fait de moi un homme riche.

Il chercha sa respiration.

— Mais ils m'ont fait faire des choses affreuses. Je regrette tellement. Ils m'ont fait...

— Qui ?

— Lui !

Le vieil espion cracha le nom dans un sanglant accès de toux.

— Dragon.

Heat se rappela. La personne que Salena Kaye avait appelée depuis l'hélicoptère volé.

— Qui est Dragon ? demanda-t-elle. Ce n'est pas vous ?

Il agita la tête avec véhémence et gémit un non, effort qui anéantit toute velléité combative dans son regard. Puis, il cligna des yeux.

— Les terroristes ! cria-t-il soudain.

Et il inspira de nouveau.

— Des morts, des milliers de morts ici à New York. Pire que...

Il inspira en tremblant

— ... pire que le 11 septembre.

Il s'étouffa et avala avec difficulté sa salive.

— J'ai froid.

— Ma mère l'avait découvert ? C'est pour cette raison que vous...

— Oui ! lâcha-t-il. Je suis navré.

Il sanglota de nouveau.

— Elle a failli les arrêter.

— Qui les a arrêtés ? Nicole ? demanda-t-elle.

Il semblait logique que l'amie de sa mère, elle aussi espionne, soit intervenue... avant de finir congelée dans une valise.

La tête s'agita d'un côté et de l'autre sur le drap.

— Personne ne les a arrêtés.

— Je ne comprends pas. Quand cela était-il censé se produire ?

— Pas *était*.

La plaie du cou gargouilla et une écume rouge se forma autour.

— *Est* ! clama-t-il dans un grognement.

— Quoi ? Tyler, quoi ?

Sa voix était si faible que Nikki dut coller l'oreille à ses lèvres pour l'entendre.

— Des milliers de morts. Pour bientôt.

Elle se redressa de quelques centimètres pour voir son visage, pour essayer de comprendre. Et croire. Les yeux plongés dans les siens sous ses paupières écorchées, il confirma d'un hochement de tête la véracité de son message d'alerte.

— Toi, Nikki. Tu dois arrêter ça.

De nouveau, sa respiration se fit difficile. Le voyant lui filer entre les doigts, Heat s'emporta devant l'injustice de la situation.

— Tu vas parler, bon sang ?! Tu l'as tuée, espèce d'enfoiré ! s'écria-t-elle, le visage de nouveau collé contre le sien. Il est hors de question que ce soit pour rien. Parle. Dis-moi ce qui se prépare. Quand ?

Le vieil homme ne répondit pas. Il tendit la main comme pour lui caresser la joue, mais ne put achever son geste. Sa main retomba sans vie sur sa poitrine.

Aussitôt, l'ambulancier s'interposa pour tenter de le ranimer. Pour la seconde fois en un mois, Nikki assista aux soubresauts de Tyler Wynn sur son lit de mort. Et, comme la fois précédente, la tonalité continue du signal sonore strident du moniteur cardiaque annonça la fin.

La différence, cette fois, c'est que Tyler Wynn était réellement mort. L'ambulancier éteignit l'écran et frappa au carreau de séparation de la cabine avant. Le chauffeur arrêta la sirène et ralentit pour effectuer le reste du trajet de Columbus Circle aux urgences.

Nikki regarda alors le corps du vieil espion, puis par la fenêtre lorsqu'ils arrivèrent à l'hôpital Roosevelt. Si Wynn disait vrai, un groupe de terroristes était là quelque part et s'activait à multiplier les projets.

ONZE

Heat ne quitta pas le corps avant que Lauren Parry n'arrive pour le rapport d'autopsie préliminaire. La légiste sortait de la comédie musicale des *Jersey Boys* sur Broadway lorsqu'on l'avait avertie par SMS. Elle avait donc répondu qu'elle s'en chargeait puisque sept rues à peine la séparaient de l'hôpital Roosevelt. Inutile de dire qu'en réalité, elle avait en tête l'importance de la situation pour son amie Nikki.

— Docteur Parry, n'hésitez pas à vérifier par deux fois qu'il est bien mort, lui conseilla Rook tandis qu'elle enfilait une blouse médicale sur sa robe du soir. Usez d'un pieu en bois, s'il le faut. Ce type a la sale habitude de revenir d'outre-tombe.

Laissant la légiste faire son œuvre, Heat referma la porte de la salle d'examen et entreprit de relater aux agents Callan et Bell ce qu'elle avait appris dans l'ambulance.

— A-t-il fourni des précisions ? Indiqué de quel genre d'acte terroriste il s'agit ? A-t-il dit quand et où ? Sait-on qui est derrière tout ça ? s'enquit Bart Callan en formulant les questions que tous se posaient.

— Ce n'est pas de la rétention d'information de ma part, assura Heat, mais Wynn a rendu l'âme avant de pouvoir parler.

— Il est pénible, ce type, intervint Rook. Il n'arrête pas

de faire ça. Il vous tient en haleine et, finalement, il meurt sans finir son histoire.

Callan se mit à rédiger un texto tout en parlant.

— On vient de passer à la vitesse supérieure. J'appelle immédiatement l'unité antiterroriste.

— Tyler Wynn est-il seulement crédible ? demanda l'agent Bell. Parce qu'avec son parcours...

— Vous n'êtes pas sérieuse ?!

Heat tourna brusquement la tête vers Yardley. Quelque chose rugissait en elle. Peut-être à cause du stress de toute cette affaire, ou de son éprouvante issue qui l'empêchait d'y mettre le point final dont elle avait tant besoin.

— Vous n'allez quand même pas prétendre me parler – à moi – du parcours de ce type ?

Au lieu de contre-attaquer, l'agent Bell se contenta d'un regard soutenu, qu'elle interrompit pour gagner la sortie d'un pas nonchalant.

— Agent Callan, j'ai du travail, indiqua-t-elle froidement.

— Si on soufflait un peu, proposa Callan lorsqu'elle fut partie. Ça a été une rude journée. J'organise une réunion de concertation demain à la première heure à Varick Street. Je souhaite que vous y participiez.

— Vous plaisantez, non ?

— Allons, vous n'allez pas vous laisser exclure pour quelques petites frictions.

Tous deux se tournèrent en direction de Yardley Bell qu'ils virent feuilleter son BlackBerry à l'accueil.

— Nikki, j'ai besoin de vous.

La réaction de l'enquêtrice au ton personnel de sa requête ne lui échappa pas.

— Oh ! Et en ce qui concerne cette autre chose dont je vous ai parlé ? ajouta-t-il. Oubliez, ce n'est plus d'actualité. On reprend à zéro.

— Merci, en tout cas. Je vous tiens au courant si j'apprends quoi que ce soit, assura Nikki, et je compte sur vous pour en faire de même.

Alors qu'ils repartaient voir où Lauren Parry en était de son examen préliminaire, Rook, tout excité, s'adressa à Nikki.

— Une unité opérationnelle ! Tu te rends compte ? On pourrait faire partie d'une unité opérationnelle pour de vrai.

Comme elle ne lui prêtait pas attention, il l'aborda de front.

— De quoi parlait Callan à propos de cette autre chose ?

— Rook, tu veux réellement m'aider ?

— Tu n'as qu'à demander.

— Laisse tomber ça, tu veux ?

Elle défit l'une des bandes velcro de son gilet pare-balles. Et ce stupide gilet, aussi !

***

Heat ne rentra pas chez elle. Elle quitta Rook qui la laissa partir à contrecœur et prit une voiture radio pour remonter au poste, où elle piqua un somme sur le vieux canapé en cuir de la salle de repos. Au sortir du profond sommeil dans lequel elle était aussitôt tombée, elle se prépara un café qu'elle but assise sur sa chaise de bureau, devant les tableaux blancs. En fait, sa lassitude l'aida à réfléchir.

Avant la sieste, sa cervelle accablée de détails lui évoquait la maison des Singes au zoo ; ses pensées partaient dans tous les sens, et son esprit échappait à tout contrôle.

Dans la solitude de la brigade, elle parvint à chasser les primates. Lorsque Raley, Ochoa, Rook et le reste de l'équipe arrivèrent de bonne heure le lendemain matin, elle avait rassemblé quelques nouvelles idées à partager, mais elle avait également une annonce de la plus haute importance à leur faire.

— Tyler Wynn est mort, commença-t-elle avant d'avoir à s'interrompre à cause de l'inspecteur Hinesburg qui ne trouva pas mieux que d'applaudir.

Comme elle était seule à le faire, l'écervelée fut réduite au silence par les regards des autres. Heat poursuivit.

— Cette fois, c'est pour de bon, mais le chapitre est loin d'être clos. En raison d'une déclaration qu'il m'a faite avant de mourir, non seulement cette affaire demeure en suspens, mais elle entre dans une nouvelle phase qui va nécessiter que nous redoublions d'efforts.

Tandis qu'ils remuaient leur premier café et grignotaient leurs bagels en prenant des notes, Heat leur récita les derniers mots du défunt.

— Certes, c'est frustrant de se retrouver avec plus de questions que de réponses, mais il nous a quand même donné quelque chose. À nous de faire en sorte que ce soit suffisant.

Puis, elle anticipa leurs questions, car elle savait qu'ils se posaient les mêmes que celles que Bart Callan lui avait posées aux urgences quelques heures plus tôt, les mêmes qu'elle s'était posées toute la nuit. Elles étaient déjà numérotées sur le tableau blanc derrière elle : 1) Quel genre d'acte terroriste ? 2) Quand ? 3) Où ? 4) Qui est derrière ?

— Commençons par ce que nous savons, c'est-à-dire « où ».

Elle inscrivit les initiales « NY » en regard du numéro trois.

— C'est plutôt général, mais c'est un début. Quant au type d'acte, le fait qu'il ait parlé de quelque chose de plus gros que le 11 septembre et que cela implique des milliers de morts élimine la possibilité de tireurs, d'une voiture piégée et autres, bien que l'on ne puisse rien exclure. J'ai une idée sur laquelle je reviendrai.

Elle croisa le regard de Rook, qui afficha un léger sourire, indiquant qu'il savait qu'elle préparait quelque chose.

— Qui est derrière ? Qui est au courant ? J'ai déjà briefé l'unité antiterroriste, qui va examiner la piste des groupes étrangers et nationaux. Ils s'en occupent, mais ne nous voilons pas la face. On a du pain sur la planche.

Elle reboucha son marqueur.

— Vous n'avez pas abordé la question du « quand », souligna Rhymer.

— Et c'est bien celle qui m'effraie. Voilà ce à quoi j'ai réfléchi.

Elle vint s'asseoir sur une table, jambes pendantes, devant les tableaux, et les regarda un par un ; elle avait toute leur attention.

— On peut raisonnablement penser que la mort de ma mère résulte de sa découverte de deux choses : l'existence d'un complot terroriste et le fait que Tyler Wynn avait trahi la CIA pour y participer.

Elle marqua une pause pour leur permettre de digérer ce postulat.

— Mais son élimination n'a pas suffi à calmer le jeu, car elle avait retourné une taupe au sein du groupe de terroristes, un biochimiste. Or il est mort brusquement lui aussi quelques semaines plus tard. Nous attendons une nouvelle autopsie, mais je pars du principe qu'il a été exécuté. Tout le monde me suit jusque-là ?

Ils acquiescèrent. Elle se laissa alors glisser de la table pour reprendre sa place devant les tableaux.

— Donc, ce complot a capoté depuis des années. On ignore pourquoi et comment.

— Peut-être la mort d'Ari Weiss a-t-elle tout paralysé, suggéra Rook. C'était un homme clé pour tenir des réunions secrètes dans des voitures avec les potes de Tyler Wynn, comme on l'a vu sur cette photo prise par le privé. C'est arrivé souvent dans les groupes révolutionnaires que j'ai couverts. L'un des chefs meurt ou part en prison, et ils arrêtent tout pour se regrouper ou recruter de nouveau.

— Tout à fait possible. Surtout si c'est un petit groupe de terroristes, les luttes intestines et les changements de membres peuvent être déstabilisants.

Heat aperçut la main levée d'Ochoa.

— Miguel ?

— La surveillance aussi. J'ai vu ça quand je bossais sur les gangs et le racket. Dès qu'on la surveille un peu, qu'on fourre son nez autour d'elle, la racaille passe en mode veille.

— Oui.

Nikki pointa le doigt vers l'enquêteur avec ardeur.

— C'est exactement là où je veux en venir. Je sais qu'on a déjà vu tout ça ensemble, mais je reprends : ma mère est assassinée, mais elle a une amie proche qui travaille également pour la CIA, une certaine Nicole Bernardin.

— La femme de la valise, confirma Raley.

Nikki repensa aux chocs successifs qu'elle avait subis lorsqu'elle était arrivée ce jour-là dans Columbus Avenue. Pensant enquêter sur un banal homicide, un cadavre dans une valise, elle n'en avait pas cru ses yeux en reconnaissant le bagage de sa mère, volé chez elle, le soir du meurtre ; puis, à sa grande stupeur, la victime s'était révélée être la meilleure amie de sa mère... et il se trouvait qu'elles faisaient équipe au sein de la CIA.

— Tout à fait. Comme ma mère, Nicole Bernardin faisait partie du réseau de Tyler Wynn. Et Nicole est également morte à cause de ce qu'elle avait découvert. Tuée aussi par Tyler Wynn. Mais récemment, à plus de dix ans d'intervalle.

Heat passa derrière la table pour prendre un dossier.

— Voyons les principaux éléments de l'affaire Bernardin. D'abord, les résidus découverts sur son corps provenaient d'un puissant solvant de nettoyage utilisé dans le secteur médical. Ensuite, nous n'avons pas de rapport de toxicologie pour Nicole parce que Salena Kaye, la complice de Tyler Wynn, a saboté les analyses. Et avant que la légiste ne puisse les refaire, une mystérieuse personne a ordonné la crémation du corps.

Nikki leva les yeux avant de tourner la page. Tous l'écoutaient, littéralement captivés.

— Wynn avait un autre complice, poursuivit-elle. Un flic véreux nommé Carter Damon. Quand on a localisé la camionnette de Damon, le labo a non seulement découvert du sang appartenant à Nicole Bernardin, mais des traces du même solvant de nettoyage.

Elle marqua une pause, le doigt posé à l'endroit où elle en était dans le dossier.

— Le fait que l'assassin ait nettoyé le cadavre au solvant

m'a fait longuement réfléchir. Pourquoi ? Pour effacer quoi ? Pourquoi aller jusqu'à saboter une analyse toxicologique et détruire ensuite le corps afin qu'il ne soit plus possible d'y procéder. Pourquoi tant d'efforts ?

Elle balaya la pièce du regard ; tout le monde avait les yeux braqués sur elle.

— Il m'a brusquement traversé l'esprit que Nicole Bernardin devait s'être trouvée en contact avec quelque chose pendant ses investigations sur les activités secrètes de Tyler Wynn. Et je ne vois qu'une seule raison de vouloir en effacer toute trace.

Elle ferma le dossier et se tourna vers le tableau blanc. Elle venait juste de déboucher son marqueur lorsqu'elle sentit le groupe derrière elle en arriver à la même conclusion. Quelqu'un, les Gars, semblait-il, laissa échapper un long « Meeeerde ».

Alors, elle résuma son hypothèse en regard de « Quel genre d'acte » en un unique mot effroyable : « BIOTERRORISME. »

***

Lorsqu'elle se détourna du tableau, le capitaine Irons prit la parole du fond de la salle.

— Heat ? Je peux vous voir un instant ?

Le patron ferma la porte derrière elle, mais ne prit pas la peine de retourner s'installer à son bureau. Ils restèrent donc tous les deux debout, à la plus grande satisfaction de Nikki qui ne souhaitait pas s'éterniser.

— Bravo pour le topo, dit-il. J'y ai assisté comme une petite souris.

— Oui, monsieur, j'avais remarqué.

— Soyez gentille de me prévenir la prochaine fois, que je n'aie pas à compter sur la chance.

— Je n'y manquerai pas, mentit-elle.

Pensant que c'était tout, elle s'apprêta à partir, mais il n'avait pas terminé.

— C'est dur pour Tyler Wynn. Vous avez fini par l'avoir, mais il a laissé un tas de sales trucs à dépatouiller. D'un autre côté, il faut voir le positif : maintenant que ce dossier est clos, vous allez pouvoir vous concentrer pleinement sur Arc-en-ciel.

— C'est loin d'être terminé, capitaine. Vous avez assisté au topo : c'est maintenant une affaire de bioterrorisme.

— Dont s'occupe la Sécurité intérieure. Vous savez, inspecteur, si Arc-en-ciel attachait des fils de couleur à ma photo, je me pencherais sérieusement sur la question.

— Monsieur, rassurez-vous, je peux gérer les deux.

Il rougit jusqu'aux oreilles, ses joues prenant une teinte violacée.

— Je suis loin d'être rassuré. Vous avez peut-être tous les grands magazines et la télévision à vos pieds, mais ce poste est toujours sous mes ordres. Et je vous ordonne de laisser faire les fédéraux maintenant que vous avez eu Wynn. Sinon, eh bien, j'ai déjà dû vous suspendre une fois… Faut-il en repasser par là ?

À son bureau, Heat, tout juste capable de contenir sa colère, se laissa retomber sur sa chaise. Concrètement, la demande de Wally Irons était fondée. Son affaire dépassait le simple meurtre. Il était logique que le capitaine veuille qu'elle s'occupe du travail de police de son poste… de la brigade qu'elle dirigeait. Mais il n'était pas question de logique pour Nikki ; ce qu'elle voulait, c'était mener à bien cette affaire. Des milliers de vies à New York étaient en jeu. Heat se demanda ce qui la motivait le plus : son devoir d'arrêter les terroristes ou la responsabilité qu'elle éprouvait à finir le travail entamé par sa mère ?

Décidant alors qu'il s'agissait d'une seule et même chose, elle se résolut à passer ce coup de fil qu'elle aurait préféré éviter.

— Nikki Heat, quel plaisir de vous entendre ! répondit Bart Callan. Au nom de la Sécurité intérieure, je suis ravi de constater que vous avez changé d'avis.

— On peut dire que vous avez su me convaincre, agent

Callan, affirma Nikki en espérant que l'usage de son titre couperait court aux effusions de son interlocuteur avant que les choses ne lui échappent.

— Que puis-je donc pour vous ? demanda-t-il.

Heat lui fit part de la situation.

Peu après, elle entendit la sonnerie assourdie du téléphone de son patron retentir à l'autre bout de la salle et assista par la vitre du bureau aux effets de la carte qu'elle venait de jouer. Wally Irons acquiesçait de la tête comme un toutou à tout ce qu'on lui disait à l'autre bout du fil, mais il n'avait pas l'air content. Peu lui importait. Elle tâcherait d'être contente pour deux.

Une heure plus tard, l'inspecteur Heat se tenait devant une cellule interservices de bioterrorisme dans le bunker du sous-sol du département de la Sécurité intérieure, six étages de béton armé sous terre, sous Varick Street, au sud de Manhattan.

Face à une table de conférence entourée de militaires, de policiers et d'officiers du renseignement, dont Callan et Bell, elle fit le compte rendu de son parcours, de l'enquête demeurée au point mort pendant onze ans, puis de la progression des événements au cours des mois précédents qui l'avait conduite à la déclaration que lui avait faite Tyler Wynn lors de son dernier trajet en ambulance.

Comme elle avait tout en tête, elle s'exprimait sans notes ; en gros, elle répéta ce qu'elle avait exposé à sa brigade le matin même à la vingtième. À défaut de tableau blanc, un large écran LED derrière elle se couvrait de texte au fil de ses propos, ce qui ne manqua pas de la surprendre lorsqu'elle s'en aperçut du coin de l'œil.

Au fond de la pièce, l'une des secrétaires était chargée de transformer son rapport en PowerPoint. Voilà les moyens dont ils parlaient, songea-t-elle.

Ensuite le groupe l'interrogea, essentiellement sur les points de détail qu'elle avait décidé de leur épargner, et Nikki répondit en toute franchise, n'omettant qu'une seule chose : le code.

Lorsqu'elle s'assit, Cooper McMains, le commandant de l'unité antiterroriste de la police de New York, déclara comprendre le raisonnement qui l'amenait à conclure à un acte bioterroriste. Les autres en convinrent.

En l'absence de toute dissension et après les précautions d'usage rappelant qu'il fallait garder l'esprit ouvert à toute autre possibilité, on passa aux aspects pratiques. En tant que responsable des opérations, l'agent Callan prit le relais pour en exposer les grandes lignes.

— En toute priorité, il nous faut savoir à quoi nous attendre, et quand et où aura lieu cette attaque. Je vous demanderai à tous de bien vouloir rameuter vos indics et, avec cette menace à l'esprit, de passer au crible toutes les données dont vous disposez. Bien évidemment, nous nous concentrerons sur les groupes figurant sur la liste des organisations terroristes étrangères, à commencer par al-Qaida et tous ses cousins, plus le Hezbollah, les moudjahidines, les FARC, le Sentier lumineux, etc.

— Et la liste noire des personnes à surveiller ? demanda un homme en complet brun, manifestement un universitaire d'après son bouc et son nœud papillon.

— Ce n'est pas à exclure. Surtout si de nouvelles alliances se sont formées sans que nous soyons au courant, mais, compte tenu du passé de Tyler Wynn à la CIA, je penche plutôt pour l'étranger. Cependant…

Il pointa du doigt pour souligner son propos avant d'ajouter :

— Ne négligeons pas les cellules dissidentes. Nous avons tous vu de quoi étaient capables deux étudiants étrangers venus pour un échange munis d'une panoplie de chimiste et du matériel acheté dans un magasin de bricolage.

— C'est vaste, commenta le prof.

— Alors, on ferait mieux de s'y mettre, rétorqua Callan. Et vite.

Tandis que la cellule de crise se dispersait, Heat rejoignit Callan à la porte.

— Maintenant que nous sommes d'accord sur le bioter-rorisme, il y a un fil que j'aimerais dérouler. Et si je vous en parle par avance, c'est parce que, vous vous en souviendrez peut-être, le problème s'est déjà posé. Je veux parler de Va-zha Nikoladze.

— Oubliez Nikoladze, inspecteur, intervint Yardley Bell en se mêlant à la conversation. C'est un raté.

D'une grimace, Nikki appela Callan à la rescousse, mais, comme il semblait intimidé par sa collègue, elle embraya.

— Pas pour moi en tout cas. Et laissez-moi vous en énu-mérer les raisons, agent Bell.

Heat soutint son regard et compta sur ses doigts.

— Nikoladze est un biochimiste hors pair. C'est un étran-ger et il a fui l'ancienne République soviétique de Géorgie.

— Ah ça, c'est la meilleure ! Vous croyez peut-être m'ap-prendre quelque chose que j'ignore ?

— En outre, continua Heat sans se démonter, ma mère l'espionnait.

— Et voilà tout ce que vous avez besoin de savoir, conclut l'agent Bell. Nikoladze travaille pour nous depuis des an-nées ; c'est un indic fiable et prolifique. De plus, notre bio-chimiste fait partie d'un groupe de réflexion sur le désarme-ment qui encourage la démilitarisation de la science. Votre mère avait plutôt recours à Vazha en sa qualité d'expert.

— Vous qui assuriez la liaison entre le FBI et ma mère à l'époque, vous confirmez ? demanda Nikki à Callan.

— Honnêtement, il m'est impossible de confirmer ou d'infirmer.

— Alors, je veux le découvrir.

— Non, vous voulez avoir raison et me prouver que j'ai tort, dit Yardley. Arrêtez de nous faire perdre notre temps.

Bell quitta la pièce avec raideur.

— Heat, reprit Callan, peut-être pourriez-vous suivre des pistes plus productives pour l'enquête.

— Ça m'a tout l'air d'être un ordre, fit remarquer Nikki.

L'agent spécial ne répondit pas. Il se contenta de sourire.

— Suis-je donc bête. Dire qu'en me joignant à vous,

j'avais peur de trouver une équipe en proie aux dissensions et aux dysfonctionnements.

***

Au retour de sa réunion à la Sécurité intérieure, Heat vit le capitaine Irons détourner ostensiblement les yeux vers la fenêtre sur rue. Peu importait. Elle s'installa à son bureau, ranima son écran et entreprit de faire le tri dans sa messagerie engorgée d'e-mails.

Hormis quelques nouvelles concernant les avancées de la brigade sur le tueur en série, il s'agissait en grande partie de déclarations qui émanaient de soi-disant Arc-en-ciel se prétendant domiciliés aux quatre coins de la ville. Nikki se concentra sur les rapports de ses enquêteurs tout en agrémentant son yaourt allégé de confiture de fraises.

— Moi, j'ai fait un vrai déjeuner, annonça Rook en arrivant à pas nonchalants.

Elle déplaça les dossiers sur son bureau avant qu'il n'ait eu le temps de s'asseoir dessus… Juste à temps.

— Je ne me suis pas contenté d'un yaourt à la va-vite.

Les Gars arrivèrent en se faisant des passes avec un ballon de basket, une habitude de longue date entre eux lorsqu'ils se remuaient les méninges.

— Notre littérateur nous fait du boudin, commenta Ochoa.

Sans leur prêter attention, Rook continua de raconter son déjeuner.

— Je me suis offert une rafraîchissante salade de fruits de mer à l'Ocean Grill dans Columbus Avenue.

Raley rattrapa la passe d'Ochoa.

— Il est tout remonté parce que vous êtes allée à la Sécurité intérieure sans lui en parler.

— Nappe blanche et argenterie.

Il se pencha vers elle.

— Excuse-moi, cette cuillère en plastique ne serait-elle pas fendue ?

— Rook, tu fais vraiment la gueule ? demanda-t-elle.

— Non, pourquoi je ferais la gueule ?

— Croyez-moi, il fallait l'entendre. Il fait la gueule, assura Raley en envoyant le ballon à Rook, qui se recula au lieu de l'attraper.

Alors qu'Ochoa ressortait le ballon de sous un bureau, Rook explosa :

— Bon, d'accord, je ne suis pas allé à l'Ocean Grill. Ça m'a coupé l'appétit. Une unité opérationnelle, Nikki ! Comment as-tu pu te joindre à une unité opérationnelle de la Sécurité intérieure sans moi ?

— Parce que c'était confidentiel.

— Comme si ça allait m'arrêter. De la part de quelqu'un d'autre, ça aurait été perçu comme de la vantardise.

— Mon équipier et moi, on a réfléchi à cette camionnette, annonça l'inspecteur Ochoa, celle dans laquelle il y avait le sang de Nicole Bernardin et des traces de produit de nettoyage. Pas de pause déjeuner pour nous non plus.

— Qu'avez-vous trouvé ?

— Alors, suivez bien, se lança Raley. Supposons, comme vous l'avez dit au briefing, que Nicole Bernardin se soit trouvée en contact avec une toxine biologique en essayant de comprendre ce que trafiquait Tyler Wynn. Celui qui l'a prise sur le fait et supprimée a dû s'inquiéter que son corps puisse être contaminé par un produit qui risquait de le trahir.

— Ce qui explique pourquoi son corps a été nettoyé avant d'être balancé, enchaîna Ochoa. Pour ne pas donner l'alerte.

— Et comme la camionnette de Carter Damon présentait à la fois le sang de Nicole Bernardin et des traces de solvant de nettoyage, continua Raley, il y a fort à parier qu'elle a servi à transporter son corps de l'endroit où elle a été poignardée et nettoyée à celui où on l'a mise dans la valise. Alors, on se disait que, si on trouvait où la camionnette de Damon s'est rendue la nuit du meurtre…

— … on découvrirait peut-être le labo des bioterroristes qu'elle avait découvert, compléta Heat.

Malgré son « peut-être », il lui semblait toucher du doigt quelque chose qui pouvait déboucher sur une vraie piste.

— Mais comment savoir où s'est rendue la camionnette ? demanda Rook.

L'inspecteur Feller intervint depuis son bureau.

— La Sécurité intérieure a bien des caméras qui enregistrent les plaques d'immatriculation aux plus gros carrefours et aux péages pour pouvoir suivre la trace des véhicules suspects qui entrent et circulent dans la ville, non ?

— Absolument. Ils doivent archiver leurs vidéos, confirma Raley. De même que les collègues de la circulation.

Heat repensa à la réunion à laquelle elle venait d'assister et suggéra aux Gars de commencer par les vidéos de la maison.

— Alors, cette réunion, c'était bien ? demanda Rook tandis que Raley et Ochoa s'éloignaient pour creuser cette nouvelle piste.

— Laisse-moi tranquille, râla-t-elle en masquant son sourire dans son yaourt. J'aimerais déjeuner en paix.

— Entendu. Et pendant ce temps, laisse-moi te raconter l'idée à laquelle j'ai réfléchi avec mon équipier. J'admets qu'il est imaginaire, c'est d'ailleurs pourquoi je suis si content que tu sois de retour.

— Rook, tu perds le sens de la réalité. Où veux-tu en venir ?

— Au fait que, si Tyler Wynn était si bien en cheville avec l'étranger, pourquoi ce traître n'a-t-il pas fichu le camp au lieu de rester traîner là pendant encore un mois après l'alerte lancée pour le retrouver ?

— C'est simple. Pour mener à bien le complot.

— C'est là où je coince. Quelle a été la première chose qu'il t'a dite après l'explosion ?

— Il m'a demandé si c'était un coup de Salena Kaye.

— Non, la citation exacte, s'il vous plaît, inspecteur.

Heat visualisa le vieil homme par terre dans la cuisine. Toute la scène se rejoua comme dans un film.

— Il a dit : « C'était Salena ? Est-ce que Kaye m'a retrouvé ? » souligna Rook. Tu vois, c'est énorme quand même !

— Il a raison.

Randall Feller ne put résister à venir se joindre à l'échange.

— S'il a dit « m'a retrouvé », c'est qu'il se cachait de sa propre complice.

— Et si Salena Kaye s'en est prise à lui alors qu'il se cachait encore à New York, continua Rook, on peut penser que sa propre organisation l'a lâché et qu'il ne pouvait plus sortir du pays sans passer inaperçu. C'est déjà arrivé à mes amis espions, en Europe. Un jour, on vous escorte en limousine, et le lendemain, vous n'osez plus pointer le nez dehors et encore moins monter dans un avion.

— Dans ce cas, pourquoi vouloir sa mort si soudainement ? demanda Feller.

— J'espère bien le découvrir, déclara Heat. Peut-être parce que je l'ai compromis en échappant à la mienne. Quand je suis ressortie vivante du métro, l'oncle Tyler a dû se transformer en cible parce que, si on le capturait, il risquait de donner ses coconspirateurs.

— Une raison plus que valable, commenta Rook. Ça expliquerait aussi pourquoi Salena est restée dans les parages : pour l'éliminer.

— Et moi avec, ajouta Nikki.

— La voilà repartie.

Rook adressa un clin d'œil à Feller, puis se tourna vers Nikki.

— Tout tourne toujours autour de toi, c'est ça ?

— Vous croyez que c'est Salena Kaye qui l'a tué ? demanda Sharon Hinesburg.

Randall Feller n'était pas le seul enquêteur incapable de résister à la séance de brainstorming. Mais de la part de Hinesburg, la chose était rare. Peut-être essayait-elle d'inverser la vapeur, finalement.

— Kaye arrive certainement en tête de liste, affirma Heat.

Feller plissa le front.

— Mais son modus operandi de prédilection n'est-il pas le poison ?

— L'efficacité prime toujours, rétorqua Nikki.

— Est-on sûrs qu'il n'était pas en train de fabriquer une bombe qui lui a explosé à la figure ? demanda Feller.

Heat fit non de la tête.

— Il n'y avait aucun matériel pour ça chez lui.

— Je vous en prie, dit Rook en feignant l'indignation. Il habitait à Sutton Place, quand même. La copropriété n'aurait rien toléré de tel !

— D'après les registres du concierge, un paquet a été livré à son appartement, expliqua Heat. Service de messagerie locale, aucune trace. Probablement bidon.

— Donc, s'il n'était pas juste à côté de l'explosion, conclut Rook, c'est que le paquet n'a sans doute pas été ouvert.

— Alors, c'était soit une bombe à retardement, soit une bombe télécommandée.

Heat vérifia de nouveau ses e-mails.

— J'attends encore les résultats sur ce point. Le labo et l'équipe de déminage étudient tous les deux la question.

— Vous n'avez pas de quoi chômer, constata l'inspecteur Hinesburg. Et si je m'en chargeais ?

— Entendu, approuva Nikki, ravie de voir le maillon faible tenter de se racheter.

Que ce soit par culpabilité ou juste pour se prouver à elle-même qu'elle pouvait jongler avec tout ça, Nikki passa le reste de la journée sur l'affaire Arc-en-ciel. Elle avait fini par l'appeler ainsi, ce qui, quelques heures plus tard, constitua la seule avancée de l'enquête. Après s'être assurée que sa brigade avait de quoi s'occuper et traquait Arc-en-ciel, Heat s'accorda un petit plaisir. Cela la démangeait tellement qu'elle ne pouvait plus se retenir, bien qu'elle sût que cela lui ferait sans doute plus de mal que de bien.

— Allô, Vazha à l'appareil, répondit une voix douce aux inflexions d'Europe centrale, qui la fit aussitôt imaginer l'homme récitant de la poésie dans un café de Tbilissi.

— Docteur Nikoladze, annonça Heat sur un ton enjoué et décontracté, c'est Nikki Heat. Comment vont les chiens ?

Elle entendait la brise sur l'Hudson souffler dans le combiné et, au loin, les aboiements de ses bergers du Caucase au chenil.

— Prêts pour le concours de Westminster ?

— On a déjà eu cette conversation, inspecteur. Bonsoir.

La ligne grésilla, un chien aboya et la communication fut coupée.

Sortie de ses pensées par Rook, qui avait enfilé sa veste de sport et sa sacoche Coach, elle leva les yeux de l'écran vide de son iPhone.

— J'en ai encore pour au moins une heure ou deux, déclara-t-elle.

— Je m'en doutais un peu.

Il ajusta la large bandoulière de son sac sur sa poitrine.

— J'ai reçu un coup de fil et j'ai rendez-vous... pour un verre, mais ça se prolongera sans doute par un dîner.

Nikki sentit son cœur faire un bond. Subitement, elle l'imagina en compagnie de Yardley Bell dans l'un de leurs endroits préférés. Chez Boulud, Balthazar ou Nobu. Ou, pire, l'un de ceux qu'ils fréquentaient, eux, à l'époque où ils étaient en couple.

— C'est pour le magazine, précisa-t-il.

— De bonnes nouvelles, j'espère.

— On verra. Mon agent m'a organisé un rendez-vous avec des producteurs de chez Castle Rock. C'est un premier contact pour parler d'une éventuelle option sur ma série d'articles sur toi, pour un film.

Nikki aurait presque préféré une soirée aux chandelles avec Yardley, et échange mutuel de fraises à la clé. Enfin, peut-être pas quand même.

— Tu te fous de moi ? Un film ? Inspiré de tes articles sur... moi ? cracha-t-elle en s'efforçant de ne pas hausser la voix, bien que la salle de briefing fût largement déserte à cette heure tardive.

— Enfin, c'est rien ! On se rencontre, on discute, c'est

tout. Rien n'est encore décidé – ni ne le sera – sans que je t'en parle. Parole de journaliste, s'esclaffa-t-il pour tenter d'alléger l'atmosphère.

D'un geste de la main, elle chassa cette idée ; ce n'était pas le moment d'y penser.

Cela lui hérissait le poil, mais, tactiquement, mieux valait se rendre pour s'éviter un conflit supplémentaire. Elle savait néanmoins que c'était reculé pour mieux sauter.

— Je comprends. C'est bon, je t'assure.

Elle se leva et le prit dans ses bras.

— Après ma nuit sur le canapé ici, je vais rentrer tôt ; alors, on se retrouve demain ?

Il se pencha dans l'attente d'un baiser, et elle l'embrassa comme il convenait sur un lieu de travail, puis elle le regarda partir et s'assit cinq minutes pour se calmer.

***

Nikki rentra les bras chargés de plats à emporter commandés au passage chez Dukes, un restaurant à deux pas de chez elle. Tout en savourant ses macaronis et sa viande hachée à la sauce tomate, Heat regarda un peu de base-ball à la télévision.

Après son bain, les supporters entonnaient l'hymne accompagnant la pause de la septième manche lorsqu'elle se lova sur le canapé, enveloppée dans son plaid. Elle eut beau ensuite lutter pour rester éveillée et ne pas rater les derniers tours de batte, le sommeil l'emporta.

Le téléphone la réveilla. L'identificateur d'appel de son portable indiquait NUMÉRO INCONNU. Après avoir coupé le son de l'émission d'après-match, elle décrocha.

— Vous auriez dû savoir que vous seriez la prochaine, fit la voix de Dark Vador.

Arc-en-ciel.

Aussitôt, son pouls s'accéléra. Elle se leva et, par réflexe, serra son peignoir autour d'elle.

— Vous m'appelez en dehors des heures de travail, fit-elle remarquer, un peu énervée pour essayer de masquer son sentiment de vulnérabilité.

Avec cet appel chez elle, sur son portable personnel, il avait réussi à lui flanquer la trouille.

— J'optimise votre temps. Qui sait combien d'heures il vous reste ? Euh…, moi, en fait, gloussa-t-il.

— Vous allez être déçu.

— Possible, admit-il.

Malgré le brouillage électronique, la sincérité de cet aveu n'échappa pas à Nikki.

— Vous êtes difficile, Heat. Comme je l'ai déjà dit, vous êtes plus maligne que les autres.

Il marqua une brève pause.

— Mais vous savez quoi ? Je me pose des questions.

— Que voulez-vous dire ?

— Que vous ne savez toujours pas. Voilà ce que je veux dire.

Et il raccrocha.

***

Heat se dit qu'il fallait faire quelque chose, mais quoi ? Si elle le signalait à Irons, il lui collerait une protection rapprochée ou, pire, il la mettrait complètement sur la touche, comme il l'avait fait un mois plus tôt en l'obligeant à prendre un congé. Elle pouvait appeler l'inspecteur Feller, ou Raley et Ochoa, car tous avaient prouvé à un moment ou un autre qu'ils savaient être là pour leur collègue, mais elle ne voulait ni les alarmer ni détourner leur attention des pistes qu'ils poursuivaient.

De même, elle se refusait à appeler le commissariat de son quartier. Il était déjà arrivé que la treizième envoie une patrouille garder sa porte d'entrée, mais, là encore, la moindre intervention de sa part remonterait au capitaine Irons. Rook ? Elle consulta sa montre. Il était près de 23 heures.

Bien que sachant que le journaliste lui offrirait plus une présence qu'une protection, elle appuya sur la touche de son numéro abrégé, car un peu de compagnie ne serait pas pour lui déplaire. Il décrocha à la troisième sonnerie.

— Salut, que se passe-t-il ? s'enquit Rook tout bas, de la voix étouffée qu'elle lui connaissait lorsqu'il répondait au téléphone de quelque part où il ne pouvait pas vraiment parler.

— Je tombe mal ?

— Non, pas du tout.

Nikki entendait distinctement les bruits de couverts entrechoqués et, parmi les brins de conversations qui lui parvenaient, elle distingua : « Nathan serait parfait pour le rôle, s'il est disponible. » Elle le sentit mettre sa main en coupe autour de son téléphone.

— Je suis en pleine partie de ping-pong avec les gens de Castle Rock, expliqua-t-il. Je peux te rappeler dans dix minutes ou un quart d'heure ? Tu ne seras pas couchée ?

— C'est bon, occupe-toi de ta réunion. Je voulais juste te souhaiter bonne nuit.

— Bonne nuit à toi aussi.

Manifestement, il était déçu de ne pas mieux parvenir à ne pas paraître trop lapidaire.

— On se voit demain matin au poste, conclut-elle.

Le seul son de sa voix l'avait apaisée. Elle vérifia de nouveau sa porte d'entrée et toutes les fenêtres, puis se mit au lit, le Sig Sauer dégainé par terre, près de la table de chevet.

La fatigue eut raison d'elle et elle se laissa voluptueusement tomber dans les bras de Morphée. Le signal indiquant l'arrivée d'un e-mail sur son téléphone la réveilla à 7 heures. Calée sur un coude, Nikki constata que l'agent Callan l'invitait à une téléconférence dans la matinée.

Elle donna son accord, puis se laissa retomber sur le dos et s'étira de tout son long, prise de regrets de ne pas avoir demandé à Rook de venir la rejoindre après son dîner. Elle se retourna alors vers son oreiller et s'assit, sidérée à la vue de ce qui s'y trouvait.

Un fil orange enroulé sur lui-même.

DOUZE

— Sérieux ? Ne me dis pas que tu as laissé ce tueur en série toucher à mon oreiller ! fit Rook.

Heat éclata de rire pour la première fois depuis des jours. Puis son rire s'étrangla au fond de sa gorge, et elle réprima ses larmes.

Alors, il l'étreignit, et Nikki se blottit au creux de ses bras et pressa la joue sur sa poitrine juste pour entendre les battements d'un cœur aimant.

Un raclement de gorge se fit entendre derrière eux. Benigno DeJesus, le responsable de la police scientifique, se tenait sur le seuil de la porte d'entrée.

Derrière lui attendaient les membres de son équipe, également vêtus de combinaisons, de surchaussures, de gants, de charlottes et de masques.

— Jolis costumes, les amis, déclara Rook, mais les enfants ont raflé tous les bonbons au dernier Halloween.

DeJesus avait beau ne pas l'avoir encore relevé, son masque ne dissimulait pas la gravité qui émanait de tout son être en raison de la nature de cette visite.

Il salua chaleureusement Nikki sans pour autant échanger de poignée de main avec elle, chacun étant assez pro pour connaître la procédure en matière de contamination.

— Je suis ravie que ce soit vous, déclara Heat, et ce n'était pas la première fois qu'elle le disait à Benigno.

Jamais elle n'avait travaillé avec meilleur expert. C'est pourquoi elle avait expressément requis sa présence.

— Si vous commenciez par me raconter votre nuit.

Il sortit un bloc-notes à feuilles quadrillées et dessina un rapide plan du couloir, du salon et de la cuisine.

— Indiquez-moi tous les endroits où vous êtes passée et la moindre chose que vous avez touchée, depuis l'instant où vous êtes rentrée jusqu'à maintenant.

Gênée de se trouver, pour une fois, à la place du témoin, elle n'en fournit pas moins tous les détails nécessaires à l'inspecteur DeJesus. Il prit quelques notes et, lorsqu'ils eurent terminé dans la chambre, y compris de prendre des photos du fil toujours posé sur l'oreiller, il lui demanda si elle avait remarqué un quelconque dérangement.

— Tant avant qu'après votre arrivée.

— Avant ? s'étonna Rook.

Puis, il comprit.

— Merde alors…

La possibilité lui traversa l'esprit, comme à Nikki lorsqu'elle avait découvert le fil, qu'Arc-en-ciel s'était trouvé dans l'appartement, caché, lorsqu'elle était rentrée, avait attendu qu'elle se couche, voire l'avait appelée d'un placard ou de la salle de bain.

— Rien n'a attiré mon attention avant, ni ce matin, dit-elle. Si ce n'est la caméra de surveillance débranchée, première chose que j'ai vérifiée. Non, tout est à sa place.

— S'il y a quelque chose à trouver, on le trouvera.

Tous deux savaient que ce n'étaient pas des paroles en l'air. Heat et Rook partirent donc pour le poste pendant que les techniciens se mettaient au travail. Nikki marqua une pause dans le couloir pour jeter un dernier regard à l'appartement et imagina le tueur en série errant dans les étages pendant qu'elle dormait. Une fois dans l'ascenseur, elle confia à Rook qu'elle comprenait mieux désormais ceux qui disent avoir la sensation qu'on a marché sur leur tombe.

— Allons plutôt marcher sur la sienne ! lança Rook en enfonçant le bouton du rez-de-chaussée.

Au poste, des petits malins devaient avoir fait une descente dans le placard aux fournitures, car lorsque Heat et Rook firent leur entrée dans la salle de la brigade, chaque enquêteur était assis à son bureau, la tête posée sur un oreiller. Cet humour noir lui fit plus chaud au cœur que toutes les embrassades qu'ils auraient pu lui offrir pour la soutenir. Il fallait réagir de même.

— C'est bien ce que je pensais : les tueurs hantent les rues parce que vous passez votre temps à roupiller.

Pour indiquer qu'elle passait aux choses sérieuses, elle se dirigea directement vers les tableaux blancs avec son café sans prendre la peine de s'arrêter à son bureau. Tous se réunirent pour le topo du matin. La plaisanterie était terminée.

— Évidemment, il va falloir aborder le problème d'Arc-en-ciel, commença-t-elle tandis qu'ils faisaient rouler leur chaise pour s'approcher, mais en premier lieu, un point sur la bombe chez Tyler Wynn. Inspecteur Hinesburg, avez-vous joint l'équipe de déminage et le labo ?

L'enquêtrice blêmit.

— Euh…

— Vous ne me rassurez pas, là, Sharon.

— Si, si, je leur ai parlé, affirma-t-elle en tendant le bras vers son énorme sac à main posé par terre. C'est juste que vous me prenez au dépourvu et que je ne suis pas sûre d'avoir mes notes.

— Et vous deviez leur demander s'il s'agissait d'une bombe à retardement ou d'une bombe télécommandée, continua Heat en attendant que sa subordonnée sorte son bloc à spirale.

— À retardement, répondit Hinesburg sans finalement ouvrir son calepin.

— Merci.

Nikki inscrivit l'information dans la partie consacrée à Tyler Wynn, puis écarta le tableau. Pendant que Raley et Rhymer faisaient rouler celui du tueur en série à sa place, Heat donna à la brigade tous les détails concernant l'appel et la visite d'Arc-en-ciel dans sa chambre.

— Le disque dur de la caméra miniature installée au-dessus de ma porte d'entrée a disparu. Or mon concierge n'a laissé entrer personne.

— Ça l'amuse de vous poser des colles, commenta Ochoa.

L'inspecteur Feller mima une arme avec ses doigts.

— Je lui en collerais bien une, moi, à cet Arc-en-ciel.

— Au cas où personne ne l'aurait remarqué, reprit Nikki pour faire avancer les choses, il ne m'a pas tuée alors qu'il en avait largement l'opportunité. Je dirais donc que son petit jeu lui suffit.

— Ce qu'il aime, c'est la compétition. Il cherche à prouver qu'il est plus rusé que la célèbre Nikki Heat.

L'allusion de Malcolm à sa notoriété fit échanger à Heat un bref regard avec Rook.

— C'est sans doute comme ça qu'il prend son pied. S'il parvient à vous battre…

Se rendant compte où cette idée le menait, l'enquêteur s'interrompit.

— Désolé, fit-il.

— Pas de problème, Malcolm, dit Heat. Je crois que nous connaissons tous l'enjeu.

— Et il n'hésite pas à se moquer de vous, souligna l'inspecteur Reynolds en haussant un sourcil indigné. Enfin, aller jusqu'à faire porter des chaussettes dépareillées à Joe Flynn ?!

— Oui, on a tous capté, je crois. C'est le prix à payer quand on étale votre vie dans les journaux.

Cette fois, Nikki ne regarda pas Rook. Elle se retourna vers Feller.

— Randall, une idée sur la manière dont il a pu faire le lien entre Joe Flynn et moi ?

— Pas pour l'instant. Mais j'y travaille.

— Cet Arc-en-ciel est forcément un génie maléfique, intervint Raley. Quel genre de surdoué pourrait faire tous ces rapprochements de Conklin jusqu'à vous ?

— Je ne crois pas que ce soit le cas, répondit Rook.

— Comment ça, monsieur Pulitzer ? lança Malcolm. Je crois pouvoir dire que les fils indiquent le contraire.

— Tout dépend de l'angle où on se place, non ?

Rook rejoignit les tableaux blancs.

— Parfois, quand je jouais aux six degrés de séparation de Marsha Mason, il m'arrivait de tricher. Je n'en suis pas fier, mais voilà. Et vous savez comment je m'y prenais ? Je ne choisissais pas une célébrité pour remonter ensuite jusqu'à Marsha Mason ; à l'inverse, je partais de Marsha Mason.

Il marqua une pause et constata que tous suivaient.

— Depuis le début, Arc-en-ciel voulait se mesurer à l'inspecteur Heat ; alors, c'est d'elle qu'il est parti pour faire ses rapprochements.

Illustrant son propos, il pointa Nikki, puis chacune des victimes du doigt.

— De Heat à Flynn à la Terreur des punaises de lit à Berkowitz et Conklin… C'est plus facile de procéder en sens inverse. Le temps qu'on arrive à Conklin, on penserait presque à un hasard.

— Sauf que ce n'en est pas un, affirma Rhymer. Regardez : de Conklin à Flynn, chaque personne figurant sur ce tableau, sans exception, est une sorte d'enquêteur. Dans la restauration, la défense des consommateurs, le recouvrement d'œuvres d'art… Ce type n'a ciblé que des inspecteurs. Peut-être justement pour montrer qu'il est le plus fort.

— Ça paraît logique, en effet, dit Ochoa. Mais je me fiche qu'il se prenne pour un malin, on continue de creuser. On finira bien par trouver une faille pour le coincer.

— Je vais vous dire où est la faille, clama Heat. C'est de s'en prendre à moi.

Une fois la brigade dispersée et chacun occupé à sa tâche, Nikki passa tranquillement deux coups de fil : un à Bridgeport, dans le Connecticut, l'autre à Providence, dans le Rhode Island. Dans chaque service, les responsables d'enquête eurent la même réaction à ses propos. Ils étaient très déçus de ne jamais avoir compris que les victimes de leur tueur en série étaient des inspecteurs en tous genres. Des experts en assurances au responsable des ressources humaines qui vérifiait les antécédents de ses salariés, tous correspondaient au profil.

— Qu'est-ce que ce type essaie de faire ? s'exclama l'enquêteur de Providence. De prouver qu'il est plus fort que Sherlock Holmes ?

***

Le capitaine Irons arriva en milieu de matinée de sa réunion hebdomadaire de management par objectifs. Ce rituel qui avait lieu au One Police Plaza résultait de la politique du chiffre menée par la hiérarchie.

Il consistait pour les chefs de poste de la ville à se faire publiquement critiquer, flatter et moquer d'eux devant leurs pairs lors de la présentation de leurs statistiques aux commissaires.

Aussi pénible cela pût-il être, Iron Man, qui était un pur produit de l'administration et non un homme de terrain, tirait en général son épingle du jeu, car il s'agissait pour l'essentiel de briller sur le papier, ce en quoi il excellait.

Nikki le regarda se débarrasser de sa sacoche et de son manteau. Ce n'était qu'une question de minutes avant qu'il ne découvre le rapport concernant la visite nocturne que lui avait rendue Arc-en-ciel. Elle trouva Rook devant le réfrigérateur dans la cuisine.

— Ça te dit, un petit tour à la morgue ? demanda-t-elle.

Il se retourna, un large sourire aux lèvres.

— C'est moi qui monte devant ?

Ils traversèrent Central Park par la 81e Rue, mais se retrouvèrent dans les embouteillages.

— Où en est-on avec Puzzle Man ? demanda-t-elle.

— Aucune nouvelle.

— Tu devrais peut-être le relancer ?

— Il ne faut pas le bousculer.

— Pourquoi ?

— Je préfère ne pas m'y risquer, dit Rook. Puzzle Man, c'est… une énigme pour moi.

Peu après que Nikki fut parvenue à tourner dans la 2e Avenue pour prendre au sud, son téléphone sonna et elle enfila son oreillette.

— Ma téléconférence avec la Sécurité intérieure, annonça-t-elle à Rook. Sois sage, ne me fais pas rire.

— Heat ? Bart Callan. L'agent Bell va nous rejoindre.

— Je suis là, fit remarquer Yardley sur un ton encore plus cassant que d'ordinaire.

— Ce sera bref, commença Callan. Considérez ça comme une mise au point concernant le protocole observé dans cette équipe.

Nikki sentit son pouls s'accélérer et se demanda s'il ne valait pas mieux qu'elle se gare.

— Bien…

— Vazha Nikoladze, fit Bell. On vous avait formellement interdit de prendre contact ; or, qu'avez-vous fait ? Vous avez pris contact.

— Il a appelé pour se plaindre. On peut quand même vous accorder une deuxième chance, indiqua l'agent Callan pour éviter que les choses ne dégénèrent – ou pour jouer les gentils pendant qu'elle jouait les méchants, qui aurait pu dire ? Peut-être êtes-vous habituée à une certaine élasticité dans vos services…

— Oh ! Un peu de couilles, Bart, arrêtez les conneries, coupa Yardley. Heat, conformez-vous aux ordres, je ne le répéterai pas. Si je vous reprends à désobéir, je vous envoie vous les geler en Alaska. C'est clair ? Bon, cet appel est terminé pour moi.

— Elle n'est pas commode, commenta l'agent Callan, mais ne le prenez pas personnellement. Gardons le cap et avançons, d'accord ?

Mais Heat avait déjà raccroché. Furax, elle envoya promener l'oreillette sur le tableau de bord.

— Un problème, inspecteur ? s'enquit Rook.

Nikki tourna brusquement la tête vers lui.

— Ta copine, mon petit scribouillard.

Lauren Parry apostropha Heat dès qu'elle eut mis le pied dans le petit bureau à côté de la salle d'autopsie.

— Faut-il que je passe la nuit assise dans ton couloir le fusil à la main ? En tout cas, je te préviens, si tu ne te prends pas une protection rapprochée, c'est ce que je vais faire.

— Je n'arrête pas de le lui dire, doc, ajouta Rook en se glissant à l'intérieur.

— Tu as parlé à Miguel, c'est ça ? demanda Nikki.

— Pour sûr que j'ai parlé à Miguel. Et le bel et élégant inspecteur Ochoa est d'accord avec moi pour dire que c'est de la folie que tu n'assures pas mieux tes arrières, ma jolie. Tout ça parce que nous, on a quoi ? Du bon sens.

Heat se demanda s'il existait un seul endroit dans Manhattan où elle pourrait avoir la paix ce matin. Le Dr Parry se rendit sans doute compte de son niveau de stress, car elle calma le jeu.

— Allez, j'ai dit ce que j'avais à dire, passons à des choses plus agréables : la nouvelle autopsie à laquelle j'ai procédé sur Ari Weiss.

Elle pointa du doigt vers la fenêtre de la salle d'autopsie B-23.

— Il est là ? demanda Rook. Je n'ai jamais vu de corps exhumé. Je peux ?

Sans attendre la permission, il se précipita vers la vitre.

Lauren sourit.

— J'ai vu des enfants de quatre ans se comporter ainsi au lavage-auto, mais ça, c'est une première.

Le corps d'un homme était allongé sur la table la plus proche. Rook se retourna vers la légiste.

— J'espérais quelque chose de plus répugnant.

— Revenez dans cinquante ans. Dans un cercueil de qualité hermétiquement fermé, un corps se conserve très bien au sec.

— Même pendant onze ans ?

— Absolument.

— Ce n'est pas marrant, conclut Rook.

Par la vitre, Nikki contempla en silence le corps de l'ancien associé de Tyler Wynn. L'homme que sa mère avait formé comme informateur et qui, coïncidence douteuse aux yeux de Heat, était mort peu après elle.

— Tu as eu confirmation pour la maladie du sang ? demanda-t-elle à Lauren.

— La babésiose ? Soit on attend les résultats du labo, soit je te donne tout de suite mon avis sur la question. Je vais te montrer ce pour quoi je t'ai fait venir.

Après avoir enfilé leur combinaison, ils suivirent la légiste dans la grande salle. De plus près, ils se rendirent compte que, malgré un début de squelettisation et de décomposition des tissus par endroits, le corps était demeuré remarquablement intact.

— Vous me connaissez, dit Lauren, je ne suis pas du genre à prendre des risques sans résultat d'analyse.

— Oui, mais tu adores faire durer le suspense, fit remarquer Heat.

Malgré son masque, la légiste souriait, ils le sentaient.

— Ce sont les gens. J'adore les vivants.

— Disons que tu nous as suffisamment titillés, dit Heat.

— Très bien. Je prédis que le rapport du labo ne dira pas qu'Ari Weiss est mort d'une maladie, mais d'une... perte de sang.

D'un moulinet du bras, Parry rabattit le drap couvrant le torse de Weiss. En voyant la large entaille, Nikki ne put s'empêcher de repenser aux coups de couteau auxquels sa mère avait succombé et tout à coup elle comprit ce que cela impliquait.

Rook aussi, mais de manière un peu plus démonstrative.

— La meilleure exhumation qui soit.

***

En sortant de l'institut médicolégal, Nikki vit s'afficher « WHNY » sur l'écran de son téléphone. Elle se glissa au volant et tendit le portable à Rook.

— Je ne suis pas sûre de vouloir répondre.

— À ta place, je le prendrais. Je crois qu'il y a une cagnotte à gagner en ce moment sur Channel 3. Tu ne vas quand même pas dire non à l'argent et aux superbes lots offerts par leurs glorieux sponsors entre deux rediffusions d'*Une maman formidable*.

Comprenant qu'il lui faudrait tôt ou tard gérer cette affaire d'interview, Heat décrocha.

— Inspecteur, c'est George Putnam, annonça le directeur de l'information. Vous savez, ce petit numéro que vous nous avez fait l'autre soir, en fin de plateau, chez Greer Baxter ?

— Écoutez, monsieur Putnam, dit Nikki, qui inséra la clé dans le démarreur avant de faire signe à Rook de boucler sa ceinture, je ne présenterai pas d'excuses pour m'être servie des médias dans le cadre d'une enquête.

— Je ne vous demande pas d'excuses. Je vous appelle parce que quelqu'un a répondu à votre appel. Il n'a pas l'air d'un tordu et il dit que c'est urgent. Ne quittez pas, je le mets en conférence. Vous êtes en ligne avec l'inspecteur Heat, indiqua Putnam après un instant. Racontez-lui ce que vous m'avez dit.

L'homme s'exprima d'une voix étouffée, à peine plus audible qu'un murmure.

— Euh, je ne peux pas parler trop fort. Elle est là.

— Qui ? demanda Heat en baissant inconsciemment la voix, elle aussi.

— La femme dont vous avez montré la photo à la télé. Elle est à mon comptoir en ce moment. Je suis directeur de l'agence de location de voitures dans Fulton Street.

Après un regard par-dessus son épaule, Heat s'engagea dans la circulation.

— Vous êtes sûr que c'est elle ?

— Non, mais ça lui ressemble fort.

— Que fait-elle ?

— Elle loue un camion.

***

Malgré la gymnastique nécessaire pour y accéder et la quitter, la voie rapide F. D. Roosevelt emporta le pile ou face de l'itinéraire le plus rapide pour se rendre au sud de Manhattan depuis Kips Bay. Heat se dit que le temps qu'elle perdait à revenir sur ses pas pour prendre l'autoroute serait largement compensé par le fait d'éviter les sens uniques et l'enchevêtrement des petites rues.

Pour le plus grand plaisir de son compagnon, elle alla même jusqu'à enclencher la sirène et les gyrophares. Au niveau de South Street Seaport, où elle comptait tourner dans Fulton Street pour remonter, Heat coupa la sirène, car, si la femme en question était bien Salena Kaye, mieux valait ne pas la prévenir de leur arrivée. Pour mieux se concentrer sur sa conduite, Nikki tendit le téléphone à Rook et lui demanda d'appeler Bart Callan, à la Sécurité intérieure, afin qu'il envoie ses agents les rejoindre pour une interception.

Rook repéra l'enseigne du loueur de voitures, Surety Rent-a-Car, un peu plus loin sur la droite, à côté d'un parking souterrain.

— Je suis sérieuse : tu restes dans la voiture, insista Heat juste avant de s'arrêter au beau milieu de la rue, moteur tournant et gyrophares allumés.

Elle sauta de voiture et remonta le trottoir au petit trot jusqu'à l'entrée du garage, à deux portes de là, la main à la hanche.

En la voyant arriver, un Asiatique en chemise à manches longues et cravate lui ouvrit la porte vitrée du bureau.

— Par ici, inspecteur. Elle vous a vue.

Il pointa du doigt vers une alcôve en parpaing gris dans un coin du garage, où, au plafond, une roue motorisée faisait descendre une courroie verticale jaune vif par une ouverture d'environ un mètre de diamètre percée dans le sol en béton. Heat marqua une pause.

Un convoyeur vertical.

La chose ne lui était pas inconnue ; on s'en servait partout sur les chantiers et dans les parkings de la ville. Toutefois, jamais elle n'en avait emprunté un et jamais elle n'en aurait eu l'idée. Pas depuis l'époque où, simple agent, elle avait dû monter la garde près du corps d'un gardien de parking tombé du haut d'un engin semblable.

Ce dont elle se rappelait surtout, c'était le sang du pauvre type sur la machine qui avait continué de tourner en boucle jusqu'à ce que quelqu'un l'arrête.

Nikki jeta un dernier coup d'œil vers la rue dans l'espoir de voir arriver les renforts, puis elle se lança. Une minuscule plate-forme se présenta. Elle saisit la poignée et grimpa dessus.

Son inquiétude n'était pas tant liée à l'idée de chuter qu'à celle de se trouver en position délicate. Disparaître par un trou dans le sol était une chose, mais s'engouffrer les pieds en avant dans le plafond de l'étage inférieur en exposant son dos à un parking faisait de vous une cible facile.

Au mépris des règles de sécurité préconisées par l'inspection du travail, Heat ne laissa qu'une main posée sur la poignée afin de se tourner dos au système de courroies au lieu de lui faire face et brandit son Sig de sa main libre.

Arrivée à l'étage inférieur, elle se mit à couvert derrière une poubelle en métal et scruta l'alignement de voitures de location garées sous les néons vrombissants.

Dehors, dans Fulton Street, des klaxons retentirent. Pour Rook, les klaxons de voiture assumaient la fonction des cuivres dans la bande-son de New York ; toutefois, en se retournant, il constata que le véhicule abandonné à la va-vite par Heat bloquait le passage et qu'il s'était formé une longue queue derrière. Il descendit donc de voiture et fit un signe de la main aux automobilistes impatients en passant devant le coffre pour remonter par la portière ouverte du conducteur.

— Techniquement, je suis resté dans la voiture, marmonna-t-il.

Il enclencha la vitesse et avança la Crown Victoria, toujours en double file, mais en laissant de la place aux autres véhicules.

Avant de faire le moindre pas, Heat leva les yeux. La dernière fois qu'elle s'était trouvée dans un parking en sa compagnie, Salena Kaye lui était tombée dessus du plafond. Connais ton ennemi, songea-t-elle, puis elle avança sans bruit, en soulevant bien les pieds, à la fois pour rester discrète et pour mieux entendre.

Tandis qu'elle se baissait pour regarder sous les voitures, elle perçut un bruit.

Un craquement sous une chaussure.

À l'instant où Heat tourna la tête dans la direction correspondante, un canon surgit au-dessus du capot d'une Jetta, et un sifflement fendit l'air à côté de son oreille. La balle se ficha dans le mur derrière elle, et de la poussière de béton et des fragments de peinture lui cinglèrent la joue.

— Police de New York, lâchez votre arme ! cria-t-elle, puis elle s'écarta pour se mettre à l'abri derrière l'avant d'un 4 x 4.

Le coup suivant perfora le capot du Ford Escape. Cette fois Heat visa l'endroit où elle avait repéré l'éclat lumineux et laissa parler son Sig Sauer.

Puis, elle attendit, l'oreille tendue, car l'écho du coup de feu résonnait encore contre son tympan. Rien. Pas un mouvement, pas un gémissement. Que faire ?

Un bon flic pense toujours tactique et couverture.

Bien à l'abri et sachant l'arrivée des renforts imminente, Nikki décida de ne pas bouger. Mais la partie n'était pas finie. Des phares s'allumèrent, et un moteur démarra. Une petite japonaise blanche sortit d'une place dans un crissement de pneus et passa en zigzaguant devant Heat pour rejoindre la rampe de sortie. L'enquêtrice se redressa, prit appui sur le capot du 4 x 4 et tira de nouveau. Une étoile se forma sur le pare-brise arrière de la Versa, mais sa conductrice vira en épingle et disparut vers le niveau supérieur.

Heat se rua vers la cage d'escalier.

Le klaxon de la Nissan émit une longue plainte continue qui déchira l'air et se prolongea dehors lorsqu'elle déboucha du parking. Dans la rue, les piétons alarmés s'écartèrent sur le trottoir de part et d'autre de l'entrée pour laisser la voiture gagner la chaussée de Fulton Street.

Jameson Rook démarra à fond dans la voiture de police et heurta de plein fouet la petite japonaise.

Sous l'impact, les deux pneus latéraux décollèrent de la chaussée, et la Nissan Versa fut projetée contre l'arrière d'un camion toupie, ce qui déclencha l'airbag de Salena Kaye.

Il ne fallut pas plus de quelques secondes à Heat pour sortir à son tour du parking, mais Kaye était déjà passée par le pare-brise en miettes.

En balayant la rue des yeux, Nikki la repéra qui courait en boitant dans Fulton Street. Bien que se sachant capable de la rattraper, elle se refusa à mettre les passants en danger.

— Pearl Street. Je la tiens ! cria Heat à Rook qui descendait de la Crown Victoria.

— Hé ! Je suis resté dans la voiture ! s'écria-t-il sans être certain d'avoir été entendu, car Nikki avait déjà tourné à l'angle de la rue en courant.

Improvisant, il chargea le directeur de l'agence de location d'informer les renforts de la direction prise par Heat et partit lui-même dans celle de Cliff Street, la rue parallèle.

— Les véhicules arrivent dans deux minutes, annonça Callan à Heat. Vous devriez entendre l'hélico d'une seconde à l'autre.

— Je l'ai perdue, déclara-t-elle au téléphone. En quinze secondes, comment diable est-ce possible ?

Puis, elle décrivit la tenue que portait Salena Kaye et précisa sa position dans Pearl Street, sans cesser d'avancer et tout en continuant de scruter les vitrines et les ongleries.

— Magnez-vous. Envoyez la cavalerie illico.

Elle raccrocha.

Rook connaissait le quartier ; son plan consistait à suivre Cliff Street jusqu'au carrefour avec John Street, où, théoriquement, il pourrait barrer la route à Kaye en rejoignant Nikki au milieu du pâté d'immeubles.

Mais, avant d'avoir atteint John Street, il regarda par la vitrine d'un traiteur et l'aperçut à l'intérieur... Elle tentait de se fondre dans la foule au comptoir.

Toutefois s'étant rendu compte qu'il l'avait vue, Salena glissait déjà la main à l'intérieur de sa veste.

— Alerte à la bombe ! cria Rook en se précipitant à l'intérieur. Tout le monde dehors !

Au milieu des cris de panique et de la bousculade, Salena Kaye fut suffisamment ralentie pour qu'il parvienne à la rejoindre d'un bond. Dans son élan, Rook la poussa contre le comptoir, et elle lâcha son Glock, qui glissa sur le lino vers l'arrière de la boutique.

Rook étant plus habile à la boxe qu'au corps à corps, elle se libéra facilement de son étreinte, le fit basculer par terre et se mit en tête de récupérer son arme.

Mais, en digne tire-au-flanc qu'il était à la fac, Rook possédait un talent plus redoutable que le jiu-jitsu : le frisbee. D'une génuflexion, il ramassa une assiette en plastique par terre et exécuta un parfait revers qui atteignit Kaye derrière l'oreille. Elle ne tomba pas, mais le bord de l'assiette l'étourdit assez pour la freiner.

Surprise, elle se retourna juste au moment où il lui jetait à la figure de la glace ramassée à deux mains dans le comptoir à salades. Avec un regard méprisant, Salena se retourna pour s'emparer de son arme, mais elle perdit l'équilibre en glissant sur les glaçons. Elle atterrit lourdement. Faute de temps, Rook se jeta à plat ventre sur le lit de glace et se laissa glisser jusqu'à l'arme, qu'il saisit, puis il se redressa en la tenant en joue.

— Arrestation pour flagrant délit ! clama-t-il.

Heat, qui venait de jouer des coudes à travers la foule à l'extérieur, surgit alors sur le seuil.

— Hé ! Inspecteur ! s'exclama-t-il. Regardez ce que j'ai trouvé.

À peine eut-il achevé ces mots que Salena Kaye le faisait basculer en arrière en tirant sur ses jambes de pantalon. En un éclair, elle bondit à travers les bandes de PVC du rideau industriel séparant les cuisines. Là encore, Heat préféra ne pas tirer au risque de toucher un employé. Lentement, elle se fraya un chemin à travers les glaçons et la suivit dans les cuisines. La porte de derrière était ouverte. L'arme au poing, Nikki sortit dans la ruelle… qu'elle trouva vide.

Heat courut au fond du passage qui donnait dans Pearl Street et regarda des deux côtés. Elle leva même les yeux en l'air. Comment était-ce possible ?

Salena Kaye avait pris le large.

**

À leur retour à l'agence de location, Heat et Rook trouvèrent Fulton Street submergée par une marée de véhicules noirs. De puissants 4 x 4 et berlines aux plaques gouvernementales avaient envahi la rue, qu'on avait bloquée. Les hélicos de l'appui aérien et des informations télévisées évoluaient en cercle au-dessus de leurs têtes.

Les techniciens de la police scientifique en combinaisons relevaient les empreintes à l'intérieur de l'épave de la Nissan et en prenaient des photos sous tous les angles.

D'autres étaient à l'œuvre à l'intérieur du garage, en contrebas, en compagnie de l'équipe de tir de la police de New York venue évaluer les facultés de discernement de Heat pendant l'échange de coups de feu.

Ils trouvèrent l'agent Callan assis sur la banquette arrière de son Suburban, la portière ouverte, les pieds posés sur les marchepieds, parlant au téléphone sur une ligne satellite sécurisée.

Son air de jeune quarterback semblait avoir cédé la place à une mine beaucoup plus grave. Il leur adressa un petit salut rapide de la main, mais tira la portière pour terminer son appel. Une minute plus tard, il descendait de voiture en rangeant son téléphone dans sa poche.

— Inspecteur Heat, on atteint de nouveaux sommets de dépit.

Heat secoua la tête.

— Comment a-t-elle pu disparaître de la circulation ? J'étais juste derrière elle. Impossible qu'elle se soit évanouie dans les airs.

— Eh bien, on court après la baleine blanche. Je ne doute pas que vous vous soyez activée en cette dernière demi-heure, mais vous rendez-vous compte de la situation ?

— Évidemment, assura Nikki.

— Voyons, Callan, comme nous tous.

Rook vérifia le périmètre pour s'assurer qu'aucune oreille ne traînait côté presse ou civils.

— Salena Kaye est de mèche dans cette affaire de bio-terrorisme et elle venait louer un camion.

— On en arrive tous à la même conclusion, reprit Heat.

— Eh bien, nous avons maintenant une nouvelle donnée à ajouter à l'équation.

D'un signe de tête, l'agent indiqua le bureau de l'agence de location.

— D'après le directeur, elle voulait louer un Ford E-350 pour le week-end.

Nikki se sentit défaillir. Rook laissa échapper un long sifflement. Callan continua :

— Exactement. Je viens de signaler au conseiller à la Sécurité nationale qu'il est fort probable que New York fasse l'objet d'une attaque bioterroriste. Et ce, dans les trois à quatre jours à venir.

TREIZE

Sans lui demander son avis, l'agent Callan enjoignit à Heat de le rejoindre à la salle de crise de la Sécurité intérieure pour une réunion de l'unité opérationnelle. Puis, il la prit à l'écart :

— Écoutez, si vous avez un conflit de personnalités avec l'agent Bell…

— Je sais me montrer professionnelle, ne l'oubliez pas, l'interrompit-elle. Je connais l'enjeu et jamais je ne laisserai mes sentiments personnels interférer.

Puis, elle enfonça le clou :

— Quels qu'ils soient et envers qui que ce soit.

Un léger sourire, premier signe de frivolité que Nikki lui voyait depuis son arrivée sur les lieux, s'esquissa sur ses lèvres.

— Je vois que nous sommes entre professionnels, donc.

— Et compte tenu de l'urgence, je dois placer toute mon énergie là où elle sera le mieux employée : sur le terrain. Ai-je le temps d'en terminer ici ?

Callan releva sa manche pour consulter sa montre de style aviateur tout en repartant vers son 4 x 4.

— Je file, mais si vous pensez être plus utile sur le terrain, allez-y. Des gens du Pentagone et du CDC sont en route pour assister à la réunion en cours.

En entendant cela, Rook se racla la gorge.

— Il peut venir, n'est-ce pas ? s'enquit Nikki.

— Je suis son mur de rebond, assura Rook.

Il leva la main comme pour prêter serment.

— Et tout ça restera bien sûr confidentiel.

L'agent le scruta du regard.

— Oui, monsieur Rook peut se joindre à nous, si ça signifie que vous nous ferez le plaisir de venir aussi, inspecteur Heat.

— On y sera, assura Rook.

— Un dernier mot avant que je ne parte, reprit l'agent Callan en montant en voiture. Rien de tout ceci ne doit filtrer. Pas seulement à la presse, Rook. À personne, ajouta-t-il en s'adressant à tous les deux. Ni chéri, ni famille, ni amis… À personne. Avec tous ces médias sociaux, aujourd'hui, il ne faudrait pas que la rumeur se répande et qu'on sème la panique.

— Évidemment, dit Rook. On ne voudrait pas voir une menace virale devenir, euh…, virale ?

— À bien y réfléchir, Heat, laissez-le dans la voiture.

Il claqua la portière et partit en trombe en direction de Varick Street, ses gyrophares clignotant derrière la calandre de son 4 x 4.

— Vous êtes exactement comme à la télé, fit remarquer Alan Lew, le directeur de l'agence Surety Rent-a-Car. Vous n'avez rien d'un policier. Vous êtes aussi belle qu'un top-modèle. Ou qu'une James Bond girl.

— Merci, monsieur Lew. Et merci pour le tuyau. C'était très courageux de votre part de nous appeler, et extrêmement utile.

— La photo sur Internet, sur le site de *FirstPress* ? Elle ne vous rend vraiment pas justice.

— Oh ! Vous avez vu l'article ? s'enquit Rook avec un clin d'œil discret à Nikki.

— Ouais, pas mal. L'histoire tient le coup. Mais le style… Pas vraiment du Shakespeare, si vous voulez mon avis.

Le sourire de Rook s'effaça.

— Je crois que l'inspecteur a quelques questions à vous poser, monsieur.

— On va garder le contrat de location qu'elle a rempli, si vous le permettez.

— Bien sûr.

— La photocopie que vous avez faite est évidemment celle d'une fausse carte d'identité, établie au nom d'un pseudo.

— J'ai prétendu que la photocopieuse était un peu lente pour la faire patienter le temps que vous arriviez.

— Très judicieux. Pouvez-vous me dire ce qu'elle a fait pendant ce temps ?

Il sortit de derrière son comptoir pour venir se poster là où Salena Kaye s'était tenue. Par habitude, Heat dessina un petit plan sur lequel elle marqua l'endroit. Parfois, ces interrogatoires pour la forme fournissaient des indices. D'après son expérience, les gens motivés comme Lew faisaient de bons témoins ; c'est pourquoi elle lui prêtait autant d'attention.

— Elle n'a pratiquement pas bougé d'ici. Elle regardait partout. Et elle me surveillait, à l'arrière, quand je vous ai appelée. Je n'ai pas réussi à vous joindre du premier coup et j'avais peur qu'elle ne s'échappe.

— Je peux ? demanda Heat.

M. Lew s'écarta. Elle prit sa place, puis tourna sur elle-même.

— Elle regardait comme ça ?

Il acquiesça vivement de la tête.

— Sauf qu'elle faisait ça.

Il répéta le mouvement, mais en mimant un téléphone portable à l'oreille.

— Elle était au téléphone. Avez-vous entendu ce qu'elle disait ? Un nom ?

— Elle n'a rien dit, répondit le directeur. Elle ne faisait que le tenir.

Elle se retourna vers Rook.

— Tu veux bien reconstituer mon arrivée, que je te voie entrer ?

Il repartit en trottinant vers le trottoir et revint par l'entrée du garage, comme l'avait fait Nikki. Dès qu'elle l'aperçut, Heat se précipita vers la porte vitrée et refit le trajet de Salena Kaye vers le convoyeur en se chronométrant. Puis, elle revint dans le bureau, l'air pensif.

Un policier fit irruption.

— Inspecteur ? Excusez-moi. On a un témoin oculaire.

***

Devant le traiteur, dans Cliff Street, un livreur à bicyclette leur déclara avoir vu Salena Kaye décamper dans un monospace gris métallisé.

— Vous avez vu sa plaque ? demanda Nikki.

Le témoin oculaire fit non de la tête.

— Il n'y en avait pas.

— C'était elle au volant ?

— Non, un mec.

Mais il ne put décrire le conducteur.

— Je n'ai songé qu'à garer mes fesses. Ils ont failli m'écraser en décanillant d'ici.

Un technicien avait trouvé le sac à main de Salena Kaye sous le comptoir chez le traiteur.

— Elle a dû le perdre quand je l'ai fait tomber, commenta Rook assez fort pour que chacun puisse entendre.

Heat était trop occupée à déballer le contenu du sac sur une table pour y prêter attention.

Elle sortit une fine pochette Eagle Creek renfermant la fausse carte d'identité, une carte bancaire au même faux nom, quelques centaines de dollars en liquide, un rouge à lèvres et un poudrier, comme on en vendait dans n'importe quelle supérette, et la clé d'une chambre d'hôtel dont on avait retiré l'étiquette. Heat trouva également un chargeur de 9 mm.

— Ne jamais se laisser prendre au dépourvu ! s'exclama Nikki en le posant à côté du reste.

Ce que sa main gantée prit pour un autre chargeur dans la poche extérieure se révéla être un téléphone portable. Nikki consulta la liste des appels récents et constata que le dernier correspondait à l'heure où Kaye se trouvait à l'agence de location. Avec son propre portable, Heat appela la brigade.

— Salut, Nikki, fit Hinesburg en décrochant.

Elle était la seule dans la maison à appeler sa supérieure par son prénom, ce qui ne l'aidait guère à s'en faire apprécier.

— Vous avez eu le tuyau ? Le type a réussi à vous joindre ?

— Vous étiez au courant ?

— Oui, un type a appelé pour dire qu'il avait repéré Salena Kaye et qu'il voulait vous parler. Comme je le cuisinais un peu pour être sûre que ce n'était pas un fêlé, il s'est énervé en disant qu'il n'avait pas de temps à perdre et il m'a raccroché au nez.

Heat se rappela les propos du directeur de l'agence de location au sujet de ses deux tentatives pour la joindre.

— Inspecteur, comment se fait-il que vous ne m'ayez rien dit ?

— Je vous le dis maintenant.

Hinesburg ricana.

— Inspecteur.

— Vous voulez dire plus tôt ? Mais parce que je croyais que c'était un taré.

Comme souvent avec Sharon Hinesburg, Heat compta jusqu'à trois sans rien dire avant de poursuivre.

— Vous avez un stylo ? Notez ceci.

Nikki lui indiqua le numéro figurant parmi les récents appels reçus par Salena Kaye et lui demanda de le localiser.

— Sharon ? Prévenez-moi dès que vous avez un résultat.

Après avoir raccroché, Heat fronça les sourcils en réfléchissant aux risques de confier la chose à Sharon, puis elle appuya sur la touche correspondant au numéro abrégé de l'inspecteur Ochoa. Lorsqu'il décrocha son portable, elle lui donna également le numéro de téléphone.

— Miguel ? N'en parlez pas à Hinesburg. Elle est censée s'en occuper, mais j'ai des doutes quant au bon déroulement de la chose.

— C'est nouveau ! s'esclaffa-t-il avant de raccrocher.

— Tu crois que quelqu'un a appelé Kaye pour l'avertir, c'est ça ? s'enquit Rook.

Heat continua de fouiller le sac à main.

— Possible. Pourquoi tu poses la question ?

— Parce que, quand tu m'as demandé de sortir, à l'agence de location, pour jouer ton rôle, jamais Salena Kaye n'aurait pu te repérer sans que tu la repères elle aussi.

— À moins qu'elle soit dotée d'une vision surnaturelle et qu'elle m'ait vue à travers le mur quand j'étais sur le trottoir.

Elle leva les yeux du sac et lui adressa un sourire.

— Bonne déduction pour un scribouillard.

— Ça fait un moment que je me mets à votre place, Nikki Heat.

— Eh bien, ce ne serait pas plus mal que tu arrêtes maintenant.

— Très bien, j'arrête, dit-il.

— Tiens, voilà…

D'un pli au fond du sac, elle sortit une petite carte en plastique de la taille d'une carte de fidélité de magasin.

— On dirait qu'elle s'est abonnée à une salle de gym.

Elle brandit la carte d'adhérent munie d'un code-barres pour la lui montrer.

— À Coney Island.

***

À l'accueil, le gérant de la salle s'arrêta un instant de rouler les serviettes qu'il rangeait afin de passer le code-barres au lecteur infrarouge.

— Elle a choisi le forfait au mois. C'est elle que vous cherchez ?

Il fit pivoter l'écran plat de son ordinateur vers eux. Sur la photo d'identité prise sur place, devant le mur bleu pastel, c'était bien le visage, sérieux, de Salena Kaye. En revanche, le nom correspondait à celui de ses fausses cartes.

— C'est bien elle, confirma Heat. Vous avez une adresse ?

— Bien sûr, dit-il en ouvrant le fichier correspondant. À Fairfax, en Virginie.

Heat n'en fut pas surprise. Elle se détourna pour balayer la salle de gym du regard dans l'espoir de trouver quelqu'un avec qui Salena s'entraînait… Peine perdue sans doute, car Kaye devait être une solitaire qui ne fréquentait les lieux que pour aiguiser ses forces. Puis, le gérant reprit :

— Mais je sais où elle habite. C'est un sacré canon, vous savez. Un soir où j'attendais le bus, je l'ai vue entrer au Coney Crest dans Surf Avenue.

***

Alors qu'ils se rendaient sur place, Rook s'enquit :

— Excuse-moi, tu ne comptais pas passer voir les cousins de la Sécurité intérieure ?

Heat savait qu'elle aurait dû le faire.

— Ça va nous ralentir, répondit-elle toutefois en usant de la meilleure des vérités : celle qui permettait de camoufler ses réelles raisons.

Quelqu'un avait peut-être renseigné Salena Kaye sur sa visite à l'agence de location de voitures. Nikki ne voulait simplement pas prendre le risque que cela se reproduise. Elle décida donc sur l'instant qu'il valait mieux procéder à une action rapide, en nombre réduit et en ne mettant au courant que les participants. Elle passa deux coups de fil seulement. L'un à Benigno DeJesus, dont l'équipe avait terminé d'inspecter son appartement, et l'autre au commissariat de la soixantième pour réclamer le renfort d'une poignée de policiers en tenue autour du motel.

Personne ne posa de questions à l'inspecteur Heat qui, de son côté, ne fournit pas la moindre explication. Tout le monde supposa qu'il s'agissait de l'affaire Arc-en-ciel.

Le Coney Crest tombait dans la sous-catégorie des établissements composés uniquement de chambres simples offrant un logement de transition loué à la semaine au nombre croissant des malheureuses victimes de la crise économique ayant perdu leur toit. Pour la police, c'était également le repaire des marginaux, des voleurs et autres délinquants, car, en général, dans ce genre d'endroit, on ne posait pas de questions. Il y sentait mauvais dans les couloirs, et l'enseigne affichait un nom toujours très ronflant par rapport à l'état des lieux.

Tandis que Heat s'avançait sur la coursive du deuxième étage vers la chambre 210, trois agents arrivaient pour la rejoindre par l'escalier du fond. Elle marqua une pause pour regarder en bas, par-dessus la rambarde, vers la piscine sale où Rook attendait à côté du plongeoir cassé.

Le gérant du Coney Crest, peu regardant sur les droits fondamentaux, ne s'était pas enquis du moindre mandat. L'homme usé aux cernes sous les yeux avait simplement remis son passe à Nikki tout en faisant remarquer que la clef qu'elle avait trouvée dans le sac de Salena aurait pu ouvrir la 210 comme une bonne demi-douzaine d'autres chambres.

L'inspecteur Heat et les policiers derrière elle prirent position de part et d'autre de la porte. Conformément aux signaux silencieux et au plan mis au point entre eux dans le parking, Nikki s'agenouilla, glissa la clé dans la serrure, cria : « Salena Kaye, ouvrez, police de New York ! » puis déverrouilla la porte. L'agent le plus proche l'ouvrit d'un coup de pied et tous pénétrèrent en se couvrant les uns les autres, au cri de : « On ne bouge plus ! »

En quinze secondes, ce fut terminé. Ils avaient vérifié la chambre, la penderie, la salle de bain et même fouillé les quelques placards de la kitchenette.

— Tu n'espérais quand même pas la trouver ici ? demanda Rook lorsqu'elle le laissa entrer à son tour.

— Pas vraiment. Kaye est un agent entraîné. Elle était grillée, on avait sa clé, elle n'allait pas revenir ici.

Elle lui sourit.

— Mais on a bien le droit de rêver.

— Tout rêve a sa clé, conclut-il.

Benigno DeJesus n'eut aucun mal à trouver le motel. Il était venu au Coney Crest tant de fois au fil des ans qu'il affirmait, en plaisantant, songer à y louer une chambre pour y stocker son matériel. Tout en ouvrant sa mallette sur la coursive pour préparer l'examen de la chambre 210, l'expert préféré de Nikki fit part à l'enquêtrice des résultats de la fouille chez elle.

Le rapport ne fut pas long. L'intrus s'était glissé par la fenêtre du cagibi dans la chambre d'amis. Lors de sa propre ronde, elle n'avait pas remarqué qu'on l'avait forcée, mais, en l'inspectant de l'extérieur, DeJesus avait repéré des égratignures montrant qu'on avait fait levier sur le bord avec un pied-de-biche.

En revanche, aucune trace du disque dur de la caméra ni d'ADN, autrement dit ni excrément (ce qui arrivait) ni résultats de jouissance sexuelle ; pas plus que de poils, de cheveux, de fibres ou de gomme de chaussure.

Le fil orange correspondait à celui trouvé sur le bateau de Joe Flynn. Il avait été transmis au labo, mais, comme pour les autres fils analysés, il était peu probable qu'on trouve quoi que ce soit d'utile dessus.

— On a bien quelques empreintes, mais je serais surpris que ce ne soit ni les vôtres, ni celles de monsieur Rook, ni celles de votre concierge.

Il enfila sa charlotte.

— Je sais que ce n'est guère rassurant, mais c'est comme si vous aviez eu la visite d'un fantôme.

Au lieu de s'en effrayer, Heat encaissa ce commentaire avec une froideur toute policière. Elle prit note dans sa tête de vérifier les monte-en-l'air dans la base de données centrale, puis le conduisit à la chambre de Salena Kaye.

Debout en silence au milieu de la pièce, l'expert se contenta de regarder autour de lui.

— Vous avez beaucoup dérangé les choses avec votre équipe ? demanda-t-il après quelques instants d'immobilité zen.

— Le minimum. Ils ont juste ouvert les portes et les placards pour vérifier la pièce ; ensuite, je les ai fait sortir.

— Bien.

Ayant terminé ce premier examen d'ensemble, il poursuivit :

— Ça ne va pas être commode pour les empreintes, vu les allées et venues qu'on peut imaginer dans ce genre d'endroit. Mais si elle a reçu des visites, il faut savoir de qui ; alors, je ferai de mon mieux. Grâce à votre gobelet de chez Starbucks, on a quelques échantillons partiels de celles de Salena Kaye et je suppose qu'on en relèvera d'autres sur le sac à main que vous avez trouvé.

— En fait, c'est moi qui l'ai récupéré, intervint Rook. En me battant avec elle, ajouta-t-il pour se faire mousser un peu.

Benigno le regarda un instant, puis, sans rien dire, se mit au travail. Il commença par la kitchenette, car, sur le plan de travail, il avait repéré plusieurs sacs en plastique provenant d'un magasin de bricolage, ce qui n'avait pas grand rapport avec la préparation de petits plats.

— Voyez-moi ça, fit-il en ouvrant l'un d'eux de ses mains gantées. Des roulements à billes, des clous, des vis et des boulons… Je parie que ce sont les restes du contenu de la bombe utilisée chez Tyler Wynn. Ça correspondra, vous verrez.

Il ouvrit et ferma les placards. Arrivé à celui sous l'évier, il s'agenouilla et braqua sa lampe de poche à l'intérieur. Puis, il se retourna vers Heat.

— Il vaudrait mieux donner l'alerte, faire évacuer le motel et appeler l'équipe de déminage, par précaution, annonça-t-il sur un ton décontracté. Mais jetez plutôt un œil.

Elle se pencha pour regarder par-dessus son épaule, tandis qu'il lui indiquait une bassine en plastique remplie de sacs de cellophane et de toute une panoplie de composants électroniques.

— Rien ne semble branché, mais je vois de la poudre, du C4… et même une télécommande de secours. Vous voyez ce bip de porte de garage à côté des interrupteurs et des fils de mise à feu ? C'est le même genre de commande radio que pour le détonateur du paquet livré chez Wynn.

— On m'a dit qu'il s'agissait d'une bombe à retardement, déclara Heat.

— Ça ne venait pas de moi, objecta l'expert. Je sais reconnaître un retardateur d'une commande radio.

Heat se tourna vers Rook qui arborait déjà un sourire moqueur, car il avait lu dans ses pensées.

— La reine de la boulette a encore frappé !

Dans la voiture qui les ramenait à Manhattan, Heat appela donc sa tête de linotte d'enquêtrice.

— Oh ! J'allais justement vous appeler.

Sharon avait la manie de toujours donner l'impression de vouloir cacher le fait qu'on la surprenait en train de jouer à Angry Birds. L'idée traversa l'esprit de Nikki que ce n'était peut-être pas qu'une impression.

— Vous savez ce numéro que vous m'avez demandé de chercher ? C'est un portable jetable.

— Vous êtes sûre ? fit Heat en laissant percer son irritation.

— Oui. Un téléphone prépayé, probablement acheté au supermarché ou dans un grand magasin. Impossible à localiser.

— Si je vous demande si vous en êtes sûre, c'est parce que vous m'avez dit aussi que la bombe chez Tyler Wynn était une bombe à retardement ; or j'apprends à l'instant qu'il s'agissait d'une bombe télécommandée. Ce n'est peut-être pas la fin du monde, mais je me demande, inspecteur, si je peux compter sur vous quand je vous confie une mission, expliqua Nikki en jetant un regard en coin à Rook, assis à côté d'elle, qui hocha fébrilement la tête en mimant des coups de poing.

— Mais je fais tout ce que vous me demandez, gémit Sharon en aggravant son cas.

— Alors, pourquoi m'avoir dit que c'était une bombe à retardement ?

— Parce que votre appel m'avait fait perdre tous mes moyens. J'ai oublié la réponse et je vous ai dit la première chose qui m'est passée par la tête. La pression est terrible pour moi pendant ces réunions devant les tableaux blancs.

Hinesburg marqua une pause, et Nikki l'entendit ravaler sa salive.

— J'ai l'impression que vous me détestez et ça rend les choses encore plus difficiles. Je fais pourtant de mon mieux.

Ayant tout à coup l'impression de se trouver face à une préadolescente et non plus une enquêtrice de la brigade criminelle, Heat tenta alors de sauver les meubles.

— Bon, voilà ce que je vous propose, Sharon : faites ce qu'on vous demande et, si vous ne savez pas quoi répondre, n'inventez pas, d'accord ?

— Vous voyez, vous m'en voulez.

Après avoir raccroché, Nikki émit un grognement de frustration.

— La dernière chose dont j'ai besoin avec ces deux affaires sur les bras, c'est que Sharon Hinesburg…

— … te raconte n'importe quoi ? suggéra Rook.

— Des conneries, oui !

— Je m'incline.

— La faiblesse, je peux gérer. Même un certain degré d'incompétence, ça passe. Et encore. Mais je ne supporte pas de ne pas pouvoir faire confiance à quelqu'un. Et je n'ai pas assez de corvées à lui assigner pour ne plus l'avoir dans les pattes.

— Tu n'as qu'à la virer, suggéra Rook.

— Impossible, tu sais bien pourquoi.

Rook sourit tandis qu'ils s'engageaient dans le tunnel de Midtown.

— C'est d'ailleurs pour ça que jamais je ne coucherais avec quelqu'un avec qui je travaille.

***

Sur le trottoir devant le département de la Sécurité intérieure, Heat passa un rapide coup de fil à l'inspecteur Raley avant d'entrer avec Rook.

— Vous êtes toujours mon roi de tous les moyens de surveillance, n'est-ce pas ?

— Je prédis aussi l'avenir, dit-il. Je vois arriver une annulation de mes projets pour ce soir.

— Troublant. Désormais, vous serez pour moi le « grand Ralini ». Je quitte à l'instant le motel pourri de Salena Kaye à Coney Island. Étonnamment, certaines caméras de surveillance fonctionnent, et le gérant a gardé les bandes de ces dernières semaines. J'aimerais que vous les passiez au crible pour relever ses allées et venues ainsi que celles de tous les visiteurs qu'elle a pu recevoir.

— C'est noté, dit-il en griffonnant l'adresse du Coney Crest.

— Et, Sean, cela reste entre nous, mais c'est l'un des bouges que j'ai demandé à l'inspecteur Hinesburg de vérifier il y a quelques jours. Elle affirmait l'avoir fait.

Raley n'eut pas besoin qu'on lui en dise plus.

— Et vous voulez que je m'en assure ?

— Ouah, on ne peut rien vous cacher, grand Ralini !

— Tu montes un dossier ? s'enquit Rook lorsqu'elle eut raccroché.

— Il doit de toute façon éplucher les vidéos.

Nikki ne savait pas ce qu'il y avait de pire : surveiller en douce sa subordonnée ou devoir le faire parce qu'elle avait perdu confiance en elle.

À la sortie de l'ascenseur au sous-sol, où une escorte vint accueillir l'inspecteur Heat et Jameson Rook, une intense animation régnait en sourdine dans le bunker de la Sécurité intérieure. On était manifestement passé d'une situation grave à un état d'urgence. Davantage de personnel occupait l'antre faiblement éclairé, certains s'entassant à deux dans un même box pour passer en revue les échanges d'e-mails, traquer les suspects qui figuraient sur la liste noire et interroger les informateurs. D'autres géraient, sur des écrans géants, l'affichage des réseaux d'électricité, des retenues d'eau, des centrales nucléaires ainsi que les images transmises par les caméras surveillant les ponts, les tunnels, les aéroports et les ports.

— Si je m'achète un jour une maison en banlieue, déclara Rook, je m'installerai un repaire comme ça dans mon sous-s...

Un signal d'alarme aigu et discontinu rompit soudain le silence du centre de commande, et une lumière aveuglante se mit à clignoter au-dessus de leurs deux têtes.

Dans les bureaux bordant le périmètre, des portes vitrées se fermèrent automatiquement. Un rideau métallique descendit pour isoler la porte de la salle de crise.

Par la fenêtre, Nikki vit les agents Callan et Bell ainsi que d'autres membres de l'unité opérationnelle se lever de la table de conférence pour regarder ce qui se passait. Une brigade de quatre personnes en combinaison et masque à gaz surgie de nulle part se précipita sur Heat et Rook et les poussa dans une petite pièce à côté de l'ascenseur. Deux se postèrent devant, les autres restèrent avec eux. L'un d'eux appuya alors sur un bouton, et un vide se créa autour des joints de la porte. À la sensation dans leurs oreilles, ils se seraient crus à bord d'un avion prenant de l'altitude.

— Que se passe-t-il ? demanda Nikki.

Sans répondre, ils la séparèrent de Rook et commencèrent à les passer tous les deux au détecteur à l'aide d'engins ressemblant à des microphones posés à l'extrémité de tuyaux d'arrosage jaunes, eux-mêmes raccordés à de gros filtres vrombissants.

— Nikki, l'interpella Rook en inclinant la tête vers le panneau sur la porte.

Quarantaine, lut-elle à l'envers. Puis, l'une des machines se mit à émettre des signaux sonores, et plusieurs voyants jaunes clignotèrent. Le mot Positif s'afficha à l'écran.

Il s'agissait de la machine qui analysait Heat.

QUATORZE

— **V**ous avez déclenché notre renifleur.

L'agent Callan tenait la porte de la quarantaine ouverte, et Nikki en sortit vêtue d'un sweat à capuche emprunté à la Sécurité intérieure et d'un pantalon de survêtement dépareillé.

— Mais j'aime bien le style, dit-il en l'accompagnant jusqu'à la salle de crise. Vous pouvez rester habillée comme ça le temps qu'on analyse vos vêtements et qu'on trouve quel agent biologique exactement vous aviez sur vous. Voici le petit bonhomme qui vous a débusquée, expliqua-t-il en montrant d'un geste l'espèce de robot dont elle avait déclenché l'alarme.

Heat avait déjà vu des versions de ces échantillonneurs d'air à travers Manhattan, dont la ville et la Sécurité intérieure avaient voulu s'équiper afin de prévenir les attentats à la bombe radiologique ou les tentatives d'attaque biologique.

— Vous ne bossez pas au noir pour une cellule terroriste, n'est-ce pas ?

— Mais si, j'y consacre tout mon temps libre.

Pendant que Nikki se changeait, Rook s'était installé à la table de conférence… juste à côté de Yardley Bell, avec laquelle il était encore en grande conversation quand, à leur arrivée, toutes les têtes se tournèrent vers Callan et Heat.

— D'après le rapport préliminaire du labo, il y a une sorte de marqueur sur son blazer, annonça Callan en prenant place en bout de table. Ce qui a déclenché l'alarme n'était pas présent en quantité suffisante pour être dangereux, mais au moins nous savons que l'échantillonneur d'air fonctionne.

— Génial. On n'a qu'à le faire tourner dans New York pendant quelques jours pour découvrir qui a planifié cette attaque, fit le professeur au nœud papillon.

Ce n'était pas une plaisanterie, mais une acerbe remarque motivée par la frustration.

— Je serais curieux de savoir où vous avez ramassé ce virus ou cette bactérie, inspecteur.

— Vous n'avez eu aucun contact physique avec Salena Kaye, n'est-ce pas ? vérifia Callan.

— Non. Pas aujourd'hui, en tout cas.

— La pilule est parfois dure à avaler, commenta Yardley Bell sans dissimuler sa condescendance, mais, ne vous en faites pas, ça arrive que certains vous échappent.

— Même aux meilleures.

Nikki n'eut pas besoin de jeter un regard à Rook ; Yardley comprit. Heat s'en voulut de s'abaisser à se donner ainsi en spectacle, même si le fait de clouer le bec à cette péronnelle satisfaisait l'un de ses besoins primaires. Néanmoins, elle s'adressa ensuite au nœud papillon.

— Il est possible que j'aie été contaminée là où j'étais juste avant de venir ici : la chambre de motel où se planquait Salena Kaye.

Nikki sentit qu'elle n'allait pas se faire que des amis en annonçant ainsi avoir agi en solo et elle n'avait pas tort. Il y eut des raclements de gorge, des tortillements de fesses sur les chaises et des expressions tendues.

— Vous avez monté une expédition chez notre suspect sans nous prévenir ? demanda Callan.

— On n'en a pas eu le temps, lâcha Rook avant de se tasser sur sa chaise sous les regards suscités par son intervention.

Nikki décrivit l'enchaînement des événements, de la découverte du sac à main de Kaye à la localisation de sa salle de gym, puis de son hôtel miteux et la découverte des éléments de bombe sur place.

— Parfois, il faut prendre des décisions sur l'instant. Or, compte tenu de la situation, la mienne a été d'agir le plus rapidement sans prendre le temps de suivre le protocole.

McMains, le commandant de l'unité antiterroriste, croisa son regard. Il était le seul à manifester son accord tacite. Callan lui demanda le nom du Coney Crest, puis décrocha son téléphone de Batman pour y envoyer une équipe procéder aux relevés d'usage.

En ces instants très gênants, alors que Bart Callan passait son coup de fil et qu'elle se sentait jugée par tous les regards de l'unité opérationnelle braqués sur elle, un curieux sentiment d'aise s'empara de Nikki.

Malgré toute cette tension, au moins ce bunker lui apportait-il un répit, car elle s'y sentait plus en sécurité que dans les rues de New York avec deux tueurs à ses trousses. Ça en dit long sur ma vie, songea-t-elle alors.

Sa réflexion fut interrompue par Lauren Parry, qui lui envoyait un SMS de l'institut médicolégal.

— Il est possible que j'aie été contaminée ailleurs, déclara Heat lorsque Callan eut raccroché. Je viens en effet d'apprendre que le corps qu'on a exhumé – celui d'Ari Weiss, l'indic de ma mère au sein de la cellule terroriste – renfermait des résidus d'une toxine biologique. De la ricine.

Sur une autre ligne, l'agent Callan demanda à son interlocuteur de commencer par rechercher des traces de ricine sur le blazer de Heat.

— Y a-t-il autre chose que vous ne nous ayez pas dite ? demanda-t-il en reposant le combiné dans son logement.

Résistant à la tentation de répondre, Heat ne se laissa pas égarer.

— Preuve qu'il était important de procéder à une nouvelle autopsie sur Weiss, ce n'était pas une maladie du sang qui a provoqué sa mort, mais un coup de couteau.

— Comme votre…

Callan n'acheva pas sa phrase et profita de cet instant de silence pour changer de sujet.

— Nous pourrons discuter de protocole et de comptes rendus plus tard. Avançons plutôt. Le Dr Donald Rose est venu du CDC d'Atlanta pour nous présenter le topo. Don ?

L'expert du Centre de contrôle des maladies, un grand maigre à l'épaisse moustache tombante, ressemblait davantage à un cow-boy vieillissant qu'à un chercheur en chimie. Il se versa un verre d'eau glacée au pichet posé au centre de la table.

— Merci, Bart, je vous suis très reconnaissant.

Nikki se demanda s'il buvait pour s'éclaircir la voix, qu'il avait très éraillée, ou s'il allait se lancer dans la présentation d'un rodéo.

— Je suis là pour vous mettre au courant de ce qui nous attend en termes d'agents biologiques, commença-t-il. Chez nous, à Atlanta, je coordonne la prévention et la préparation à une éventuelle attaque bioterroriste.

Il sourit.

— J'ai dit à ma femme que, si je parvenais à passer cette première étape, la seconde serait une promenade de santé.

Personne ne releva. Au lieu d'apaiser les esprits, son laconisme rendait son discours encore plus effrayant.

— Par le biais de notre unité de surveillance syndromique, nous collectons des données sur les patients et les symptômes dans les hôpitaux et les cliniques de tout le pays. Cela nous donne un aperçu de l'étendue et du rythme de propagation des épidémies virales et bactériennes. L'idée est de surveiller les risques afin de garder la mainmise. Pensez aux images radar qu'on voit parfois dans les bulletins météo, à la télévision, sauf qu'au lieu d'observer les zones de turbulence, on s'emploie à repérer le moindre signe d'épidémie. Que cherche-t-on ? Beaucoup de choses. À commencer par l'anthrax. Tout le monde se souvient des incidents de 2001. L'anthrax figure parmi les dangers sur notre liste, mais, sans vouloir minimiser, il n'est statistiquement pas assez efficace pour une large dissémination dans le cadre d'un vaste scénario. Néanmoins, nous stockons de la ciprofloxacine, de la doxycycline et de l'amoxicilline pour pouvoir le traiter. Parmi les agents biologiques potentiellement utilisables à des fins militaires, on peut citer la ricine. Par ailleurs, les filovirus tels que l'Ébola et le Marburg, ainsi que les arénavirus, peuvent provoquer des fièvres hémorragiques virales. Ce sont des pathogènes de niveau de sécurité biologique 4, ou NSB-4. Ils se répandraient très rapidement au sein de la population et seraient difficiles à contenir. Ces virus provoquent l'arrêt simultané de tous les organes et entraînent un choc hypovolémique. Les médecins qui traitent les zones les plus touchées dans le tiers-monde parlent d'enfer sur terre, et encore, c'est un euphémisme. On parle d'une mort effroyable, difficile et douloureuse.

Rook se tourna vers Nikki.

— Personnellement, je préférerais me séparer de ce blazer.

Les rires qui suivirent furent brefs, mais bienvenus. Tout le monde avait besoin de respirer.

Le spécialiste du CDC marqua une pause pour boire une nouvelle gorgée d'eau. Tout le monde patienta sans bouger. Le Dr Don Rose faisait maintenant son show.

— La variole, au cas où vous ne le sauriez pas, a officiellement été éradiquée en 1979. Il existe seulement deux réserves de *Variola major* et de *Variola minor* dans le monde. En Russie et au CDC, à Atlanta. On fait très attention et, à moins que quelqu'un ne parvienne à en concocter un lot, la variole est sous bonne garde. Pour l'excellente raison que c'est un véritable fléau. Cette maladie présente un taux de mortalité de trente-cinq pour cent. En 1985, juste avant son éradication, elle avait fait deux millions de morts.

— Comment l'un de ces agents biologiques pourrait-il se répandre ? demanda l'agent Bell.

— Par contamination d'une personne à l'autre. Par le biais d'un aliment ou d'un produit. Mais ce serait lent, même si cela poserait quelques problèmes. En l'occurrence, je parierais davantage sur l'utilisation d'un aérosol. Sans doute transporté sous forme liquide dans un conteneur métallique scellé, accompagné d'un gaz propulseur afin de pouvoir l'atomiser.

— Un conteneur de quelle dimension ? s'enquit Nikki.

— Pour une densité de population comme celle-ci ? Il suffit de quelques litres.

Tandis que chacun prenait conscience du fait qu'il s'agissait donc de retrouver une aiguille dans une botte de foin, il poursuivit :

— En outre, quel que soit l'endroit de New York touché, il faudrait boucler le quartier et le mettre en quarantaine pour une durée indéterminée.

— Pour qu'on soit fixés, déclara Callan en se tournant vers le coordinateur du renseignement, c'est si mauvais que ça ?

— Autant que ça en a l'air, répondit l'agent Londell Washington.

Il devait approcher la cinquantaine, mais le manque de sommeil et le stress lui donnaient dix ans de plus. On prenait vite de l'âge dans ce métier.

— On a augmenté la surveillance depuis qu'on est au courant. Tous nos indics et nos agents infiltrés ont été mis à contribution. Rien. On a suivi tous les faits et gestes de tous les terroristes probables connus et soupçonnés figurant sur notre liste noire pour surprendre le moindre rassemblement, la moindre activité ou disparition de la circulation soudaines. Aucune trace de comportement anormal. On contrôle tous les appels téléphoniques, les e-mails, les forums, les tweets, les radios des taxis, même les dédicaces de chansons d'amour à la radio – je ne plaisante pas –, nada. Tous les djihadistes et idéologues se conforment à leurs habitudes, rien ne transpire contrairement à ce qu'on a l'habitude de voir avant un événement, aucune hausse des demandes de congés de maladie n'a été constatée dans les centrales électriques, les gares, etc.

— Peut-être que ça n'a rien d'idéologique, suggéra Rook.

— De quoi d'autre pourrait-il s'agir ? s'exclama le nœud papillon, l'air peu enclin à écouter les théories d'un amateur arborant un badge de visiteur.

— Par mon métier, j'ai croisé des criminels de guerre à La Haye, des guérilleros, des monte-en-l'air et même un ancien gouverneur dont le fétichisme portait sur les chaussettes montantes, répondit Rook sans se démonter. La plupart des gens hors limites le sont pour des tas de raisons différentes. Mis à part le fanatisme, ils sont en général motivés par la vengeance, l'ego ou le profit. Comme le répète toujours un ami à moi, ancien membre du KGB : « Suivez l'argent. » Bien sûr, les journalistes du *Washington Post* le disaient déjà à l'époque du Watergate, mais vous voyez l'idée.

— Sauf votre respect, rétorqua le professeur, je ne suis pas convaincu qu'il s'agisse de terrorisme apatride. Il y a forcément un gouvernement derrière ce complot. Compte tenu de la logistique mise en place et du recours à des gens aussi onéreux que Tyler Wynn et son équipe, qui d'autre aurait les moyens de financer pareille entreprise ? D'après mes renseignements, je penche pour les Syriens.

Callan jeta son stylo sur son sous-main.

— Finalement, il nous reste donc trois, peut-être quatre jours, et nous n'avons toujours rien sur quoi nous appuyer.

— On pourrait peut-être aborder les choses sous un autre angle, proposa Yardley Bell, qui s'adressa ensuite au responsable de l'unité antiterroriste. Commandant McMains, pouvez-vous nous énumérer les principales cibles possibles ?

— Certainement. Pour ce genre d'attaque, les cibles les plus recherchées sont les endroits les plus peuplés et les plus symboliques. Donc, sans ordre particulier : Times Square, l'Empire State Building, la gare de Grand Central, celle de Penn Station, Union Square, SoHo... et, bien entendu les stades. Et comme ça tombera samedi ou dimanche, j'ajouterai Central Park. La météo s'annonce bonne, le parc sera bondé.

— Merci, dit Bell.

Elle se leva et se dirigea vers l'écran LED en bout de table pour se poster à côté de la liste des cibles qui s'était affichée au fur et à mesure que Cooper McMains les nommait.

— Inspecteur Heat, vous avez un lien particulier avec cette affaire, nous le savons tous. Or vous avez souligné l'intérêt que présentent certaines personnes parmi les gens que votre mère surveillait il y a des années.

Une curieuse sensation envahit Nikki. Si elle appréciait de voir ses efforts reconnus, cela l'ennuyait toutefois que cette reconnaissance vienne de Yardley Bell.

— Peut-être qu'au lieu d'attendre ici à regarder l'horloge tourner, on pourrait étudier certaines des pistes que vous avez levées. Si vous nous parliez par exemple de cet immigré jamaïcain du nom d'Algernon Barrett.

— Barrett figurait sur ma liste de suspects avant que je n'identifie le véritable tueur de ma mère. Je me suis de nouveau penchée sur son cas ces derniers jours ; toutefois, il ne me semble pas qu'il puisse faire partie de ce complot terroriste.

— Intéressant.

L'agent Bell regagna sa place en traversant la pièce à pas lents, à la manière d'un avocat de cinéma résumant la situation pour le jury. Puis, elle posa la main sur l'avant-bras de Rook.

— Excuse-moi, tu veux ?

Elle tira un dossier coincé sous son coude.

— Il est dans la restauration, c'est bien ça ?

— Il est versé dans les spécialités jamaïcaines. Il vend des épices et possède des camions gourmands.

— C'est ça, j'en ai déjà croisé dans les rues. Mais notre étranger a brusquement décidé d'apporter quelques changements à son modèle d'entreprise.

Bell ouvrit le dossier et repartit vers le fond de la pièce.

— Il vous a parlé de ces – comment appelle-t-on ça déjà ? – « boutiques éphémères » ?

La légère méfiance de Nikki céda la place à une totale incrédulité et cela dut se voir.

— Ne vous inquiétez pas, vous n'étiez pas sur écoute. C'est Rook qui m'en a parlé.

Heat se tourna vers le journaliste, qui arbora tout à coup la mine d'un chien surpris à faire ses besoins sur le tapis tout neuf de la maison.

— Vous voulez en venir quelque part, agent Bell ? s'impatienta Callan.

— Absolument. Pour ceux qui l'ignorent… Les boutiques éphémères ne sont sans doute pas légion à Atlanta…

— On connaît plutôt les boutiques à mémères, confirma le Dr Rose.

— La boutique éphémère est un concept marketing qui repose sur l'ouverture de points de vente pour de courtes durées dans des lieux vides, où on attire les jeunes connectés aux réseaux sociaux de la génération du millénaire. C'est ultrabranché et peut-être ultradangereux.

Elle se posta à côté de la liste des cibles possibles affichée sur l'écran LED et reprit le dossier.

— Voici la liste des endroits où Algernon Barrett compte ouvrir ce genre de boutiques ce week-end : Times Square. En face de l'Empire State Building. Dans le passage Est de Grand Central. À la gare de Penn Station. À côté de la librairie Barnes & Noble sur Union Square.

De l'index, elle parcourut la liste à l'écran.

— Euh, je crois qu'on a la majeure partie d'entre elles, mis à part SoHo et les stades.

Heat eut beau objecter que cela lui semblait relever de la conjecture, ses mots ne parvinrent pas à alléger le silence qui s'abattit sur la salle de crise pendant que Yardley Bell retournait s'asseoir à la table. Enfin, l'agent Callan scruta les visages des membres de son unité opérationnelle.

— Il me semble qu'une visite « éphémère » chez Algernon Barrett s'impose.

**

De là, les choses s'enchaînèrent rapidement. Le mandat de perquisition fut lancé, le plan, élaboré, les chiens, lâchés. La Sécurité intérieure était rodée à ce genre d'exercice. En moins de temps qu'il n'en fallait à un livreur de chez Domino's pour livrer sa pizza, Heat se retrouva assise à côté de l'agent Callan, au beau milieu du convoi de 4 x 4 noirs qui remontait Manhattan sirène et gyrophares en marche.

Suite à la bonne nouvelle qui lui fut annoncée dans son oreillette, Callan indiqua à Nikki que Bell et son équipe étaient déjà sur place et qu'ils y confirmaient la présence de Barrett. Sans répondre, Nikki continua de ressasser ses doutes au sujet de cette opération précipitée par une simple spéculation énoncée en salle de crise.

Bart Callan se concentrait sur sa conduite afin de ne pas se laisser distancer, lorsque le serpent du convoi tourna dans la 1ʳᵉ Avenue. Une fois le volant redressé, il lança un regard dans le rétroviseur à Rook, assis sur la banquette arrière.

— Jamais je n'aurais cru dire ça un jour, mais je ne suis pas mécontent de vous voir, finalement.

— Ah oui ? se contenta de murmurer Rook, non pas juste à cause du compliment déloyal, mais parce qu'il faisait profil bas depuis que Yardley Bell avait révélé qu'il était la source de ses renseignements sur le Jamaïcain. Comme il savait qu'il aurait à s'en justifier plus tard auprès de Nikki, il jouait le repli pour mieux se défendre.

Toutefois, le conducteur ne semblait pas vouloir en rester là ; il renchérit, tout en dissimulant ses piques derrière des éloges, rien que pour les beaux yeux de Nikki :

— Je suis sérieux. Sans votre lien particulier avec Yardley Bell, jamais nous n'aurions levé cette piste.

Chacun de leur côté, Heat et Rook se sentirent gênés. Tous deux seraient volontiers descendus de voiture, mais ce n'était vraiment pas le moment, car ils roulaient à quatre-vingts à l'heure, sirène et gyrophares allumés. L'air de rien, Bart continua et porta sa dernière estocade.

— Vous devez être très bons amis, Yardley et vous, pour être restés si proches après votre liaison.

Rook ne répondit pas. Heat se retint de se retourner pour le fusiller du regard ; il lui tardait de se retrouver entre quatre yeux pour enfin pouvoir se soulager. Cela attendrait.

— Vous savez quel pont c'est ? demanda Callan au moment où ils traversaient la Harlem River par la Willis Avenue. La borne des trente-deux kilomètres du Marathon de New York. Vous savez comment on l'appelle ? Le mur.

— Parce que c'est là où vous vous le prenez en pleine figure ? demanda Rook.

— Non. C'est là où les moins bons coureurs s'arrêtent, se moqua Callan.

**

D'un signe, un policier en survêtement noir leur indiqua la base établie dans le parking de l'unité de triage des services postaux, à côté de Brown Place, dans le Bronx, à deux pas, mais hors de vue de l'entrepôt de Barrett. Callan parcourut des yeux le parc de stationnement rempli de véhicules réservés au transport de matières dangereuses, de camions de pompiers et d'ambulances, sans oublier deux redoutables blindés de transport de troupes munis de béliers.

Dans un coin à l'écart, à côté d'une vaste tente médicalisée, on était en train d'installer une douche portative destinée à éliminer toute trace de matériaux dangereux.

— C'est pratique de disposer de locaux postaux dans le quartier, fit remarquer Heat.

— Le summum de la synergie fédérale, acquiesça Callan.

Alors que sa voix semblait moqueuse, l'expression sur son visage indiquait qu'il était tout à fait sérieux. En l'entendant défaire sa ceinture de sécurité, il tança Rook d'un regard dans le rétroviseur. Sans pour autant élever la voix, il prit le ton d'un adjudant-chef :

— Vous, vous ne descendez pas de voiture.

Rook croisa les mains sur ses genoux.

Alors qu'ils se rendaient vers la zone de déploiement, dans la 132e, Yardley Bell vint les rejoindre au milieu de la rue pour les briefer.

— Les rues sont bouclées, toutes les sorties, bloquées, les propriétés voisines – un centre d'expédition et une entreprise d'échafaudage –, évacuées. L'équipe de mise en quarantaine est prête et nous disposons d'un appui aérien.

Elle se contorsionna vers le ciel.

— On a aussi attiré deux hélicos de journaux télévisés. J'ai demandé aux autorités aériennes de les faire reculer d'un kilomètre, et le service de la communication de la police appelle les chaînes pour les informer que nous nous livrons cette semaine à des exercices de préparation opérationnelle.

Nikki écouta Yardley. Face à une telle démonstration de sang-froid, de compétence et d'efficacité, elle s'en voulut presque de ne pouvoir se laisser aller à l'admirer.

— J'ai votre mandat, agent Bell.

Callan lui tendit le document.

— Donnons le départ, déclara-t-elle après y avoir jeté un rapide coup d'œil.

Ils approchèrent du portail d'entrée dans l'un des fourgons empruntés aux services postaux ; le chauffeur annonça une livraison pour Algernon Barrett. Le portail roula alors sur le côté pour laisser passer le cheval de Troie : une douzaine d'agents fédéraux armés cachés à l'intérieur.

Dans son sillage s'engouffrèrent les véhicules de transport de troupes, les Crown Victoria et une demi-douzaine de camionnettes blanches aux rayures bleues verticales de la Sécurité intérieure.

Bell passa la première avec une brigade d'intervention, sa plaque et le mandat brandis au-dessus de sa tête. Elle s'annonça et ordonna à tout le monde de s'arrêter, les mains en évidence. L'inspecteur Heat entra avec la seconde vague de forces de l'ordre coopérant à l'opération ainsi qu'un peloton de techniciens biologistes traînant des détecteurs d'aérosol et autres. Passé l'accueil et les bureaux de devant, le reste des locaux se répartissait sur un espace ouvert sous un toit de tôle ondulée. Sans rencontrer la moindre résistance ou tentative de fuite, les agents rassemblèrent sans difficulté la trentaine d'employés médusés près du quai de chargement pendant que les techniciens de la Sécurité intérieure se dispersaient pour analyser l'air et inspecter les installations et les conteneurs de stockage.

Compte tenu de sa connaissance des lieux, Heat avait été chargée de conduire Bell au bureau d'Algernon Barrett. Le Jamaïcain n'était plus là, mais son écran de télévision géant diffusait à plein volume la chaîne de paris en ligne pour les courses hippiques, et un joint se consumait dans le cendrier. Les deux femmes portèrent la main à leur arme et vérifièrent les toilettes privées.

L'autre porte du bureau donnait sur un couloir menant à l'entrepôt. Devant une porte indiquée comme la réserve des épices, elles se tinrent prêtes, puis entrèrent.

— Regardez qui voilà, fit Yardley Bell alors que Barrett sortait les mains en l'air d'entre les piles de cartons de piments et de clous de girofle. L'ingrédient secret de la sauce jamaïcaine !

Après l'avoir fouillé, elles le ramenèrent par le couloir jusqu'à son bureau. Nikki ayant prévenu tout le monde au sujet de l'avocate de Barrett avant de quitter Varick Street, ils avaient hâte de pouvoir l'interroger un peu avant que la présence d'Helen Miksit ne vienne compliquer les choses.

— Pourquoi vous cacher ?

— Qui êtes-vous ?

— Bart Callan, agent spécial du département de la Sécurité intérieure, responsable des opérations. L'une des personnes dans cette pièce à pouvoir transformer votre vie en enfer. Maintenant, répondez à ma question. Pourquoi vous cacher en nous voyant arriver ?

— Par habitude, je suppose. Quand on force ma porte, je prends mes jambes à mon cou.

— Vous croyez peut-être nous faire avaler ça ?

— Avale ce que tu veux, mon pote.

Algernon se détourna pour s'adresser à Nikki, qui se tenait dans un coin, toujours vêtue du sweat à capuche de la Sécurité intérieure.

— C'est donc tout ce que ça m'apporte de coopérer, inspecteur ?

— Monsieur Barrett, tout se passera en douceur si vous continuez sur cette même lignée, affirma Nikki.

— Ah oui ?

Il croisa les bras et s'enfonça dans le canapé.

— Je ne dirai rien. Je veux mon avocat.

Une heure plus tard, après avoir essayé de le questionner de front comme de biais pour le coincer sur sa participation à un complot terroriste, Callan et Bell durent l'abandonner aux bons soins du Bouledogue, qui conseilla à son client de se taire. Sa déclaration à elle suffirait amplement, l'assura-t-elle.

— Mon client est un citoyen des États-Unis qui paye ses impôts. Il dirige avec succès une entreprise légitime qui pourvoie une clientèle fidèle en sauces épicées et plats à base de poulet. Toute extrapolation s'appuyant sur ses origines étrangères pour l'impliquer dans un quelconque complot diabolique relève d'une outrageuse spéculation diffamatoire.

— Dans ce cas, pourquoi cette brusque expansion à des endroits clés correspondant à des cibles possibles ? demanda Bell.

— Parce que ce sont des cibles possibles, justement, rétorqua Helen Miksit. Pour le profit. Alors, à moins que vous n'ayez des preuves de ce que vous avancez ou que vous ne portiez plainte, vous pouvez aller vous faire voir !

À défaut d'autre chose, ce raid aurait peut-être servi à lui faire apprécier Helen Miksit, finalement, songea Nikki.

Dehors, devant l'entrepôt, tandis que les techniciens poursuivaient leur recherche de présence d'agents viraux ou bactériens dans les barils de marinade, les boîtes d'épices et les réfrigérateurs, Heat prit Callan à l'écart.

— Si cela ne vous dérange pas, je vais vous laisser pour retourner au poste.

— Moi qui pensais qu'on allait avancer, là.

Il balaya du regard les agents qui s'activaient autour d'eux et finit par hocher la tête.

— On aurait vraiment besoin d'un petit coup de pouce.

— C'est sûr, mais je n'ai jamais cru qu'on le trouverait ici.

— Serait-ce une manière de nous dire : « Je vous l'avais bien dit » ? fit Yardley Bell qui, à trois mètres, rendait les documents d'expédition de l'entreprise à un agent.

Puis, elle vint les rejoindre.

— Voyez-vous, inspecteur, c'est là toute la différence entre nous : vous, vous êtes prête à tout laisser tomber parce que cela ne vous tombe pas tout cuit dans le bec alors que moi, je suis prête à doubler la mise.

Elle se retourna vers Callan :

— J'ai besoin d'autres mandats. Je veux tout retourner chez Barrett, chez ses amis, ses dealers, ses putes et son fichu pasteur. Il va voir de quel bois je me chauffe.

Elle avança à reculons.

— Et si nous sommes encore là lundi, je veux bien revenir vous dire : « Je vous l'avais bien dit », moi aussi, ajouta-t-elle à l'adresse de Nikki.

Callan s'arrangea pour qu'un agent ramène Heat et Rook au poste de la vingtième, ce qui ne fit que retarder la conversation à laquelle Rook ne pourrait se soustraire. Perdant une nouvelle occasion de se taire, il passa la majeure partie du trajet à se plaindre de l'attente à laquelle on l'avait contraint dans le 4 x 4 de Callan.

— J'ai horreur de ça. C'est comme se retrouver sur le banc des pénalités et offrir ainsi la supériorité numérique à l'équipe adverse au moment crucial d'un match de hockey. Enfin, j'ai quand même profité de cette heure et demie pour faire quitter la ville à ma mère.

— Rook.

— T'inquiète, je ne lui ai rien dit. J'ai plus d'un tour dans mon sac.

— Je sais !

Esquivant la remarque, il s'expliqua :

— J'ai appelé un de mes collègues à Oswego qui avait une dette envers moi et je me suis arrangé pour que Margaret Rook, la grande diva de Broadway, reçoive le tout premier prix de l'entrée des artistes décerné cette année au festival de théâtre de l'Université de l'État de New York. Malgré le caractère tardif de cette annonce, mère est ravie.

— C'est quoi, le prix de l'entrée des artistes ?

— Ça reste à inventer. Pour l'instant, tout ce que je sais, c'est que ça va me coûter dix mille dollars plus une chambre de luxe. Mais mère sera ainsi à l'abri du danger. Au cas où... tu sais.

Elle se détourna un instant pour regarder par la fenêtre et, tandis qu'ils bifurquaient pour quitter Lenox Avenue, le feuillage des arbres au nord de Central Park lui rappela soudain que c'était le printemps. Ce bref interlude fut interrompu par un SMS.

— Bizarre, commenta-t-elle après l'avoir lu. C'est Callan. Ils ont les résultats des analyses des traces d'agent biologique sur mon blazer. Ce n'était pas de la ricine.

Elle tendit son téléphone vers Rook.

— La variole ?

Il blêmit.

— Ne serait-ce pas l'un des fléaux cités par le docteur Apocalypse du CDC ?

Elle acquiesça de la tête.

— Et tout ce que tu trouves à dire, c'est : « Bizarre » ? Oh ! Excuse-moi, juste un petit problème, je crois que j'ai chopé un peu de variole sur ma manche de veste. Non, c'est carrément grave.

— Oui, c'est grave, je sais que c'est grave. Apparemment, c'est un marqueur, il n'y a pas de quoi s'inquiéter, mais un médecin va venir me faire un vaccin. Ce qui est bizarre, c'est que ce ne soit pas de la ricine. Ça veut donc dire que je n'ai pas été contaminée au contact d'Ari Weiss, ajouta-t-elle lorsqu'elle eut terminé de lire.

— Par quoi, alors ?

— Je ne sais pas.

Le silence s'installa, puis le chauffeur baissa sa vitre.

— Je compatis, vieux, fit Rook. Vous avez raison de passer la tête dehors et de respirer un bon coup.

Dès que la voiture de la Sécurité intérieure les eut déposés dans la 82e Rue, il sourit.

— Alors, tu ne m'en veux pas ?

— Parce que tu crois pouvoir t'en tirer comme ça ?! s'exclama-t-elle en faisant mine de se laver les mains avec désinvolture. Avec un simple « Tu ne m'en veux pas » ? Tu n'es vraiment qu'un gamin !

— Non, je ne me prends pas du tout pour Ponce Pilate... Je pensais juste que tu ne m'en voudrais pas parce que tu sais très bien que jamais je ne te compromettrais en révélant un secret.

— Ah bon, et tu appelles ça comment ?

Comme Sharon Hinesburg passait avec son plat à emporter pour le déjeuner, ils s'interrompirent.

— Pour garder un secret, reprit Rook dès que l'enquêtrice eut pénétré dans le poste, il faudrait d'abord que je sache que c'en est un. Je croyais qu'on était du même côté, là, qu'on cherchait tous à arrêter les méchants qui veulent déclencher une épidémie.

— Ce n'est pas parce qu'on est tous du même côté, Rook, qu'il faut aller tout raconter aux autres. Et encore moins à Yardley Bell.

— Tu ne l'aimes pas.

— Ce n'est pas la question.

— Tu es encore jalouse de notre passé.

— Ce n'est pas ça non plus. C'est juste qu'elle ne m'inspire pas confiance.

— Pourquoi ?

— Je ne sais pas, question d'instinct.

— Hé ! Les intuitions et l'instinct, c'est mon truc à moi. Toi, tu détestes ça.

— Eh bien, cette fois, c'est mon tour. Et c'est peut-être totalement absurde, mais j'aimerais que tu respectes ça.

Ils se regardèrent un instant ; malgré la dispute, leurs sentiments prévalaient. C'est peut-être justement cela, une relation, songea-t-elle. Elle allongea le bras vers lui, et il lui prit la main.

— Écoute, tu sais que je dois beaucoup jongler en ce moment. Tout ce que je veux dire, c'est que j'ai déjà assez de trucs à surveiller comme ça sans que tu viennes te rajouter à la liste.

Il lui tendit sa main libre et elle la saisit. Lorsqu'ils se retrouvèrent face à face, il sourit.

— Alors. Tu ne m'en veux plus ?

Heat le regarda. Décidément, Jameson Rook était quelqu'un de bien, quelqu'un en qui elle pouvait avoir confiance. Peu importait le reste.

— Non, je ne t'en veux plus.

Elle lui serra les deux mains, puis ils entrèrent à leur tour, d'un pas commun.

***

Pendant qu'elle recevait sa dose d'antiviral, Nikki passa en revue sa journée en espérant trouver un indice quant à l'endroit où elle avait attrapé ces traces de variole. Une idée troublante lui traversa l'esprit. Après quelques brefs coups de fil à Benigno DeJesus et Bart Callan, le fil orange déposé par Arc-en-ciel sur son oreiller fut envoyé dare-dare par coursier au labo de la Sécurité intérieure pour analyse. Connaissant le goût de son petit ami pour les théories du complot, elle songea que Rook aurait été fier d'elle.

Une chose au moins était sûre : il était hors de question pour Heat de rester une minute de plus en survêtement. Elle ouvrit le tiroir inférieur de son bureau dans lequel elle rangeait sa tenue de secours, comme elle l'appelait : ses vêtements de rechange pour ces fameuses fois où elle renversait son café sur elle ou se tachait avec du sang.

Une fois changée et après un rapide coup d'œil aux tableaux blancs, elle décida qu'il était temps de reprendre son téléphone. C'est ainsi qu'on menait l'enquête. À la moindre bribe d'information nouvelle, on creusait en en parlant à quelqu'un. Si cela ne permettait pas toujours d'obtenir une autre bribe pour avancer, en tout cas, on ne restait pas les bras croisés à attendre, même si cela vous donnait parfois l'impression de tourner comme un poney dans un manège ; il fallait s'acharner, ne pas lâcher le morceau, jusqu'à ce que l'affaire se débloque.

Le premier appel fut pour Carey Maggs, à la Brasserie Boz. Il répondit sur un ton très britannique, autrement dit délicieusement excentrique et jovial.

— Je vous dérange peut-être ?

— Forcément ! gloussa-t-il. Vous savez bien que je gère une entreprise tout en essayant de sauver le monde dans une économie en pleine faillite. Je suis une sorte de Clark Kent, avec peut-être juste une once d'excès d'embonpoint pour la paire de collants.

À la pensée de la marche pour la paix qu'il sponsorisait le week-end suivant, elle sentit son pouls s'accélérer, car elle aurait aimé pouvoir le prévenir du danger d'une éventuelle attaque terroriste, mais où fixer la limite ? Il y avait des centaines de manifestations publiques, de congrès, de courses de vélo et de marchés dans les rues prévues ce même week-end. Si Rook vendait son article à Hollywood, peut-être aurait-il assez d'argent pour décerner à tout New York un prix au festival d'Oswego et évacuer ainsi la ville. Mettant cela de côté, elle lui annonça la nouvelle concernant Ari Weiss. À savoir que son vieil ami n'était pas du tout mort d'une maladie du sang, mais qu'il avait été assassiné.

— Dieu du ciel ! soupira-t-il.

Comme les coups de couteau auxquels Weiss avait succombé correspondaient à la manière dont sa mère était morte, Nikki envoya à Maggs une photo de Petar Matic, son meurtrier. Elle entendit le signal sonore de son téléphone portable indiquant l'arrivée à bon port du cliché, puis un profond soupir suivi d'un claquement de langue de la part de Maggs lorsqu'il l'étudia.

— Vous savez quoi ? J'ai déjà vu ce type.

— Vous en êtes sûr ?

— Aucun doute. Je connais ces cheveux longs et gras et ce regard de cossard. C'est qui ?

— Mon ex…

— Euh…, désolé, je suis un peu bas de plafond.

— … qui a tué ma mère.

Elle l'entendit murmurer un juron et continua.

— C'est probablement lui qui a poignardé Ari aussi. Vous souvenez-vous quand et où vous l'avez vu pour la dernière fois ?

— Très bien, en fait, car j'ai appelé la police à cause de lui. Je l'avais surpris à traîner devant mon immeuble à plusieurs reprises.

— C'était quand ?

— Bon sang, inspecteur, autour de Thanksgiving. La fameuse semaine où Ari logeait chez nous. La même semaine où…

— C'est bon, Carey, je sais ce qui s'est passé cette semaine-là.

Heat eut beau sentir que l'ahurissante nouvelle concernant son vieil ami était difficile à encaisser pour Maggs, cela ne l'empêcha pas de poursuivre.

Il aurait tout le temps de s'en remettre. Pour l'instant, il lui fallait une nouvelle piste.

— Carey, j'aurais besoin de votre aide, si vous vous sentez d'attaque.

Malgré l'émotion, il parvint à lui répondre par l'affirmative.

— Vous disiez qu'Ari n'était intéressé ni par le social ni par la politique. Vous souvenez-vous s'il était proche de l'un de ses collègues dans les milieux scientifiques ? Aurait-il mentionné quelqu'un ou un projet en particulier ?

— Aucun nom ne me vient à l'esprit, répondit Maggs après réflexion. Évidemment, j'en ai croisé plusieurs en allant boire une bière ou regarder un match au pub avec lui, mais, pour moi, ce n'était qu'une bande de chercheurs.

— Vous souvenez-vous s'il y avait des étrangers ? se contenta-t-elle de demander pour ne pas lui souffler le moindre nom.

— Vous plaisantez ?! s'esclaffa-t-il. La plupart l'étaient.

Alors, elle se lança, mais, comme Maggs ne se souvenait d'aucun Vazha Nikoladze, elle lui envoya aussi sa photo et attendit.

— Désolé. Il a bien une tête de chercheur, mais je ne me souviens pas de l'avoir vu traîner en compagnie d'Ari.

Nikki fut de nouveau déçue, mais au moins il avait reconnu Petar, confirmant que son ex était lié au meurtre d'Ari Weiss.

Rook la convainquit de sortir déjeuner sur le pouce au nouveau Shake Shack qui venait d'ouvrir dans Columbus Avenue, mais l'inspecteur Raley les arrêta dans le hall avant qu'ils ne quittent le poste.

— Que se passe-t-il, Sean ? Vous avez repéré quelque chose sur les bandes du Coney Crest ?

— Non, je suis toujours dessus, mais avec Miguel, je viens de tomber sur autre chose. Croyez-moi, ça va vous plaire.

— J'ai bien l'impression que c'est partie remise pour les hamburgers, commenta Rook.

Lorsqu'ils revinrent dans la salle de briefing, Ochoa avait affiché les résultats de leurs recherches sur l'écran du « central des Gars », pour reprendre le surnom que les deux équipiers donnaient à leurs deux bureaux rapprochés.

— Alors, fit-il tandis que Heat s'asseyait à sa place, on a épluché toutes les vidéos de surveillance de la police du mois dernier pour retrouver cette camionnette qui a trimballé le corps de la copine espionne de votre mère. Parce que, si on retrouve la camionnette, on retrouve le labo, d'accord ?

— Absolument, confirma Rook.

— Espérons, corrigea Heat.

— C'est fait, annonça Ochoa. On a touché le gros lot. Voilà la première trace. Et c'est bien le soir même de son meurtre.

D'un clic de souris, il fit apparaître l'image floue d'une plaque d'immatriculation sur laquelle était indiquée la localisation suivante : Télépéage Voie 2, Pont Henry Hudson.

— Comment ça ? demanda Heat. Que faisait-elle là-haut ?

Les Gars hochèrent la tête en chœur.

— Exactement, dit Raley.

— On s'est fait la même remarque, renchérit Ochoa. On s'est demandé pourquoi la camionnette et le corps étaient arrivés par le nord de Manhattan. Alors, on a vérifié.

— Les Gars, je vous adore, dit Heat.

— On a examiné toutes les caméras des bretelles d'accès du comté de Westchester et du Nord, continua Raley.

— Ce n'était pas si difficile puisqu'on avait la date exacte et une idée de l'heure.

Ochoa cliqua de nouveau, et quatre vues de la même plaque s'affichèrent en différents endroits.

— Alors, si on remonte en arrière, voilà la première apparition de la camionnette en route pour New York.

Il double-cliqua sur l'image du haut. Lorsque la fenêtre s'ouvrit, l'horodatage laissa l'inspecteur Heat bouche bée.

QUINZE

Cette camionnette bordeaux photographiée à son entrée sur la Saw Mill River Parkway, au niveau d'Hastings-on-Hudson, aurait pu arriver de n'importe où ; cependant, Nikki Heat ne pensait qu'à un seul endroit. Rook l'exprima à voix haute :

— Vazha.

D'un seul clic de souris, toutes les raisons – toutes les intuitions – qu'elle avait eues de considérer le biochimiste comme un suspect potentiel semblaient se confirmer. Heat pria pour qu'il ne soit pas trop tard.

— Les Gars, en selle.

Elle se retourna vers les autres enquêteurs de la salle de briefing.

— Feller. Rhymer. Vous aussi. On part faire un tour à Westchester.

— Et moi alors ?

L'inspecteur Hinesburg sortait de la cuisine avec son assiette de salade achetée chez le traiteur.

Soudain, comme lorsque toutes les équipes étaient constituées, en cours de sport, tout le monde s'activa pour éviter de croiser son regard. Heat aurait tout bonnement préféré que Sharon ne soit pas là, car elle n'avait aucune envie qu'elle l'accompagne et elle ne pouvait décemment pas non plus l'imposer aux Gars ou à Feller et Rhymer.

— Il faut que vous restiez pour garder le fort.

Bien que cela lui donnât mauvaise conscience de ne pas emmener son enquêtrice, Nikki savait que cette pensée ne la hanterait pas longtemps. D'ailleurs, Hinesburg pouvait se charger de certaines choses qui l'avanceraient.

— Commencez par appeler la police d'État. Dites-leur qu'on est en route pour Warburton Avenue, à Hastings, et qu'on a besoin de renfort. Donnez mon numéro de portable au responsable. J'assurerai la coordination depuis la voiture.

— Compris, dit Hinesburg, apparemment contente de se rendre utile. Et la police locale ?

Heat et les autres étaient déjà à la porte.

— Je les connais déjà et j'ai leurs coordonnées. Je m'en occupe dès que j'aurai informé la Sécurité intérieure.

— Qu'est-ce qu'il a fait, ce type, au fait ? s'enquit-elle.

— Rien encore, j'espère, fit Heat avant de tailler la route.

***

Ils prirent position à l'endroit où le sentier de randonnée longeait une colline boisée afin d'observer la propriété de Vazha Nikoladze en contrebas.

— Il nous reste environ une heure de clarté, annonça Ochoa.

Il se retourna vers la gauche pour indiquer les reflets faiblissants du soleil sur les parois de verre des gratte-ciel de Manhattan, à trente-cinq kilomètres en aval. À cette distance, il aurait aussi bien pu s'agir du pays d'Oz.

Sans prendre la peine de regarder, Heat resta concentrée sur la vision du domaine isolé que lui offraient ses jumelles. Elle scruta l'hybride bleu métallisé de Nikoladze, vide, dont l'avant était collé à la vieille clôture séparant le chemin de gravier de l'entrée du pré qui s'étendait à côté de la maison.

L'édifice victorien peint de frais ne présentait aucun signe de vie. Bien que tous les rideaux fussent ouverts, elle ne décelait pas le moindre mouvement, ni silhouette ni ombre. Et aucune lumière n'était allumée à l'intérieur.

Une légère brise agitait les pompons roses des rhododendrons bordant le chenil à droite du pré. Nikki n'avait jamais vu les chiens qu'il abritait, mais, lors de sa première visite, le mois précédent, elle avait rencontré le berger du Caucase que Vazha avait choisi pour remplacer sa glorieuse bête à concours soudain disparue.

À cet instant, elle se demanda à quelle tragédie inattendue le chien du biochimiste avait succombé et si l'expression qu'elle avait prise pour du chagrin sur le visage de Nikoladze n'était pas en fait un sentiment de culpabilité. Heat tendit l'oreille, mais aucun aboiement ne lui parvint, seulement le souffle du vent mêlé au fracas d'un train qui longeait l'Hudson en direction du nord, derrière les arbres, au fond de la prairie.

— Callan atterrit, annonça Heat en réglant le volume dans son oreillette.

Rook se tourna vers elle.

— Pourquoi on n'a pas pris l'hélico, nous ?

— M'enfin, on a mis à peine une demi-heure, rétorqua Feller. Et on les attend, les « pros » dans leur foutu hélico, au cas où vous n'auriez pas remarqué.

— Ce n'est pas tant monter à bord qui me fait vibrer. En fait, j'espérais juste pouvoir dire au moins une fois dans ma vie à quelqu'un : « Prépare l'hélico. »

— Ben, allez-y, ne vous gênez pas, suggéra Raley.

— Non, je ne peux pas.

— Mais si, allez-y, c'est l'occasion.

Rook réfléchit un instant.

— Prépare l'hélico.

— T'as qu'à croire, fit Raley.

Ochoa tendit le poing, et les deux équipiers échangèrent un geste de victoire.

— Les garçons ! les morigéna Heat.

— C'est pas grave, assura Rook. Je sais que vous ne me critiquez que parce que vous me voyez presque comme un flic.

— Si vous le dites, conclut Ochoa.

Ils descendirent retrouver les agents Callan et Bell sur la route, au détour d'un virage qui masquait leur présence à la propriété de Vazha. Callan salua l'équipe.

— Désolé pour le retard. On a dû se poser dans une réserve naturelle.

— Ils n'ont pas d'héliport, à Mayberry, expliqua Yardley Bell.

Nikki étala une carte sur le capot de sa voiture.

— Pas de problème. Ça nous a laissé le temps de nous organiser. En gros, on a la maîtrise de la zone. La police d'État a fermé cette route à la circulation entre Odell Avenue et le Yonkers Yacht Club. À l'ouest, il n'y a que la voie de chemin de fer et le fleuve. À l'est, ce sont des bois et il y a un sentier au sommet de la colline, où on a installé notre PC. L'inspecteur Feller est là-haut, il s'occupe de la surveillance.

— Vous l'avez vu ? s'enquit Callan.

— Aucun signe. Sa voiture est là, mais ça ne veut rien dire.

— Et au travail ? demanda l'agent Bell.

— On a vérifié. J'ai toute la coopération des forces de l'ordre locales, expliqua Nikki pour riposter à la remarque sur Mayberry. Ils ont conduit l'inspecteur Rhymer à l'institut, et il confirme que Nikoladze n'y est pas. Ils sont restés sur place au cas où il se pointerait et pour s'assurer qu'il ne reçoive aucun appel.

L'agent Callan approuva d'un hochement de tête.

— Très rigoureux... pour un local.

Il adressa un clin d'œil à Heat.

— Comment procède-t-on ? s'enquit-il.

Heat ouvrit le plan de l'enceinte qu'elle avait dessiné sur une feuille blanche de format A4. Au moment où elle sortait son marqueur pour flécher le parcours, Yardley Bell l'interrompit.

— Ici, ce sera sans doute mieux.

Elle déplia une large photo satellite en couleurs de la propriété.

— Elle a été prise ce midi.

Rook tenta de détendre l'atmosphère.

— Midi, hein ? Dans ce cas, mieux vaudrait peut-être se servir du plan de Nikki puisqu'il a été dessiné il y a dix minutes. Il sera plus à jour.

Ils prirent position sur la route, derrière les buissons à l'entrée du chemin de la maison ainsi qu'à certains endroits clés dans les bois, au nord et au sud du domaine.

À l'arrière, un autre contingent, composé d'agents de la police d'État et de policiers d'Hastings, couvrait les voies de chemin de fer derrière le bosquet de feuillus.

L'idée de Heat consistait à approcher à pied en peloton et en silence pour ménager l'effet de surprise, les véhicules étant là en renfort pour resserrer le périmètre. Elle fut rejetée non sans avoir d'abord été persiflée.

— Primo, inspecteur, à pied, on est beaucoup trop exposés, contesta Bell. La surprise risque de se produire à vos dépens.

— Ce serait rater une vache dans un couloir pour lui, s'il est armé, renchérit Callan, ébranlé.

Avant que Heat n'ait eu le temps de préciser les endroits où il était possible de se mettre à couvert et d'indiquer les angles morts de la maison qu'elle avait repérés, Yardley lui asséna le coup fatal :

— La doctrine de la domination rapide, ça vous dit quelque chose ? Elle a sa raison d'être… Ça marche. On inverse le plan, inspecteur. On charge avec les véhicules, puis on déploie les fantassins. Domination rapide.

Comme il l'avait fait toute la semaine, Callan laissa sa subordonnée empiéter sur ses plates-bandes.

— Va pour la domination rapide, conclut-il.

Au signal de Heat, ils lancèrent l'assaut. Moteurs rugissant, 4 x 4 et Crown Victoria démarrèrent dans une projection de gravier et remontèrent l'allée jusqu'à la maison sur les chapeaux de roue. Les portières s'ouvrirent brutalement et une marée de flics se déversa sur la pelouse littéralement labourée. À couvert derrière les véhicules, Heat, les Gars,

Callan et les autres se faufilèrent sur le côté de la maison, en longeant la pergola.

L'agent Bell procéda de même pour traverser le pré. Un 4 x 4 et deux voitures se ruèrent en direction du chenil, où ils déposèrent Bell et son équipe. C'est là que le plan échoua.

Dès que tous les véhicules furent entrés, les doubles portes du chenil s'ouvrirent brusquement et dix bergers du Caucase surgirent en aboyant. Ils se mirent à courir en cercle tout autour de l'enceinte.

Profitant de l'effet de surprise et de l'attention détournée, un quad démarra en trombe et bondit du bâtiment en direction des bois. Comme Bell et les autres agents brandissaient leurs armes, Heat se précipita en criant :

— Ne tirez pas ! Ne tirez pas !

Ils s'étaient mis d'accord avant : il leur fallait Vazha vivant.

Yardley Bell se décolla du mur du chenil, rengaina son arme et courut prendre le volant.

— Je m'en occupe ! lança-t-elle à Heat.

Nikki, encore à une vingtaine de mètres, lui répondit :

— Tout est bouclé, il n'ira pas loin.

Juste au moment où Heat rejoignait la voiture, Bell claqua sa portière et démarra en zigzag. Nikki, impuissante, la regarda remonter l'allée et foncer jusqu'à la route.

Rook avait assisté à toute la scène. Relégué à l'arrière-plan, il se relaxait sur un brancard à bord d'une ambulance lorsqu'il avait d'abord entendu les chiens, puis les cris distants de Nikki.

C'est ce qui l'avait fait descendre de son perchoir, juste à temps pour entendre, sur sa gauche, les crissements du quad écrasant du bois mort et le grondement de la voiture de police à ses trousses.

Le quad de Vazha surgit des taillis pour rejoindre Warburton Avenue. La première impression de Rook fut que le Géorgien lui paraissait tout petit, un gosse au volant de l'engin de son père. Brusquement, Nikoladze tourna la tête de son côté, mais pour regarder, en réalité, la voiture qui arrivait derrière lui. Sans doute aurait-il mieux fait de tenter sa chance à travers bois, mais il fila vers la route.

Dans un tourbillon de poussière, la Crown Victoria effectua un dérapage contrôlé devant Rook pour emboîter le pas à Nikoladze, puis elle se positionna à côté de lui et ralentit légèrement pour se caler sur son allure. Avant d'atteindre le virage où attendait un barrage surprise, l'agent Bell heurta l'arrière du quad et donna un brusque coup de volant pour effectuer une manœuvre d'interception connue de tous les policiers et amateurs de course-poursuite. Au volant d'une voiture, le fuyard aurait perdu le contrôle de son véhicule et fait un tête-à-queue avant de s'arrêter dans la direction opposée, mais il conduisait un quad.

L'engin tangua fortement, il faillit même se renverser, mais Nikoladze compensa par de frénétiques mouvements de volant et rétablit l'équilibre. Le quad corrigea sa course, puis rebondit si fort sur ses épais pneus qu'il partit en roue arrière. Cependant, jamais l'avant ne reprit contact avec le sol. Poursuivant sa course à la verticale, il se cabra jusqu'à passer par-dessus la tête du conducteur…

Les roues arrière décollèrent à leur tour… et le véhicule entier se retourna dans les airs. Incapable de se tenir, Vazha Nikoladze tomba le dos sur la chaussée.

Non seulement le quad lui atterrit dessus, mais il continua sa course folle et franchit son corps comme s'il s'agissait d'un vulgaire ralentisseur. Ses roues et ses essieux lui déchirèrent les vêtements et la peau au passage. L'engin finit par aller s'écraser dans les bois, le laissant agoniser dans une mare de sang, le crâne fendu et la cervelle éparpillée sur la chaussée.

***

Assise au volant de sa voiture, Nikki Heat changea de position. Le goutte-à-goutte de la rosée qui tombait à intervalles réguliers d'une branche d'arbre sur son pare-brise venait de la tirer du sommeil.

On aurait dit le tic-tac d'une horloge.

Pas encore tout à fait réveillée et déterminée à rester encore quelques minutes dans les limbes, elle plissa les yeux pour s'orienter.

Trois lampes de poche avançaient en ligne depuis le chenil de Nikoladze et balayaient les bois, perçant le brouillard cotonneux tombé sur Hastings-on-Hudson après minuit. Elle aperçut le flash de l'appareil photo d'un technicien de la scientifique par le chien-assis de la maison victorienne. Amplifié par la brume, il eut l'intensité d'un éclair.

Dans quelques instants, Heat reprendrait la fouille de la propriété de Vazha avec l'équipe de la Sécurité intérieure. Elle appuya sur le bouton HOME de son téléphone pour consulter l'heure. Comme elle s'était accordé quarante précieuses minutes pour faire un somme, il lui en restait vingt pour recharger ses batteries.

Là, au milieu d'un pré de la sombre vallée de l'Hudson, elle éprouvait une curieuse sensation de soulagement par rapport à l'affaire Arc-en-ciel. Normalement, la chasse au tueur en série relevait de la course contre la montre, car il fallait éviter le meurtre de la victime suivante. Comble de l'ironie, depuis qu'elle se savait justement à cette place, Heat pouvait faire une pause.

De toute manière, qu'y avait-il de mieux pour se sentir en sécurité qu'un regroupement de forces de l'ordre sur une scène de crime ? Nikki ne pouvait certes pas faire cela tous les soirs, mais, pour l'instant, le fait de ne pas rentrer à la maison ou de coller à ses habitudes la mettait dans une certaine mesure à l'abri.

Elle ferma les yeux pour se repasser la scène de la dispute qui l'avait opposée à Yardley Bell après la collision et elle se maudit d'avoir perdu son sang-froid. Sans doute était-ce dû à la fatigue ; compte tenu de ses horaires infernaux, du stress et de l'intense pression d'avoir à gérer deux affaires importantes en même temps, elle avait toutes les raisons d'être à cran. Mais non, Nikki s'en voulait de s'être emportée. C'est face à la réaction de Yardley, lorsque les ambulanciers avaient renoncé à ranimer Vazha, qu'elle avait pété un plomb, car l'agent Bell s'était contentée de se tourner vers Callan… et de hausser les épaules.

Certains disaient voir rouge. Heat avait vu un éclair blanc, semblable à l'étincelle électrique qui déclenchait la poudre de magnésium des premiers flashs photographiques. La colère et la frustration accumulées depuis qu'elle avait fait la connaissance de Yardley Bell au début de la semaine avaient fini par exploser. Nikki aurait certes pu être mieux inspirée que de lui crier en pleine figure : « Comment osez-vous ? » Cela avait libéré sa fureur retenue. Plusieurs heures plus tard, Heat revoyait encore l'expression de Bell et savourait le fait d'avoir imposé, au final, sa propre vision de la domination rapide.

Rook et les Gars devaient avoir eu peur qu'elle n'en vienne aux mains, car ils l'avaient saisie par les épaules pour la faire reculer de quelques mètres, ce qui ne l'avait pas empêchée de poursuivre ses invectives. Tout y était passé : la suffisance de Bell, qui avait interdit à Nikki de revenir parler à Vazha alors qu'il était un suspect légitime, le fait d'avoir gaspillé un temps précieux à vouloir arrêter Algernon Barrett alors que le véritable suspect – « un foutu biochimiste » – se trouvait juste là, sous leur nez.

— Et comme si ça ne suffisait pas, avait rouspété Nikki, il a fallu que vous vous en preniez à mon plan…

— Quand je vous disais que c'était une tactique de merde d'y aller à pied ! avait crié Bell en retour.

— Et comment appelez-vous le fait d'entrer avec tous les véhicules sans en laisser un seul pour établir le périmètre ?

— Une foutue voiture n'aurait servi à rien puisqu'il est parti à travers bois, inspecteur.

— C'est en effet ce que vous nous avez prouvé avec la vôtre quand il s'est agi de le prendre vivant, agent Bell.

— Oh ! je vous en prie.

— Par votre imprudence, vous avez causé la mort de la seule personne qui aurait pu nous dire comment arrêter ce complot terroriste. Vazha était à vingt mètres de notre barrage. Pourquoi ne pas l'avoir simplement laissé s'y engouffrer ?

— Parce que je ne laisse – et ne laisserai jamais – rien au hasard. Il a voulu jouer. Je l'ai fait tomber.

— Ça, c'est sûr. Et ça nous mène où ?

— C'est un peu facile de blâmer les autres ! Surtout quand on commence à croire qu'on est plus malin que les autres, comme on le raconte. Vous croyiez peut-être avoir tout compris, mais ce n'était pas le cas, et c'est pour cette raison que vous vous permettez de me manquer de respect. Heat, n'oubliez pas, tout enquêteur digne de ce nom sait qu'on ne dispose jamais de tous les éléments… Jamais. Il y a toujours des surprises. Des choses auxquelles on ne s'attendait pas. Ou qu'on ne croyait pas possibles. Priez plutôt pour que cela ne vous soit pas fatal.

Après s'être dégagée de l'emprise de ses protecteurs, Heat s'était éloignée pour se calmer.

Ne pouvant plus interroger leur principal suspect, les enquêteurs furent contraints et forcés d'en appeler à la scientifique pour redémarrer l'enquête.

La crème de la Sécurité intérieure arriva avec une caravane de camions blancs banalisés.

De peur qu'ils ne piétinent davantage d'indices qu'ils n'en recueillent, Callan indiqua la sortie aux membres de la police d'État et de la police locale.

De son côté, Heat libéra ses enquêteurs pour qu'ils retournent travailler sur l'affaire Arc-en-ciel. Certes, la catastrophe imminente d'une attaque bioterroriste massive avait tacitement éclipsé l'enquête sur le tueur en série, mais le danger n'était pas écarté. La mort était en chemin.

— Tu n'as pas besoin de rester non plus, dit-elle à Rook.

— Ça va aller ?

— Oui, ça va déjà mieux. Je me suis juste énervée. C'est fini, assura-t-elle. Déjà oublié.

Rook la scruta comme lui seul savait le faire, les yeux plongés dans les siens, remplis de cette tendresse attentionnée qui la revigorait tant.

— À vrai dire, dit-il, satisfait de ce qu'il avait vu, soit je reste ici à attendre dans une voiture, soit je passe la soirée à mon bureau à rassembler la documentation nécessaire pour un nouvel article que je pense soumettre lundi matin.

Du bout des doigts, il lui remit une mèche de cheveux en place.

— Car, croyez-le bien, inspecteur Heat, je suis certain que tout ira bien lundi matin.

En s'éloignant, il ne put toutefois résister à la tentation d'une remarque à la Rook :

— Enfin, pour ceux qui n'habitent pas sous le vent de New York. Il paraît qu'Edmonton est très agréable à cette époque de l'année.

Une armée d'experts en informatique et en biologie se joignit à leurs collègues de la Sécurité intérieure éparpillés à travers la maison et le chenil.

Ils fouillèrent partout à la recherche d'empreintes et d'indices matériels, épluchèrent les ordinateurs, relevèrent des échantillons d'agents biologiques et chimiques et prirent des photos. L'un d'eux fit même sauter le coffre encastré dans le sol du placard de la chambre principale.

— Au fait, le coffre est vide, rapporta Callan à Heat une fois que tout fut terminé.

Dans la chambre d'amis, où Nikoladze avait installé son bureau, il indiqua la poubelle à papier qui débordait sous la déchiqueteuse.

— La machine est encore chaude. Apparemment, le bon docteur a fait des confettis avant qu'on arrive.

— Vazha savait qu'on venait, dit Nikki.

— En tout cas, il en savait assez pour aller se cacher dans le chenil, dit Bell.

Certes, elle gardait ses distances depuis leur altercation, mais, en bonne professionnelle, elle savait calmer le jeu – ou du moins faire abstraction de ses différends personnels – pour le bien d'une mission.

— Peut-être nous avait-il repérés, peut-être a-t-il surpris un reflet de jumelles dans la colline, on ne sait jamais.

— Ou alors il avait la manie de tout déchiqueter, suggéra Callan.

— Mais les deux mis bout à bout, cela vous fait penser à quoi ? fit Heat.

— À continuer de chercher, dit Bell.

À sa grande surprise, la visite du chenil déstabilisa Heat. Les bergers du Caucase ayant tous été conduits dans un refuge des environs pour y être soignés et examinés, le long bâtiment vide aux murs vert pomme éclairé par des néons avait des airs de morgue. La pièce lui rappelait la salle d'autopsie B-23, à l'institut médicolégal, sauf qu'elle n'était pas en sous-sol. Il y avait seulement une cage, dans le coin le plus proche. Les chiens dormaient dans des enclos individuels alignés le long du mur est ; chacun était ceint d'une clôture arrivant à hauteur de taille, mais non couvert, pour une plus grande liberté de mouvement.

En arpentant la dépendance avec Callan et Bell, Heat eut le sombre sentiment de refaire le parcours que, selon l'hypothèse évoquée avec sa brigade, Nicole Bernardin avait dû avoir effectué. Un mois auparavant, l'espionne devait être venue fureter là seule un soir, à la recherche de preuves du terrible attentat fomenté par Tyler Wynn.

Et cela lui avait coûté la vie. Tout au bout, ils arrivèrent à un mur d'étagères remplies d'aliments pour chiens, de vitamines et de fournitures pour le toilettage. À côté, il y avait une porte. Elle ne figurait sur aucun des plans qu'ils s'étaient procurés et elle semblait mener à un sous-sol.

— Désolé, mesdames…, monsieur, fit l'homme en combinaison de protection blanche et masque à gaz. L'entrée est interdite sans combinaison.

— Toujours à dramatiser, vous autres, déclara Callan. Ce ne serait pas ce qu'on appelle un excès de prudence ?

— C'est plutôt ce qu'on appelle vous sauver la vie, monsieur. Nos hommes ont détecté la présence d'agents biologiques en bas.

— Je ne sais pas vous, dit Heat, mais moi je vote pour la combinaison.

Quelques minutes plus tard, après avoir enfilé leur équipement de protection, masque à gaz et bouteilles d'oxygène compris, ils descendirent l'escalier en métal pour rejoindre le sous-sol où le Dr Vazha Nikoladze, biochimiste de renommée internationale, transfuge soviétique et activiste pour la paix, s'était installé un laboratoire pour cultiver des agents biologiques à des fins terroristes. Un vrai repaire de méchant mal éclairé à la James Bond, songea Nikki.

En dimensions, il correspondait à celles du bâtiment au-dessus et abritait un laboratoire scientifique complet, avec ses éprouvettes et ses béchers, sa centrifugeuse, ses caissons vitrés munis de gants de sécurité intégrés sur le devant. Quatre unités de réfrigération high-tech présentaient des étiquettes collées sur les portes, mais, au lieu de photos d'enfants en tenue de sport ou de rappels de rendez-vous chez le dentiste comme sur la plupart des portes de frigo, il s'agissait d'étiquettes en latin.

Heat reconnut certains des noms qu'elle avait lus dans les documents du CDC : *Bacillus anthracis*, *Vibrio choleræ*, *Ricinus communis*, *Filoviridæ Ebola*, *Filoviridæ Marburg*, *Variola major*. Telles des sentinelles, des conteneurs cylindriques en inox hermétiquement scellés s'alignaient sur les étagères, chacun affublé de l'autocollant orange vif au symbole universel du danger biologique.

— J'adore les autocollants, fit Bell d'une voix étouffée par son masque. Comme s'il n'était pas au courant de ce qu'il manipulait.

— La question demeure, riposta Nikki. Pour qui manipulait-il ces produits ? Il faut qu'on les retrouve.

Heat et les deux agents abandonnèrent le sous-sol aux techniciens et à leurs relevés et remontèrent l'escalier, accablés par la pire des nouvelles : il y avait un trou dans la rangée de bidons ; seule demeurait une marque ronde sur l'étagère. Apparemment, l'un des conteneurs de soixante-quinze litres avait disparu.

À l'étage, un expert à genoux à l'intérieur de la cage les invita à le rejoindre.

— Cette cage a été récurée avec un solvant de laboratoire, puis lavée à grande eau, annonça-t-il en indiquant l'évacuation dans le sol. Ça va être coton pour relever l'ADN.

Puis, il se redressa et leur indiqua un endroit sur la paroi de la cage près de laquelle il brandit un instrument qui se révéla être un téléphone portable géant. L'écran plasma afficha une vidéo de la grille en extrême gros plan.

— Vous voyez ça ?

— Du sang ?

— Absolument. Et, à moins que l'un de ces chiens ne présente des dimensions hors normes, c'est probablement du sang humain. Je vais faire analyser un prélèvement.

— Nicole Bernardin avait la bonne taille, fit remarquer Heat. Et elle a reçu un coup de couteau dans le dos qui correspondrait.

— Je vois bien en effet quelqu'un reculer par là et laisser une trace, approuva le technicien. J'ai aussi ramassé des fibres. Vous avez les vêtements de votre victime ?

— Oui.

— Apportez-les-moi. Je pourrai vous donner une réponse demain matin.

***

Dans son demi-sommeil, Nikki crut que les gouttes de rosée avaient accéléré leur rythme sur son pare-brise jusqu'à ce qu'elle découvre, en ouvrant les yeux, que l'un des agents de la Sécurité intérieure frappait doucement à la vitre de sa portière.

— Désolé, inspecteur, je voulais éviter de vous réveiller en sursaut, expliqua-t-il lorsqu'elle descendit de voiture pour s'étirer le dos. On a fini par retrouver son téléphone portable.

Le sac renfermant le téléphone était posé sur la table du camping-car, entre les agents Callan et Bell. Après plus de quatre heures de quadrillage dans les bois, l'équipe armée de lampes de poche qui avait fait plisser les yeux à Heat pendant son somme l'avait repéré non loin du sentier par lequel Nikoladze avait tenté de s'échapper en quad.

— Je peux le voir ? demanda Heat.

Yardley Bell saisit le sachet en plastique par un coin et le tendit à Nikki.

— Oh ! On a vérifié auprès des douanes. Le professeur Tournesol s'est rendu trois fois en Russie cette année, annonça-t-elle pendant que Heat ouvrait le sac.

— C'est probablement là qu'il a eu accès à la variole ; il a dû la ramener en douce pour en poursuivre la culture ici.

Nikki brandit le téléphone.

— Quelqu'un aurait un stylet ? Je ne veux pas toucher l'écran.

Le petit génie assis à la console sortit le sien à la vitesse de l'éclair, tout content de lui. Tenant le téléphone de sa main gantée, Heat ouvrit la liste des appels récents.

— On vous a devancée, déclara Bell. Nikoladze a reçu un appel environ quarante-cinq minutes avant l'assaut. On cherche à localiser le numéro en ce moment même.

Nikki y jeta un œil avant de remettre le téléphone dans le sachet.

— Inutile. Je le connais. C'est le numéro d'un jetable. Le même qu'on a utilisé pour appeler Salena Kaye à l'agence de location de voitures.

Heat referma le zip du sachet, puis exprima les soupçons qu'elle nourrissait depuis l'explosion de la bombe chez Tyler Wynn.

— Quelqu'un renseigne nos coupables.

SEIZE

À son arrivée à la brigade, un peu avant 6 heures, Nikki eut la surprise de constater que Rook lui avait apporté des vêtements de rechange.

— J'avais envie de te voir combattre le crime aujourd'hui avec tes petites fesses moulées dans ce jean et ta veste en cuir brun, déclara-t-il. En revanche, aucune trace de tes bracelets de Wonder Woman chez moi ; alors, si tu te trouves dans une fusillade à l'arme automatique, il faudra t'en remettre à tes réflexes éclair.

— Merci, Rook, c'est gentil.

— Je me suis dit qu'après une nuit sur le terrain, tu aurais envie de te rafraîchir un peu. Oh ! Je t'ai apporté un café. Comme tu l'aimes : sans sucre, aromatisé à la strychnine.

Après s'être changée, Nikki lui relata les découvertes faites à Hastings-on-Hudson, en terminant par les fuites par téléphone. Bien qu'ils eussent la salle de briefing pour eux seuls, il baissa la voix :

— Ça craint carrément. Comment crois-tu que tous nos suspects soient renseignés ?

— La question n'est pas tant de savoir comment que par qui, Rook. D'ailleurs, j'y pensais en revenant : serait-ce trop demander que de savoir où en est ce fichu Puzzle Man ?

— Probablement toujours à déchiffrer le code.

— Probablement ?

— Entendu, je vais voir ce que je peux faire pour le stimuler.

Au fil des heures suivantes, Nikki fit le point sur l'affaire avec chacun de ses enquêteurs. Ce qu'ils lui relatèrent ne l'emplit pas de joie. Salena Kaye s'était volatilisée et Arc-en-ciel était devenu mystérieusement silencieux.

— Au moins, il n'a tué personne d'autre, constata l'inspecteur Malcolm.

— Vu que c'est Heat la suivante sur sa liste, je pense qu'on peut s'estimer heureux, ajouta Reynolds.

Rook croisa le regard de Nikki, et ils se rejoignirent dans la cuisine.

— Puzzle Man m'a servi le bon vieux : « J'allais justement vous appeler. » Peu importe. Il dit avoir peut-être réussi à s'approcher de quelque chose.

— Ah...

Nikki avait eu tellement de déceptions dernièrement que le scepticisme assombrissait son optimisme.

— Un indice ?

— Pas de révélations, je cite. Mais je lui ai forcé la main et il accepte de nous voir ce soir. À dix-neuf heures trente au café Gretchen.

— Génial.

— Sachant qu'avec lui, ce sera peut-être vingt et une heures. La seule chose que Puzzle Man semble ne pas parvenir à déchiffrer, c'est une pendule.

— Me voilà parfaitement confiante, dit-elle avant de l'abandonner, devant le micro-ondes, à ses flocons d'avoine instantanés.

De retour dans la salle de briefing, Heat hésita sur le seuil en voyant le visiteur assis à côté de son bureau.

— Agent Bell ?

— Bonjour. Même si on finit par avoir du mal à distinguer le jour de la nuit, non ?

Son sourire semblait sincère ; néanmoins, Nikki s'approcha avec circonspection.

— C'est vrai.

Heat s'autorisa un sourire neutre ; il n'y avait pas de mal à se montrer civile, histoire de voir où tout cela menait.

— Quoi de neuf ?

— Je vous ai apporté un gage de réconciliation.

Elle indiqua le portemanteau derrière Nikki où le blazer qu'elle avait confié pour analyse à la Sécurité intérieure était suspendu à un cintre.

— Détendez-vous, le labo certifie que ce n'est pas mortel.

— Merci.

— Tout comme le fil orange que vous nous aviez remis. Le test est négatif pour la variole.

Du coup, Heat se demanda encore une fois où elle avait bien pu être contaminée.

— J'ai aussi des nouvelles pour vous. On peut parler ?

Heat balaya du regard la salle pleine de flics au téléphone ou devant leur ordinateur et s'assit.

— C'est bon pour moi.

— Primo, la scientifique. Non seulement le labo nous accorde la priorité, mais nous sommes en mesure de procéder au traitement des données dans les camionnettes, sur place comme en transit.

L'agent Bell ne sortit aucun dossier, ni bloc-notes ni même un iPad. En revanche, elle levait de temps à autre les yeux juste au-dessus du front de Nikki, comme si elle lisait une liste de points dans les airs.

— Les empreintes. Outre celles de Nikoladze, on a trouvé celles de Tyler Wynn en bas, dans le labo. Ainsi qu'une appartenant à l'agent Bernardin.

Un sentiment de soulagement faussé envahit Nikki. Le fait de situer ces trois personnes dans ce sous-sol permettait certes de relier les éléments, mais il n'en demeurait pas moins inquiétant.

Bell passa au point suivant.

— La cage. Encore des empreintes : celles de Bernardin, de Salena Kaye, de ce flic pourri.

— Carter Damon ?

— Oui. Et de Petar Matic. On les a identifiés rapidement, car ils étaient tous dans la base de données.

Par habitude, Heat prit des notes. Bell patienta donc un instant.

— Pour le sang séché sur le mur, ça colle avec le groupe sanguin de Nicole Bernardin. On ne peut pas établir de correspondance exacte en raison du sabotage de ses analyses toxicologiques à l'institut médicolégal. Mais, comme les fibres concordent avec ses vêtements, on va pouvoir procéder à un test ADN, histoire de boucler la boucle.

Elle marqua une pause et leva les yeux.

— Oh ! On a aussi un retour positif pour le solvant de nettoyage qui a servi à la désinfecter.

Nikki repensa à la cage, à l'évacuation dans le sol et au terrible sort que Nicole Bernardin avait subi : mise en cage, tuée et baptisée au nettoyant par les suppôts de Satan.

— Nous avons donc la confirmation qu'elle a été assassinée là-bas. C'est bon à savoir, dit-elle. Malheureusement, cela ne nous avance pas à grand-chose.

— Pourtant, si : on a trouvé la même chose sur ses vêtements que sur votre blazer. La variole. Voilà, vous savez tout en ce qui concerne l'expertise judiciaire.

— Bien. J'apprécie beaucoup cette nouvelle approche.

L'agent Bell haussa les épaules.

— Nous sommes parties du mauvais pied dès le premier jour, vous et moi. La petite… altercation… d'hier soir m'a fait réfléchir. Voilà, j'aimerais juste qu'on arrive à coopérer sans conflit. Surtout au vu de mes derniers renseignements.

Elle vérifia le périmètre autour d'elle et baissa la voix.

— Selon ses dires, l'un de nos indics infiltrés dans une cellule terroriste djihadiste du New Jersey aurait été contacté en début de semaine par Salena Kaye.

— On aurait donc affaire à des extrémistes musulmans ?

— Pas nécessairement. Une autre source infiltrée lui a confirmé que mademoiselle Kaye faisait le tour de tous les groupuscules. En gros, elle cherche à recruter un martyr pour porter l'attaque.

— Elle en a trouvé un ?

— Je l'ignore. Tout ce qu'on sait, c'est que c'est pour samedi.

Nikki sentit un frisson lui parcourir le dos à l'idée que la fenêtre de tir se rétrécissait.

Le délai de deux ou trois jours dont ils disposaient pour stopper cette calamité venait de se voir ratiboisé. Heat et Bell se regardèrent fixement, l'une encaissant les conséquences alarmantes de ce que l'autre avait déjà digéré.

— Excusez-moi, mesdames.

Le capitaine Irons se tenait à côté d'elles.

— Heat ? Dans mon bureau.

Une fois dans l'aquarium, le chef du poste ferma la porte.

— Savez-vous ce que c'est que de rester assis à regarder le monde s'agiter autour de vous sans pouvoir participer ?

Ne sentant guère d'empathie pour son patron, surtout en cet instant, Heat ne pipa mot.

Elle attendait juste que Wally en vienne au fait pour pouvoir retourner travailler.

— Je reste parfois assis là à regarder autour de moi et… Enfin, c'est dur de regarder passer le train. Bref, je me disais que vous pourriez peut-être me confier quelque chose pour vous aider.

Elle réfléchit quelques secondes.

— Les monte-en-l'air. Celui qui s'est glissé chez moi l'autre soir savait comment entrer et sortir sans laisser de traces.

— Vous voulez que je vérifie les monte-en-l'air dans la base de données ?

— Oui. Voyez qui est sorti de prison, toute forme d'activité récente, spécialement dans les quartiers où les victimes habitaient ou dans lesquels elles ont été retrouvées.

À ces mots, le visage de son supérieur s'éclaira. Heat aurait apprécié cette réaction s'il s'était agi de quelqu'un d'autre.

— C'est comme si c'était fait, assura-t-il tandis qu'elle repartait.

À son retour, Yardley Bell n'était plus à son bureau. Cependant, elle l'aperçut à l'autre bout de la salle, debout devant son tableau blanc consacré à Tyler Wynn-Salena Kaye, qu'elle étudiait. Rook, remuant son porridge et enveloppé d'effluves de cannelle artificielle, arriva derrière Nikki.

— Hé ! Regardez qui voilà.

Puis, il plissa le front.

— J'espère que vous n'avez pas rendez-vous pour un duel ou un truc du genre, vous deux.

— Non, on a plus ou moins enterré la hache de guerre. Mais, tu sais, ça ne me plaît quand même pas trop de la voir traîner dans le coin, à fourrer son nez dans nos tableaux, à regarder par-dessus nos épaules.

— Tu lui en veux toujours ?

— Pas du tout…, enfin…, pas trop. C'est juste que sa présence me met mal à l'aise. Là. Maintenant. Tu crois que tu pourrais… ?

— Ça marche.

Il fit quelques pas, puis rebroussa chemin.

— Tu es sûre que ça ne te dérange pas que je… ?

— Vas-y.

Avec des sentiments mitigés, Nikki regagna son bureau en regardant Rook flirter avec son ex.

— Dites-moi, agent Bell, ça vous dirait un solide petit-déjeuner ? Je pourrais vous concocter une de ces petites merveilles en un tour de main. Hum. Bon, le porridge instantané n'est peut-être pas aussi mémorable que le pain perdu au Charbon Rouge, mais c'est quand même beaucoup mieux que ces horribles tourtes au mouton pleines de gras qu'on nous faisait avaler en Tchétchénie.

— Alors, comment avance ce nouvel article ? demanda Yardley tandis qu'ils se dirigeaient vers la sortie en gloussant. J'ai vu sur Twitter qu'Hollywood te faisait des propositions…

Heat parcourut du regard le tableau blanc pour voir s'il y figurait quoi que ce soit qu'elle n'avait pas transmis à la Sécurité intérieure, car elle ne souhaitait pas se voir accusée de rétention d'information. Satisfaite, elle décida de faire le point avec Ochoa. Un peu plus tôt, elle l'avait chargé d'appeler la banque émettrice de la carte bancaire dont Salena Kaye avait voulu se servir pour louer son camion. Depuis, il examinait les comptes de Kaye, vérifiait ses dépenses afin de la pister grâce à ses achats ou de trouver un autre indice au plus vite, car l'attaque terroriste approchait.

L'inspecteur Ochoa remit à Heat une impression de l'historique de la carte bancaire.

— J'ai entendu Rook et cette poulette de la Sécurité intérieure. Bon sang, qu'est-ce qui ne tourne pas rond dans ma vie ? Ça fait huit ans que je bosse comme un dingue pour des clopinettes, que des pauvres types me dégueulent sur les chaussures et que je me fais tirer dessus... et il suffit à un journaliste de pointer son nez ici pendant quelques mois pour que George Clooney lui envoie des paniers gourmands.

— Vous vous rendez compte que vous parlez de mon petit ami ?

— Désolé, c'était maladroit. Je réfléchissais tout haut.

Heat allait ouvrir le dossier, mais elle le referma.

— George Clooney a envoyé un panier gourmand à Rook ?

— Des fruits. Il ne vous a rien dit ?

Nikki se plongea dans le dossier et changea de sujet.

— Ça a donné quoi à la banque de Salena Kaye ?

— Elle a pris cette carte à débit immédiat il y a deux mois, sous son faux nom, et versé du liquide sur le compte correspondant. D'après le banquier, c'est pratique courante en ce moment, vu l'état de l'économie. La seule dépense qu'elle ait faite, c'est pour cette location de camion. J'ai vérifié l'adresse de facturation. C'est celle d'un vague comptable, en Virginie. En gros, c'est juste une boîte aux lettres.

— Une impasse ? demanda Heat, en refermant le dossier.

— Je passe à la suite, déclara-t-il en repartant vers le central des Gars.

Aller de l'avant, c'est tout ce qu'un enquêteur pouvait faire. Surtout face à un mur, il fallait continuer d'avancer jusqu'à ce qu'on découvre une brèche. C'est dans cet esprit que Heat décrocha son téléphone pour appeler Benigno De-Jesus.

— Inspecteur, comment allez-vous ce matin ? s'enquit-il d'un ton enjoué.

— Je vais droit aux éléments judiciaires.

Nikki demanda alors un résumé des relevés effectués à la planque de Salena Kaye. Il lui fallut faire un effort pour ne pas oublier qu'il s'était écoulé moins de vingt-quatre heures. C'était le prix à payer lorsqu'on enchaînait la journée après une nuit passée en pure perte loin du poste.

— Je viens d'avoir la confirmation du labo, indiqua l'expert. Les éléments de bombe concordent avec ceux de Sutton Place, chez Tyler Wynn. Et je suppose que vous êtes maintenant au courant qu'il n'y avait aucune trace d'agent biologique dans sa chambre.

— Oui, c'est ce que m'a dit la Sécurité intérieure. Si je vous appelle, c'est que je croisais les doigts pour que vous ayez trouvé quelque chose qui pourrait me remettre sur sa piste.

— Vous voulez dire un ticket de bus avec une adresse marquée dessus au rouge à lèvres ? gloussa-t-il. Un formulaire de transfert de courrier peut-être ?

— Non, hein ?

— Désolé de vous décevoir, inspecteur. Elle menait une vie monacale et n'a laissé aucun papier derrière elle. Pas la moindre addition de restaurant. À en croire sa poubelle, elle ne mangeait que des plats réchauffés aux micro-ondes et ne buvait que des boissons protéinées. Et, vous me connaissez, j'ai tout vérifié. Jusqu'à la benne où elle jetait ses sacs dans la rue.

— Oui, Benigno, je vous connais, dit-elle, incapable de masquer sa déception. Merci quand même.

— Pas de problème. Au fait, vous avez trouvé votre iPad ? Je l'ai laissé sur le comptoir, dans votre cuisine.

— Mon iPad ?

— Oui. Quand mon équipe s'est occupée de votre appartement hier, j'ai trouvé votre tablette sous le lit. J'ai oublié de vous signaler que je l'avais déposée dans la cuisine, mais je pensais que vous l'auriez vue.

— Je ne suis pas encore rentrée, déclara Nikki.

Comme Rook revenait dans la salle de briefing, elle demanda à DeJesus de patienter un instant.

— Rook, tu n'aurais pas laissé ton iPad chez moi ?

Il ouvrit sa sacoche et en sortit sa propre tablette. Heat retira sa main du micro du combiné.

— Benigno, je n'ai pas d'iPad et ce n'est pas celui de Rook.

Moins d'une heure plus tard, la tablette arriva sur le bureau de Heat, livrée dans un sachet scellé par un coursier de la scientifique après que le concierge de Nikki eut laissé Benigno entrer chez elle pour le récupérer. L'inspecteur De-Jesus l'ayant informée qu'il avait déjà relevé les empreintes, elle n'avait pas besoin d'enfiler des gants.

Lorsqu'elle alluma l'iPad, l'écran afficha une photo de Joe Flynn souriant à la barre de son voilier, avec la statue de la Liberté en toile de fond. Rook et le reste de la brigade réunis autour d'elle émirent un soupir collectif à l'idée, sinistre, que la tablette avait été laissée là par Arc-en-ciel lors de sa visite nocturne à Gramercy Park.

— En tout cas, c'est un progrès, commenta Randall Feller. On a retrouvé l'iPad de Flynn.

Heat géra son malaise en restant analytique, son instinct de flic lui soufflant que cette forme d'intimidation pouvait se transformer en piste si elle gardait la tête froide et la remontait jusqu'au bout.

— Pourquoi ? Quel est le message à votre avis ?

Elle se retourna vers ses enquêteurs qui approchaient leurs sièges pour cette réunion improvisée. Ou peut-être juste pour former un cercle autour d'elle.

— Le fil sur l'oreiller, c'était pour me démontrer ma position de faiblesse face à son pouvoir. Mais là, il n'en fait pas un peu trop ?

— C'est un obsédé, c'est tout, dit Malcolm.

— Et tu crois nous faire avancer, avec ça ? le tança son équipier, Reynolds, irrité. Pas moi. Restons curieux.

— Moi, il y a un truc qui me titille, intervint Raley. Je me demande toujours ce qui branche les autres. Ce qu'ils ont consulté sur Internet. Vous permettez ? Heat lui tendit l'iPad. Sur Google, il découvrit toute une série de recherches concernant Jameson Rook.

Ochoa se tourna vers lui.

— Ce Joe Flynn, c'est un admirateur ou un harceleur ?

Raley tapota l'écran à plusieurs reprises.

— Ni l'un ni l'autre. Toutes ces recherches ont eu lieu après la disparition et/ou la mort de Flynn.

— Où ont-elles été effectuées ? demanda Rook.

— Essentiellement sur le site de *FirstPress*, votre compte Twitter et…, voyons…, dernièrement, votre page Facebook.

Après avoir pianoté quelques instants, il fit apparaître une photo.

— Ça vous dit quelque chose ?

Le groupe se pencha un peu plus près et il s'ensuivit un concert de gémissements, de sifflets et de hurlements de loups.

— À moi, oui, déclara Heat. C'est notre célébrité qui se prend lui-même en photo en compagnie de bimbos qu'il tient à faire passer pour des fans.

— Tu ne vas quand même pas me reprocher d'avoir du succès ? fit Rook en feignant d'être blessé.

Nikki sourit en coin à la vue de la femme en tenue léopard et au décolleté ravageur stratégiquement collée au bras de Rook.

— J'étais là quand celle-ci a été prise. C'était devant la pizzeria où Roy Conklin a été retrouvé.

— Autrement dit, la première victime d'Arc-en-ciel, observa Malcolm.

Puis, pour se venger gentiment de son équipier, il ajouta :

— Pour rester curieux, si Arc-en-ciel avait cet iPad, pourquoi chercher cette photo ?

L'inspecteur Ochoa vit quelque chose et prit la tablette des mains de Raley pour y regarder de plus près.

— Oh ! oh ! Regardez là.

Ochoa zooma, recadra la photo, puis brandit l'écran pour le montrer à Heat.

Le gros plan était centré sur un visage dans la foule. Un torturé solitaire, à en juger par son air mal luné. La seule personne qui n'acclamait pas ou n'agitait pas la main pour la photo. Au lieu de cela, Glen Windsor regardait droit l'objectif d'un air de mépris amusé. Heat eut l'impression que le serrurier la regardait, elle.

Parce que c'était le cas.

***

La salle de la brigade déjà bien animée connut une recrudescence d'activité. Heat envoya Malcolm et Reynolds réunir une patrouille pour surveiller la serrurerie Windsor, et faire ainsi d'une pierre deux coups puisque Glen Windsor habitait au-dessus de son échoppe. Ils avaient pour ordre de le garder à l'œil le temps que Heat se procure un mandat.

Elle se demanda comment la chose avait pu leur échapper. La procédure habituelle dans une enquête criminelle voulait que la police prenne la foule en photo afin d'y déceler d'éventuels suspects ou visages connus. Cessant de se mordre les doigts de ne pas avoir repéré Windsor, qu'elle aurait certainement reconnu puisqu'il était le seul à avoir survécu à Arc-en-ciel, Nikki chargea Rhymer et Feller d'aller chercher les photos de badauds prises par la scientifique pour les quatre victimes d'Arc-en-ciel : Roy Conklin, Maxine Berkowitz, Douglas Sandmann et Joe Flynn.

Avec l'ensemble de la brigade, Heat et Rook se répartirent les clichés des experts et se plongèrent dedans, chacun sur son écran.

Après examen minutieux de chacun des attroupements sur les quatre scènes de crime, tous arrivèrent à la même conclusion : Glen Windsor n'apparaissait nulle part.

— Je ne comprends pas, dit Rook. Pourquoi est-il sur ma photo et sur aucune des autres.

— Parce qu'il n'est pas idiot, rétorqua Feller. Il a su esquiver le photographe officiel de la police.

— Vous avez raison, dit Heat. On ne l'a pas repéré avant parce qu'il ne le voulait pas. Pas tant qu'il aurait décidé qu'on trouve ça.

Elle brandit l'iPad avec la photo prise par Rook.

L'inspecteur Rhymer étudia de nouveau le portrait d'Arc-en-ciel.

— Effroyable, il est comme ces pyromanes qui se mêlent à la foule parce que ça les excite d'assister à l'incendie.

— Sauf qu'il n'a pas l'air excité, objecta Ochoa. Il a l'air…

— … provocateur, fit Heat.

— Windsor vous nargue, c'est sûr, convint Raley.

— Comme sur le bateau de Joe Flynn, renchérit Rook.

— Avec le fil orange menant à ma photo ? Mouais, je vois.

— Non, je parle de la chaussette dépareillée.

Rook entreprit de faire les cent pas afin de mieux canaliser son énergie.

— Tu te souviens, on a tous dit qu'Arc-en-ciel se moquait de ce qu'on disait de toi dans l'article ? Ce n'était pas uniquement pour se moquer qu'il a affublé Joe Flynn de chaussettes dépareillées, Nikki, c'était pour te donner un indice.

— Bon sang, mais c'est bien sûr ! s'exclama Raley.

— De toutes les victimes d'Arc-en-ciel, quelle est la chaussette dépareillée ?

Heat s'en voulut de ne pas l'avoir vu plus tôt elle-même.

— C'est la seule qui ne soit pas morte.

— Le gars nous a monté un pipeau, dit Ochoa. Il a laissé le gaz dans sa boutique juste le temps de faire croire qu'il avait été attaqué par Arc-en-ciel. Il avait probablement laissé la porte de derrière ouverte pour ne pas s'asphyxier. Et pour faire croire à la fuite d'Arc-en-ciel.

— Et comment expliquez-vous le fil et l'indice sur le toit. Déposés à l'avance ? demanda Rhymer.

— À coup sûr, dit Heat en se levant et en ajustant son étui. On n'obtiendra sans doute pas de mandat sur la base de sa simple présence dans la foule, mais amenez-moi Glen Windsor. Peut-être qu'il nous laissera prendre une photo avec lui.

***

Le temps que l'inspecteur Heat et les autres arrivent, Malcolm et Reynolds avaient fait boucler le quartier entre la 77e Rue et Amsterdam Avenue. Des équipes de surveillance et des renforts pour une éventuelle poursuite couvraient tous les accès à l'avant et à l'arrière, y compris aux deux extrémités de la ruelle.

Ils avaient alerté la police scolaire qui, par mesure de précaution, avait fermé l'école voisine et évacué le square de ses nounous et des bambins à leur charge, ainsi que quelques sans-abri et deux amoureux.

Des agents patrouillaient sur le toit de l'immeuble où Windsor avait son appartement, d'autres attendaient dans la cage d'escalier et devant sa fenêtre de chambre, au deuxième étage de l'escalier de secours. Pour faire bonne mesure, un tireur d'élite de la police de New York avait pris position au sommet de l'immeuble abritant la salle de sport Equinox, de l'autre côté de l'avenue.

Un camion de la brigade d'intervention se gara dans la 78e Rue, derrière Heat et son groupe, et déversa une unité toute de noir vêtue. Nikki se fit la réflexion qu'elle fréquentait décidément beaucoup ces braves gens dernièrement.

Une équipe de surveillance dotée de puissantes lunettes, cachée de l'autre côté d'Amsterdam Avenue, ne signalait aucun mouvement ni activité dans la serrurerie. Les planches de contre-plaqué posées sur l'une des vitrines que Heat et Ochoa avaient brisées lors de leur faux sauvetage de Windsor limitaient le champ de vision, mais, au bout d'une demi-heure, rien n'avait bougé et personne n'était entré ni sorti. Le concierge, jaloux de son territoire et fouineur, disait avoir vu Windsor partir de chez lui à la première heure le matin sans qu'il soit revenu. Par acquit de conscience, Heat demanda à Rhymer d'appeler le numéro de la boutique. Au bout de plusieurs sonneries, il fut basculé sur la messagerie.

— On se la joue comment, coach ? demanda Malcolm.

Heat enfila son gilet pare-balles.

— Les Gars, prenez Rhymer et Feller avec vous et montez à l'appartement ; vous entrerez à mon signal. Les autres, suivez-moi. On se charge du magasin.

Ils prirent position et, au signal radio de Heat, s'avancèrent au pas de gymnastique vers la porte d'entrée. Flanquée de deux officiers de la brigade d'intervention, Nikki prit la tête des opérations. S'exposant au danger durant cinq secondes critiques environ, elle fonça vers la porte vitrée pour l'ouvrir.

Son cœur s'arrêta de battre.

Une grenade était tombée de la poignée intérieure et roulait sur le lino à ses pieds.

***

— Grenade ! cria Heat avant de bondir en arrière vers le trottoir, où ses deux compagnons du SWAT en tenues tactiques la couvrirent de leurs corps pour la protéger.

Durant l'éternité que dura son attente de l'explosion, Heat entendit au ralenti le bruit lourd du métal au contact du sol et visualisa le tourbillon de l'ovale quadrillé vert devant elle. Nikki repensa à la mort des précédentes victimes d'Arc-en-ciel, toutes attirées dans une embuscade. Soudain, elle comprit la présence de l'iPad.

Le temps se remit en marche sans que la détonation se produise.

L'officier tactique se hâta de déployer les boucliers de protection derrière lesquels Heat et les autres se réfugièrent.

Toujours pas d'explosion.

L'équipe de déminage arriva avec des hommes en tenue lourde et un camion de déblayage blindé. Un robot fut envoyé récupérer la grenade. Après examen, elle se révéla être un simple gadget, le genre de souvenir qu'on pouvait trouver dans un magasin de farces et attrapes ou comme presse-papier sur le bureau d'un cadre supérieur.

L'équipe des Gars avait dégagé l'appartement de Glen Windsor sans encombre et sans y trouver d'occupant. Une fois que les détecteurs eurent été passés partout et que les chiens de l'équipe de déminage eurent reniflé la serrurerie, Heat et son équipe entrèrent, sachant pertinemment qu'ils n'y trouveraient pas non plus trace d'Arc-en-ciel.

Il avait cependant laissé quelque chose pour Heat sur le comptoir en verre, à côté de la caisse : le disque dur de sa caméra d'appartement. Il était ficelé de toutes parts aux couleurs de l'arc-en-ciel.

***

Après toutes les photos qu'elle avait regardées ce jour-là, Heat aurait aimé prendre celle du capitaine Irons lorsqu'elle lui annonça avoir lancé un avis de recherche contre Arc-en-ciel. La joie de Wally face à ce tournant de l'affaire disparut brusquement lorsqu'il apprit que le suspect n'était autre que Glen Windsor, celui-là même avec lequel il s'était prêté à une séance photo lors de sa conférence de presse à l'hôpital Roosevelt.

Son portrait en une du *New York Ledger* montrait Iron Man souriant de toutes ses dents, le bras autour des épaules de la victime rescapée. Le journal était encore posé, comme par hasard, sur son bureau, au cas où un visiteur le remarquerait et demanderait de plus amples explications.

Il atterrit à grand bruit dans la poubelle du capitaine alors que Heat regagnait la salle de briefing.

Rook vint la rejoindre à son bureau.

— Félicitations, dit-il. Tu l'as eu. Tu as identifié Arc-en-ciel.

— Félicitations ? Rook, je l'ai seulement identifié parce qu'il le voulait bien. Et n'oublions pas qu'il est toujours en vadrouille quelque part et qu'il veut me tuer. Personnellement, je garderais le champagne au frais jusqu'à ce qu'on le coffre.

— Pour voir les choses du bon côté, tu viens de m'économiser une bouteille de Cristal à trois cents dollars, commenta Rook.

— Peut-être pour le bain. Je pensais plutôt à quelque chose comme un magnum de 2005. Il t'en coûtera dans les quinze cents.

— D'où un flic peut-il donc connaître ce genre de luxe ?

— Moi aussi, je patrouille avec quelqu'un, tu sais.

— Et comment !

Il arbora un large sourire idiot, puis remarqua sur son bureau la version papier de la photo de Glen Windsor tirée de l'iPad.

— J'ai réfléchi à ce type. Serrurier... Le boulot parfait pour entrer partout, hein ? Je parie que c'est comme ça qu'il est entré chez toi, en fait. Ces traces de pied-de-biche sur la fenêtre, c'était juste de la poudre aux yeux. En plus, il installe des systèmes de sécurité. Ce qui explique sans doute pourquoi aucune des caméras de surveillance ne fonctionnait chaque fois qu'il a frappé.

— Oui, j'y ai réfléchi aussi, crois-moi.

— C'est parfaitement logique, avec le recul.

— Le recul.

Nikki laissa tomber la tête et gémit.

— Avec le recul, on s'en donnerait des coups de pied aux fesses.

— Je n'ai rien vu, non plus ! Mais bon, je suis juste un scribouillard, pas un enquêteur diplômé de la criminelle.

— Petit malin.

D'un coup, elle fit tourner la sacoche Coach qu'il portait en bandoulière.

— Où tu vas, comme ça ?

— C'est pour le magazine. D'accord, bon, j'ai un autre

déjeuner pour une option. Je ne voulais pas te balancer ça en pleine figure.

Nikki se mit à renifler, le nez en l'air.

— Quoi ?

— C'est l'ananas que je sens ? La fraise trempée dans le chocolat ? Dis-moi, Rook, la composition de George Clooney aurait-elle plus de goût que celles que j'achète au supermarché ?

— Non seulement ça, admit-il, mais le kiwi de Clooney a quelque chose de très particulier. Une bouchée, et je sens que je peux changer le monde. En beauté, qui plus est.

Sur ce, il haussa les sourcils et s'en alla.

L'inspecteur Feller fit pivoter sa chaise vers Nikki.

— Petit point sur Glen Windsor : la circulation vient de localiser son camion de serrurier ; il est garé à une rue de sa boutique. Le labo le passe au peigne fin.

— Bien, merci.

Elle se rappela les façons de faire d'Arc-en-ciel.

— Randall, vérifiez si d'autres véhicules sont enregistrés à son nom, dans d'autres États. Commencez par le Connecticut et Rhode Island.

— Allô, ici le roi de tous les moyens de surveillance, fit l'inspecteur Raley au téléphone.

Heat sourit au son de sa voix.

— Vous êtes dans votre royaume ? C'est pour ça que je ne vous vois pas à votre bureau ?

— Eh bien, venez ! lança-t-il avant de raccrocher.

L'inspecteur Feller intercepta sa supérieure alors qu'elle allait rejoindre Raley au centre de visionnage.

— Vous aviez raison. J'ai un véhicule au nom de Glen Windsor dans le Connecticut.

Il lui tendit le fax du service des immatriculations, dont la lecture lui fit froncer les sourcils.

— Quoi ? demanda-t-il.

— Je ne sais pas.

Quelque chose l'ennuyait, mais elle avait la tête tellement farcie qu'elle n'arrivait plus à mettre le doigt dessus.

Heat rendit le document à Feller et lui demanda de joindre l'information à l'avis de recherche contre Windsor.

Nikki pénétra alors dans l'antre de Raley et pointa du doigt la couronne en carton qui coiffait son moniteur.

— Si vous voulez conserver cet attribut, ramené spécialement pour vous par mes soins de chez Burger King, vous avez intérêt à me montrer du lourd.

— Ça vaut des points. J'ai finalement réussi à visionner toutes les images de la vidéosurveillance du Coney Crest. Mon vieux, on voit de ces tarés, commenta-t-il avec un frisson théâtral qui la fit rire. Deux petites choses à noter. Aucun signe de nos suspects mis à part Salena Kaye à son arrivée, puis montant et descendant l'escalier à plusieurs reprises. C'est en gros tout ce qu'on a.

D'un clic de souris, il mit en marche une vidéo au grain épais. L'écran se divisa en deux, et la vue du plafond du bureau de la direction s'afficha à droite ; à gauche, un escalier extérieur en métal et galets menait du deuxième étage au rez-de-chaussée derrière le hall d'accueil. Très vite une paire de jambes descendit les marches. Dès que le visage de Kaye fut dans le cadre, lorsqu'elle fut arrivée sur le palier, à côté du distributeur de glace, Raley mit la vidéo sur pause.

— J'en ai des kilomètres comme ça, y compris pour le trajet inverse. Elle va, elle vient. Il n'y a pas de quoi crier venez voir.

— Il n'y a pas d'autres caméras, à part celle de la direction ?

— Non. Et, comme vous le voyez, le cadre n'est pas assez large pour prendre le deuxième étage ou la porte de la 210. Ça sert juste au gérant à vérifier les allées et venues entre deux bouffées de pipe à eau.

— Compris. Merci, Sean.

— Encore une chose. Vous m'avez demandé de vérifier si l'inspecteur Hinesburg s'était bien pointée pour interroger la direction. C'est le cas.

D'un clic de souris, il réveilla son second moniteur, puis chargea une nouvelle vidéo en écran divisé.

— Si vous permettez, dit-il, la séance a été longue et j'ai ingurgité des litres de café.

— Envoyez, mon roi, je suis prête.

L'inspecteur Raley démarra le fichier en double-cliquant sur l'icône et se précipita vers la sortie. Sa chaise de bureau n'était pas la plus confortable, mais, après la matinée et la nuit qu'elle venait de passer, Nikki s'affala dedans et se prélassa devant les images qui montraient l'inspecteur Hinesburg se présentant à l'accueil du motel et parlant au gérant. La caméra était positionnée derrière le comptoir, et il n'y avait pas de son, évidemment.

Heat dut donc se contenter d'une Hinesburg version cinéma muet et de la nuque de son interlocuteur. En fait, Heat aurait aimé pouvoir lire sur son visage s'il avait menti au sujet de la présence de Salena Kaye dans son établissement.

Nikki se demanda comment Raley avait pu endurer ce pensum. Contente de constater que sa tête de linotte d'enquêtrice avait fait ce qu'on lui avait dit, Nikki regarda le reste de la vidéo au cas où le gérant se tournerait vers la caméra, puis elle cliqua sur la vidéo de l'autre moniteur qui lui montra d'autres allées et venues de Salena Kaye tout au long de la semaine.

Elle trouva l'icône pour accélérer la vitesse au maximum et, très vite, les gens se mirent à monter et descendre l'escalier comme dans un film de Charlie Chaplin. Elle conclut que ce devait être ce genre d'idioties qui permettait à Raley de rompre la monotonie de sa tâche.

Quelque chose attira alors l'attention de Heat, qui se dressa aussitôt sur son séant. Elle chercha précipitamment la souris pour interrompre la vidéo et la regarder de nouveau, attentive au moindre plan.

Lorsque Raley revint des toilettes, une minute plus tard, elle avait refermé tous les fichiers. Les deux écrans étaient noirs.

— Vous avez trouvé ce que vous cherchiez ? s'enquit-il.

— Et probablement plus.

Elle s'arrêta à la porte.

— Raley, sauvegardez toutes ces vidéos, compris ? On n'efface rien, et rien ne sort d'ici.

— Euh…, oui, bien sûr. Tout va bien ?

— Et n'oubliez pas : ça reste entre nous. On n'a jamais rien visionné de tout ceci, c'est clair ?

— Bien sûr, mais…

Il ne put achever sa question. Elle était déjà partie.

***

Heat sentait sa cervelle bouillonner. Elle fonça dehors juste pour satisfaire un besoin de bouger. Sans se rendre nulle part, elle se contenta de faire des allers et retours dans la 82e Rue devant le poste, esquivant les fumeurs sur le trottoir et cherchant l'air frais pour s'éclaircir les idées.

Ce qu'elle venait de voir sur cette vidéo de sécurité n'était peut-être que fortuit, mais pour le jury, dans sa tête, c'était suffisant. Néanmoins, il allait lui falloir davantage de munitions.

Voilà que Heat avait un autre dangereux secret à garder. Or, le temps venant à manquer, il lui fallait un plan.

Sharon Hinesburg interrompit sa concentration.

— Nikki ?

Elle avait la voix tendue. Heat fit un petit effort pour s'éclaircir l'esprit et se tourna vers sa subordonnée qui se tenait sur le perron du poste.

— Téléphone. Une femme qui affirme être Salena Kaye.

DIX-SEPT

Heat traversa le hall au pas de course, passa devant le sergent de service, puis le bruit du déverrouillage de la porte blindée lui fit l'effet d'un starting-block. Elle poussa la barre, ouvrit la porte d'un geste brusque et se mit à courir jusqu'à la salle de la brigade. Sur ses talons, Hinesburg essayait de ne pas se laisser distancer.

— Je ne suis pas du tout sûre que ce soit elle.

— Que vous a-t-elle dit, exactement ? demanda Nikki.

— Je ne lui ai pas parlé directement, avoua Sharon. C'est le standard qui l'a transférée. Mais vous vous souvenez de ce type qui a appelé l'autre jour pour un tuyau…

— Oui, très bien.

— Je ne voulais pas foirer encore une fois.

— Bien.

— C'est pour ça que je suis venue vous chercher.

— Vous avez localisé l'appel ?

— Le standard s'en occupe.

Lisant quelque chose dans le regard de Heat, elle insista :

— Je vous assure. Pourquoi me regardez-vous comme ça ?

Lorsqu'elles arrivèrent dans la salle, elle était déserte ; tous les autres enquêteurs étaient partis en mission. Hinesburg indiqua du doigt le bureau de Nikki.

— C'est la ligne qui clignote.

Heat tendit le bras pour décrocher, puis hésita. Elle prit quelques secondes pour calmer les battements de son cœur et se concentra. Allons, Nikki, songea-t-elle, ce n'est pas le moment de tout bâcler. Prête, elle se retourna vers Hinesburg.

— L'appel est enregistré ?

— Normalement.

— « Normalement... » Mais réellement ?

— Tout est prêt.

Hinesburg se pencha sur la petite boîte de raccordement branchée entre le téléphone de Heat et un disque dur. Elle bascula l'interrupteur sur MARCHE, et une diode verte s'alluma.

— Maintenant, ça l'est, en tout cas.

— Peut-être vaudrait-il mieux aller chercher Raley.

— Je vous dis que c'est prêt. L'appel sera enregistré, décrochez.

Nikki chercha une feuille vierge dans son calepin et appuya sur le bouton de prise de ligne.

— Inspecteur Heat.

— C'est moi, dit la femme.

Après une courte pause, elle ajouta :

— Salena.

La voix ressemblait à la sienne, en un peu plus rauque et étouffée. Nikki tenta de la comparer à celle qu'elle avait entendue un mois auparavant, lorsque Salena Kaye s'était insinuée dans sa vie sous prétexte de remplacer le kiné habituel de Rook.

Pour plaisanter, ils l'avaient tous les deux surnommée l'« infirmière sexy », et Heat ne s'en était guère inquiétée, car elle la prenait pour une idiote de masseuse. Bravo le profilage !

— Il va falloir le prouver, dit Nikki.

— Je m'y attendais. Voulez-vous que je vous parle des deux grains de beauté sur les fesses de votre petit ami ou de la manière dont ce connard de Vazha Nikoladze va s'y prendre pour tuer des milliers de personnes ?

Heat ne releva pas la pique personnelle. D'un œil, elle vérifia seulement le témoin vert de l'enregistrement.

— Parlons-en, justement, de ce que mijote Vazha, dit-elle.

— Vous d'abord, rétorqua Salena avec un petit rire moqueur.

Néanmoins, derrière ce mépris, Nikki sentit quelque chose percer dans la voix de Salena Kaye, une sorte de tension ; sa fanfaronnade sonnait faux.

Elle avait l'air ivre ou… effrayée ? Après des années de pratique d'interrogatoire, Nikki savait que les changements d'attitude étaient révélateurs. Pour découvrir de quoi, il lui fallait tendre l'oreille.

— C'est vous qui m'appelez. Que voulez-vous ?

Après un raclement de gorge, elle entendit un soupir à l'autre bout du fil.

— Une protection, dit-elle. Je veux me rendre, mais à condition d'être placée sous protection.

— Comme celle que vous avez accordée à Petar ?

— C'est possible ?

Sa voix s'éraîlla ; elle devint gutturale et sèche.

Elle avait peur. Que se passait-il ? Quoi qu'il en soit, Heat ne lâcha pas.

— Quel est le problème, Salena ? Vous n'avez plus personne à tuer ?

Il y eut un long silence, puis Kaye murmura quelque chose.

— Parlez plus fort, je ne vous entends pas.

— Ils sont après moi.

Nouvelle pause. À la peur se mêlait autre chose. Une sorte de distance, liée à la déroute.

— Ils vont me retrouver et me tuer, comme Tyler Wynn.

— Excusez-moi, mais je crois que c'est vous qui l'avez tué.

— Il y en a d'autres. Ils ont les moyens.

— Qui sont-ils, Salena ? Des noms.

Tandis que Kaye respirait fort dans le combiné, Heat fit

signe à Hinesburg de se dépêcher. Sharon appela le standard pour savoir où en était la triangulation de l'appel.

— Un nom pour commencer, j'ai tout mon temps.

— Jamais vous ne me localiserez ; alors, inutile de gaspiller votre temps.

— C'est plutôt vous qui me le faites perdre.

— Non, ne raccrochez pas ! s'écria-t-elle. J'ai des noms. Je sais tout. Mais je ne vous donnerai rien avant d'être en sécurité.

Elle avala sa salive.

— Là, je vous dirai tout.

Ce n'était pas la première fois qu'on proposait à Heat ce genre de marché. Kaye avait beau prononcer tous les mots qu'il fallait, quelque chose dans sa manière de les dire ne la convainquait pas entièrement. Pour Nikki, elle devait réussir le test d'amour. Son « Je t'aime » devait être sincère. Pas de frisson, pas de marché.

Plus loin, à son bureau, Hinesburg attira son attention et lui fit un signe négatif. Puisqu'il n'était pas possible de repérer l'appel, Nikki passa à l'étape suivante.

— Je vais vous dire, Salena. Vous n'avez qu'à venir vous rendre et je vous promets de faire mon possible pour vous obtenir la protection des témoins. Mais vous n'aurez rien sans rien.

— D'accord !

C'était bien rapide pour une meurtrière sans pitié, songea Heat.

— Bien. Vous connaissez le commissariat de la vingtième circonscription ? Dans la 82e Ouest qui part de Columbus Avenue ?

— Bien essayé. Mais non.

— Oh ! je vois, fit Heat avec sarcasme. Vous voulez qu'on vienne vous chercher.

— À ma place, ce n'est pas ce que vous voudriez ?

Nikki dut admettre qu'elle marquait un point. Après d'autres bruits de frottements et raclements de gorge, Kaye reprit :

— Vous vous souvenez de l'héliport sur l'East River ?

— Difficile d'oublier.

— Eh oui, c'est là que je vous ai semée après avoir corsé votre café chez Dunkin' Donuts.

Or c'était chez Starbucks, pas Dunkin' Donuts. Curieux. Comment Salena pouvait-elle avoir oublié pareil détail ? Nikki se demanda si elle n'était pas ivre, après tout. Ou peut-être y avait-il autre chose...

— Vingt heures trente, ce soir. Venez seule. Il n'y a qu'à vous que je fais confiance.

Heat prit note du rendez-vous, mais objecta :

— Non, Salena, à vous de venir ici.

Kaye tint bon.

— C'est à prendre ou à laisser. Et si vous venez avec de la compagnie, l'accord ne tient plus. Vous n'aurez qu'à vous en prendre à vous si la ville est transformée en putain de zone sensible !

La ligne fut coupée.

— Elle a raccroché ? demanda Hinesburg.

Heat se contenta de hocher la tête.

Plongée dans ses pensées, elle réfléchissait à l'étrange coup de fil et au changement radical qu'elle avait perçu chez son audacieuse adversaire.

— Que voulait-elle ?

— Se rendre.

— Putain de merde ! Putain, merde, désolée pour le « putain de merde », s'excusa Hinesburg. Je vous ai entendue mentionner le poste. Elle va venir ici ?

Nikki ne répondit pas.

— Allô ?

Heat leva les yeux.

— Désolée, je réfléchissais juste à quelque chose.

Nikki tapota son calepin, puis l'écarta d'un geste.

— J'ai besoin de prendre l'air. Si elle rappelle, vous savez où me trouver.

Dehors, sur le trottoir, Nikki se sentit de nouveau vulnérable. Pas uniquement à cause du danger de s'exposer en arpentant les rues de New York. Non, cela se passait à un niveau plus intime. Cet appel téléphonique marquait une étape décisive dans l'affaire de l'attentat terroriste – sans parler de celle de sa mère –, pourtant, quelque chose en son for intérieur – sa méfiance naturelle – s'employait à la mettre sur ses gardes.

Tant de choses ne collaient pas dans cette démarche : son caractère inattendu, la mine de renseignements qu'on lui faisait miroiter comme une carotte, l'attitude forcée de Salena Kaye.

Nikki pesait tout cela tout en évitant les vieux chewing-gums collés sur le trottoir. Ces réflexions freinaient ses ardeurs, surtout après la semaine qu'elle venait de vivre.

Et de ce qu'elle venait de voir sur les vidéos.

Tandis que sa méfiance naturelle lui chuchotait dans une oreille, la voix plus forte qui lui soufflait dans l'autre lui donnait la sensation troublante d'être peut-être arrivée au tournant de ses deux grandes affaires.

La voix lui criait de passer à l'action, de ne pas se contenter de saisir l'opportunité, mais d'en tirer le meilleur parti.

Après dix autres tours de parcours d'obstacles entre les chewing-gums, l'inspecteur Heat commença à se forger une idée quant à la manière de procéder.

***

Rook décrocha une microseconde avant que la messagerie ne s'enclenche.

— Désolé, je n'ai pas entendu la sonnerie à cause du bruit ici.

En effet, il avait l'air d'être dans un bar.

— Mon déjeuner avec les gens d'Hollywood s'est prolongé et on enchaîne avec un happy hour dans Manhattan.

— Comment ça se passe ?

Un grincement de porte résonna dans l'écouteur de Heat. Le brouhaha ambiant s'atténua, et la voix de Rook résonna dans un vestibule.

— Dommage que tu n'aimes pas t'étaler dans les médias, Nikki. À nous deux, on raflerait la mise.

— Passe. Je t'appelle parce que je ne pourrai pas venir au rendez-vous avec Puzzle Man ce soir.

Heat l'informa alors de l'appel inattendu de Salena Kaye annonçant sa volonté de se rendre.

— Bien entendu, tu as dit à Kaye que tu n'irais pas, conclut Rook lorsqu'elle eut terminé.

— Absolument.

— Et malgré tout, tu me dis que tu ne viendras pas à notre rendez-vous. C'est quoi, cette histoire ?

— J'ai bien réfléchi et je crois avoir compris pourquoi Salena nous a contactés. Il faut que je vérifie mon intuition.

— Une intuition ? Les intuitions douteuses et les folles théories, c'est ma chasse gardée. On ne va quand même pas devenir un de ces vieux couples paranoïaques qui s'habillent de manière identique ?

— Tant qu'on ne se met pas à se ressembler.

— Et je ne peux rien dire pour t'en dissuader ?

— Pas plus que tu ne peux me convaincre de te laisser m'accompagner. Elle a spécifié « seule » ; or cette femme ne manque pas d'expérience et elle a un radar à la place des yeux. Elle le saura si j'emmène du renfort.

Nikki gloussa.

— Et puis, que pourrais-tu faire ? Lui envoyer une giclée d'encre de ton stylo à plume ?

Il marqua une pause.

— Tu devrais au moins appeler Callan.

— Non.

— Non seulement ça le concerne aussi, mais il saura comment te soutenir en toute discrétion. Tu l'as entendu parler de sa fameuse couverture panoramique chez Tyler Wynn, l'autre soir ?

— Et tu as vu à quoi ça a abouti ?

Elle le laissa encaisser, puis continua :

— Rook, écoute, trop de fuites ont déjà failli tout faire foirer. Je n'en parle à personne.

— Tu es sûre ?

— Et toi non plus. Je compte sur toi.

— Entendu. Et qu'est-ce que je dis à Puzzle Man ?

— À lui de trouver.

— Sans blague ! Est-ce que tu as un plan, au moins ?

— Oui. Et j'ai jusqu'à vingt heures trente pour le mettre en place.

***

Selon son site Internet, l'héliport de l'East River fermait tous les jours ses portes à 20 heures, sur ordre de la municipalité. Heat vérifia l'heure. Il était près de 18 heures.

Sans prendre la peine de fermer la fenêtre sur son écran, elle écarta sa chaise du bureau d'un coup de roulettes, vérifia son holster, saisit sa veste au vol et se précipita vers la porte. Arrivée dans le couloir, elle s'arrêta et fit demi-tour pour revenir dans la salle de briefing.

— Tout va bien ? demanda Hinesburg.

— Euh, oui, juste un peu prise par le temps.

Heat déverrouilla un tiroir et en sortit un chargeur supplémentaire pour son Sig Sauer.

— Oh ! Sharon ?

Elle mima un téléphone avec le pouce et le petit doigt.

— Voyez où on en est pour le disque dur, vous voulez bien ? Et assurez-vous que cet appel téléphonique a bien été enregistré. Que personne ne s'en approche.

Puis, elle partit. Sans se retourner. Sans même emporter la feuille sur laquelle étaient notés l'heure et l'endroit du rendez-vous.

Mais Nikki, elle, savait qu'il ne s'agissait pas d'un oubli.

***

Arrivée sur place en avance, elle montra sa plaque au gardien qui la laissa se garer dans le parking du centre de rééducation de la 34ᵉ Rue Est. Il déplaça même un cône pour lui dégager une place d'où elle pouvait, assise dans sa voiture, observer l'entrée de l'héliport, de l'autre côté de la voie de desserte qui passait sous la surélévation de la voie rapide F. D. Roosevelt.

Elle avait une heure devant elle. Le soleil ne se coucherait pas avant encore un bon quart d'heure. Cependant, comme un front orageux venant du nord poussait un rideau de nuages noirs à l'ouest, les cyclistes allumaient déjà leurs frontales. Sur l'esplanade, entre elle et l'héliport, le vent soufflait, faisant tourbillonner les détritus.

Le dernier appareil de la journée prit son envol au-dessus de l'East River, il pivota sur lui-même et vira gracieusement à l'est vers Long Island. Dix minutes plus tard, les néons s'éteignirent dans le mobil-home qui abritait les bureaux de l'héliport et servait de zone d'embarquement.

Deux voitures sortirent, la seconde s'arrêta, et son conducteur, vêtu d'une chemise blanche à épaulettes, descendit cadenasser la chaîne qui fermait le portail, puis il reprit le volant et s'en alla à son tour.

Elle patienta en guettant tout de près. Le nombre de joggeurs et de cyclistes s'amenuisait et les voitures se raréfiaient ; seul un taxi passait de temps à autre. Puis, toutes les lumières de l'héliport furent coupées, toutes en même temps : les projecteurs orange, même les balises rouges le long du quai. Étrange. Étaient-elles sur programmateur ou avaient-elles été délibérément éteintes ?

Le camion d'une entreprise de recyclage klaxonna un véhicule sanitaire se rendant dans l'un des hôpitaux du quartier. Pendant que les deux chauffeurs s'injuriaient devant l'héliport, elle perdit de vue un instant les environs. Lorsqu'ils eurent dégagé la rue, tout sembla redevenu comme avant.

Il ne restait plus que cinq minutes ; c'était le moment. Elle leva le bras pour éteindre le plafonnier de la voiture avant d'ouvrir la portière, puis descendit.

Par précaution, elle traversa la route un peu plus bas, hors du champ de vision de l'héliport. En restant dans l'ombre, elle arriva au niveau des bureaux. Le mobil-home tenait juste sous la voie rapide. Il ne restait guère plus d'un mètre cinquante d'espace entre le toit et le pont. Le côté orienté face à la route n'avait pas de porte, seulement quatre fenêtres éteintes. Elle baissa la tête en passant devant et s'avança par le nord. Le regard habitué à la pénombre, elle constata que la chaîne ne fermait plus le portail.

On l'avait fait sauter et le lourd cadenas à l'extrémité se balançait maintenant contre un tube en acier. Elle dégaina son arme et se faufila par l'ouverture.

La poignée de la porte intégrée au portail ne tournait pas, sans doute à cause du gros verrou en haut. Il n'y avait pas assez de lumière pour voir si le pêne était engagé dans la gâche. Elle avança, à petits pas, en se collant contre la paroi en tôle ondulée, jusqu'à la piste d'atterrissage. L'arme au poing, elle vérifia de l'autre côté.

Une brise fraîche soufflant de Hell Gate balayait la plate-forme devant elle. Le seul autre bruit qui émergeait du fond sonore créé par la circulation continuelle dans Manhattan provenait des remous de l'East River contre les piliers.

La piste était vide hormis la présence d'un appareil occupant l'espace conçu pour accueillir cinq hélicoptères. Ses rotors maintenus en place par des sangles bougeaient un peu sous le souffle du vent. Le Sikorsky était demeuré à l'endroit où il avait atterri, l'avant face aux locaux, la queue au-dessus de la bordure aux rayures rouges et blanches signalant l'extrémité du quai aux pilotes à l'approche.

Sous cet angle, on aurait dit le cousin d'un avion furtif, car il présentait une imposante forme noire uniquement illuminée de l'intérieur du cockpit par une faible lueur. Curieusement, cela lui parut du plus mauvais augure, car elle se sentait attirée dans l'obscurité sur le quai.

Le dos collé à la paroi métallique, elle prit le temps de mesurer le risque. Elle avait six mètres à parcourir à découvert jusqu'à l'hélicoptère. À droite, à l'extrémité sud du tarmac, s'étendait un parking vide… Rien à craindre de ce côté-là. À gauche, un parking rempli de voitures empilées sur deux niveaux bordait l'extrémité nord. La planque idéale. C'est de là que le danger pouvait venir.

Le regard de nouveau attiré par la lumière, elle prit sa décision. Elle traversa l'espace à découvert en se recroquevillant, puis se tapit dans l'ombre de l'hélicoptère. Essoufflée, elle tendit l'oreille. Un bateau-restaurant souleva de gros bouillons en passant, emplissant les alentours de bruits et de lumières de fête. C'est seulement une fois qu'il fut passé qu'elle osa bouger et jeter un œil par le hublot à l'intérieur du cockpit.

Personne. Aussitôt, elle se baissa de nouveau, afin de se représenter mentalement un instant la situation à la faveur de l'obscurité. La lueur provenait du compartiment arrière. En marchant en canard, elle avança d'un peu moins d'un mètre à couvert de l'hélicoptère. Puis, elle se redressa et jeta un coup d'œil par le hublot de la porte arrière.

Son cœur s'arrêta de battre.

Assise sur le siège passager, Salena Kaye la fixait d'un regard mort. Sa bouche s'ouvrait en un cri figé sur des dents cassées et manquantes. Elle avait le visage marqué de coups et de brûlures de cigarette. Un crochet de serrurier lui sortait d'un canal auditif au-dessus d'un filet de sang séché qui lui avait coulé le long du cou et avait maculé l'épaule de son t-shirt blanc. Dans le sternum était planté un large couteau de style militaire, au-dessus d'un ovale de sang rouge. Autour du manche, on avait noué un fil. Un fil orange.

Il y pendait une balle.

Au même instant, allongé sur le toit plat des bureaux de l'héliport, Arc-en-ciel observait la silhouette de Nikki par la lunette de son arme. Elle était venue à lui comme tous les autres. L'attirer lui avait demandé un peu plus d'effort, car il avait fallu déployer des trésors de persuasion pour convaincre Salena de passer cet appel.

Mais, à sa grande surprise, torturer Kaye lui avait ouvert de nouveaux horizons de plaisir. Avec la réussite à la clé. Personne ne pouvait résister au charme d'un indice de poids. Pas même le célèbre inspecteur Heat.

Arc-en-ciel prenait son temps. Il attendait le bon moment, celui où elle aurait l'illumination…, l'instant où elle prendrait pleinement conscience de toute l'horreur de la situation, lorsqu'elle aurait connecté tous les fils.

Un mois avait été nécessaire pour tout organiser, des semaines pour passer à l'exécution ; alors, il ne fallait rien précipiter. C'était à l'instant où il lirait la révélation sur son visage qu'il comptait lui ôter la vie.

Aller trop vite aurait tout gâché. Il n'avait qu'à attendre, et Nikki Heat serait sienne.

Patience. Il cala son arme sur le sac de sable et visa sa nuque afin d'avoir en ligne de mire d'abord l'oreille, puis la tempe, le sourcil et enfin le front lorsqu'elle se retournerait.

Alors, elle se tourna lentement.

DIX-HUIT

Arc-en-ciel aurait aimé mieux distinguer son visage. Elle était trop dans l'ombre. Peut-être aurait-il finalement dû laisser davantage de lampes allumées, songeait-il. La lueur à l'intérieur de la cabine du Sikorsky devait suffire. Si seulement elle lui rendait ce petit service. Entre ses dents, il murmura :

— Allez, Nikki, montre-toi.

— Pour ça, il faudrait vous retourner, dit l'inspecteur Heat, mais je vous le déconseille.

Il leva les yeux de sa lunette et inclina légèrement la tête. Du coin de l'œil, il l'aperçut en appui sur les coudes, à moins de trois mètres.

Cachée derrière le boîtier du climatiseur, sur le toit, elle le tenait en joue avec son Sig. Elle s'était exprimée à voix basse, avec un parfait sang-froid.

— Police, lâchez votre arme ou je répands votre cervelle sur ma veste préférée.

Windsor obtempéra.

— Depuis combien de temps êtes-vous là ?

— J'étais là bien avant vous, répondit l'inspecteur Heat, toujours la meilleure, question tactique. Maintenant, venez doucement vers moi.

Il se mit à quatre pattes et s'éloigna lentement de son fusil.

— Bien. Maintenant, face contre terre, bras écartés, tournez les paumes vers le ciel.

Dès qu'il se fut exécuté, Heat fonça sur lui, lui palpa les membres pour vérifier qu'il n'avait pas d'autres armes, puis se redressa, la tête légèrement penchée pour ne pas se cogner contre la structure en acier soutenant la voie rapide F. D. Roosevelt.

— À la moindre tentative, je tire, ajouta-t-elle.

Sans mot dire, il garda le visage face au sol. Nikki se tourna à moitié vers l'héliport et appela l'inspecteur Hinesburg.

En contrebas, la silhouette près de l'hélicoptère pivota dans sa direction. Dans la pénombre, Heat distinguait à peine sa subordonnée, qui levait les bras en position de combat, mais, grâce à l'éclairage du hublot de l'hélicoptère, derrière elle, elle vit Sharon Hinesburg pointer les deux mains jointes en direction du toit des locaux et balayer frénétiquement les airs d'un côté et de l'autre.

— Ne tirez pas, inspecteur ! cria-t-elle. J'ai procédé à l'arrestation de Glen Windsor. Par ici, venez me couvrir pendant que je le redescends.

Afin de bénéficier de l'éclairage ambiant provenant de la rive opposée du fleuve, Hinesburg repositionna à l'avant du mobil-home l'échelle de secours dont sa supérieure s'était servie. Du toit, Nikki braqua sa lampe de poche dans les yeux de Glen Windsor pour l'éblouir tandis qu'il descendait vers Hinesburg. Les deux enquêtrices le tenaient en joue.

— Face contre terre ! lança Heat lorsqu'il fut arrivé en bas.

Elle attendit que sa subordonnée l'ait menotté les mains derrière le dos avant de descendre à son tour.

— Merde, comment m'avez-vous trouvé ? demanda Arc-en-ciel en tordant le cou.

— Règle numéro un pour l'embuscade : arriver le premier, asséna Heat.

— Mais comment étiez-vous au courant ? demanda Hinesburg. Je ne savais rien.

N'ayant pas le temps de lui dresser la liste de tout ce qu'elle ne savait pas – cela viendrait cependant bientôt –, Heat fit bref :

— Au téléphone, Salena Kaye avait l'air droguée. Torturée, aussi, manifestement. Elle a même essayé de me faire passer un message en confondant Dunkin' Donuts et Starbucks. C'est ce qui a éveillé mes soupçons. Et puis le service des immatriculations est tombé sur le monospace que vous aviez enregistré dans le Connecticut, expliqua-t-elle à Arc-en-ciel. Le monospace gris métallisé. Même couleur, même modèle que celui avec lequel Salena Kaye m'avait échappé quand je l'ai poursuivie. Mais vous n'étiez pas là pour la sauver, hein, Glen ? Vous me suiviez et vous l'avez kidnappée. Comment ? Avec du chloroforme ?

— Le chloroforme, ça les calme toujours, confirma-t-il.

Alors, Heat prit un ton officiel :

— Glen Windsor, je vous arrête pour les meurtres de Roy Conklin, Maxine Berkowitz, Douglas Sandmann et Joseph Flynn.

Après un regard à l'hélicoptère, elle ajouta :

— Et Salena Kaye.

Sa seule réaction fut de demander s'il pouvait se relever. Comme Heat n'en avait pas terminé, il essuya un refus.

— Vous voulez que j'aille chercher ma voiture ? demanda Hinesburg.

— Non. Je veux que vous me remettiez votre arme.

Sharon gloussa nerveusement.

— Comm… ?

D'un geste rapide et inattendu, Heat fit sauter le Smith & Wesson qu'elle tenait dans la main et le glissa dans la poche de sa veste. Avec son Sig Sauer, elle les tenait maintenant tous les deux en joue.

— Nikki… Pourquoi faites-vous ça ?

Heat alluma de nouveau sa torche et la braqua sur Windsor afin d'éclairer la scène sans éblouir sa subordonnée.

— Cela les aidera à nous repérer. J'ai appelé des renforts

par SMS pendant que vous déplaciez l'échelle. J'aimerais que vous rejoigniez Windsor, Sharon.

— Que se passe-t-il ?

Dans la lumière, Nikki la vit écarquiller les yeux. De peur.

— Glen vous a devancée, déclara Heat.

— En quoi ? De quoi diable parlez-vous ?

— Vous êtes venue pour tuer Salena Kaye avant qu'elle ne puisse livrer ses infos sur le complot terroriste. Ou me tuer moi. Ou les deux.

— Je… Quoi ?… Non, mais ce n'est pas sérieux ?

— Je savais que vous écouteriez l'enregistrement de l'appel de Salena. C'est comme ça que vous êtes venue ici. Mais au cas où, j'ai laissé l'heure et l'endroit du rendez-vous sur mon bureau.

— Vous m'avez leurrée ?

— C'est vous qui avez mordu à l'hameçon. N'est-ce pas, Glen ?

— Allez vous faire foutre !

— C'est dingue. Je suis venue là en renfort, affirma Hinesburg.

— Bien sûr. Une initiative surprenante de votre part, Sharon.

— OK, vous savez quoi ? Il faudrait que ça cesse maintenant. Je sais que vous ne m'appréciez pas, mais de là à…

— Ce n'est pas parce que je ne vous aime pas.

— Pourquoi alors ?

— Parce que c'est vous la taupe.

Hinesburg ouvrit la bouche pour protester, mais aucun son n'en sortit.

Nikki la regarda droit dans les yeux.

— Je vous ai vue sur la vidéo du Coney Crest, Sharon. Là où Salena se planquait.

— Ben oui, c'est vous qui m'aviez envoyée là-bas.

Loin d'être convaincante, Hinesburg s'enfonçait davantage.

— Quand j'ai regardé cette vidéo, vous savez ce qui a

d'abord attiré mon attention ? Lorsque vous avez parlé au gérant, pas une fois vous ne lui avez montré votre insigne ni une photo de Salena Kaye.

Hinesburg voulut répondre, mais Nikki continua :

— Ça m'a intriguée, mais j'aurais pu croire à l'une de ces négligences dont vous êtes coutumière. Croyez-moi, le cadet de mes soucis. Toutefois, plus loin sur la vidéo, je vous ai vue prise par l'autre caméra. Sharon, vous êtes montée au deuxième étage.

— Ça ne veut rien dire.

— Non, mais j'ai continué à regarder. Et quand vous êtes redescendue, vous avez rangé quelque chose dans votre sac. Ça m'avait tout l'air d'une télécommande de porte de garage. Or, ça n'en était pas une, hein, Sharon ? C'était la télécommande de la bombe qui a tué Tyler Wynn, n'est-ce pas ? C'est pour ça que vous vous êtes pointée sans y être invitée quand on s'est rendus chez lui. Il vous fallait être assez proche pour la déclencher.

Hinesburg ne répondit pas. Ses yeux s'emplirent de larmes. Elle regardait dans le vague. Heat agita son arme en direction de la piste.

— Rendez-vous. N'aggravez pas votre situation.

Plus paralysée que rebelle, Hinesburg ne bougea pas. Sa lèvre se mit à trembler.

— Ils sont venus me trouver un jour pour me demander de vous coller aux basques.

— Et faire quoi ? Saboter mon enquête ?

— Non, juste vous suivre. Les informer de vos faits et gestes. C'est tout.

Malgré le faible éclairage, Nikki vit les traits de Hinesburg se relâcher sous l'effet de la honte.

Heat se demanda si Sharon était une réelle incompétente ou si, pour reprendre Shakespeare, elle était juste assez sage pour jouer le fou.

— Jamais je n'aurais imaginé que les choses tourneraient comme ça. Quand les meurtres ont commencé, j'ai pété un câble. Nikki, vous avez idée de la pression que j'ai dû subir ?

À ces mots, Heat opta pour le fou.

— Et puis, ils ont commencé à me demander plus que de simples informations. Voyant ce qui arrivait aux autres, je n'ai pas osé refuser. Ils ont voulu que je ralentisse l'enquête autant que je pouvais. Et je devais les prévenir à la moindre descente. Et qu'est-ce que ça m'a rapporté, tout ce stress ? Quelques milliers de dollars et la joie de coucher avec Wally Irons pour conserver ma place.

Elle essuya son nez qui coulait.

— Ils vont vouloir me tuer, moi aussi, vous savez.

Elle commençait à comprendre.

— Je veux être placée sous protection.

Heat avait entendu ces mêmes mots quelques heures avant. De la bouche du cadavre qui les fixait depuis le siège arrière de l'hélicoptère.

— Sharon, la bombe que vous avez fait sauter a tué un homme.

— Je négocierai. Je sais des trucs.

— Inutile d'attendre. Quand et où doit avoir lieu l'attentat ?

— Ça, je ne sais pas. Je vous le jure.

— Qui est derrière tout ça ? Qui vous dirige ?

Des sirènes se rapprochaient.

— Ce serait mieux pour vous de tout me dire maintenant, Sharon.

La feinte de Glen Windsor fut si soudaine qu'elle se retrouva pratiquement par terre avant de se rendre compte qu'il était passé à l'action. Bien qu'elle n'ait rien vu, elle comprit qu'il devait avoir effectué une sorte de mouvement de breakdance pour se redresser.

En prenant appui sur la poitrine, il l'avait déséquilibrée d'un coup de mollet frappé à l'arrière des genoux. Sa lampe de poche lui avait échappé des mains, mais elle avait conservé son arme. Le temps qu'elle se relève, il courait déjà à fond vers le fleuve, les mains attachées dans le dos.

Nikki vérifia Hinesburg d'un rapide coup d'œil. Elle se tenait à deux pas, sidérée comme un lapin pris dans les phares d'une voiture. Tiraillée, Heat se retourna vers Windsor qui approchait de la queue du Sikorsky et allait plonger dans l'eau. L'ayant en joue, elle cria :

— Arrêtez-vous ou je tire.

Puis, elle fit feu. Une balle se ficha dans le mollet du fuyard. Avec un gémissement, il s'effondra contre la bordure de sécurité rouge et blanche sur la rive.

Une voix derrière elle cria :

— Heat, attention !

Au moment où elle se plaquait au sol, Nikki entendit le claquement caractéristique d'un coup de feu. Elle roula sur le côté afin de présenter la plus petite cible possible en direction du tir et mit en joue. Toutefois, elle ne fit pas feu.

Parmi les ombres, elle avait reconnu l'agent Callan penché sur Sharon Hinesburg, étendue par terre sous le nez de l'hélicoptère.

— C'est bon ! cria l'agent spécial.

Des gyrophares se mirent à clignoter devant le portail, puis se reflétèrent sur les plaques des policiers en tenue qui se précipitèrent vers eux en courant. Heat se leva pour traîner Glen Windsor à l'écart du bord du fleuve avant de le laisser tomber lourdement. Ensuite, elle courut vers Callan, qu'elle rejoignit juste au moment où il écartait d'un coup de pied l'arme que Hinesburg tenait dans la main. Lui-même brandissait encore son P226 Elite. Nikki sentit l'odeur de la poudre.

— Elle s'apprêtait à vous tirer dans le dos, déclara-t-il. Une sacrée chance que j'ai réussi à l'en empêcher.

— Envoyez une ambulance, vite, on a deux blessés, indiqua Heat à la patrouille de police.

Elle s'agenouilla à côté de Hinesburg.

Un large trou lui perçait la tempe. Elle avait le même regard que Salena Kaye.

***

Au moment où Heat achevait son rapport à l'équipe de tir, des éclairs déchirèrent le ciel au nord. Lauren Parry avait terminé son examen des corps de Salena Kaye et de Sharon Hinesburg. Son rapport préliminaire établissait que, dans les deux cas, la cause de la mort était évidente ; néanmoins, les circonstances méritaient d'approfondir la question.

La légiste promit à Nikki de s'attaquer aussitôt aux autopsies, quitte à y passer la nuit, afin de lui en remettre les résultats à la première heure le lendemain.

Elle trouva Bart Callan assis, les coudes sur les genoux, sur la courte rampe en bois qui remontait du tarmac vers la zone d'embarquement. Le regard vide, il fixait le drap qui recouvrait le corps de Hinesburg et la marque jaune numérotée que l'équipe de tir avait placée à côté de l'étui de sa balle. Il n'avait pas conscience de la présence de Heat. Elle se posta à côté de lui et suivit son regard.

— C'est toujours dur de descendre quelqu'un. Surtout un flic.

— Son arme de secours, annonça-t-il en brandissant le sachet qui la contenait. Un Mini Glock 26. Neuf millimètres, de quoi vous gâcher la journée.

Puis, il reposa le sachet entre ses pieds.

— Je m'en remettrai. On a peut-être perdu un flic, mais on en a sauvé un autre.

Elle lui posa la main sur l'épaule.

— Merci.

Il hocha très brièvement la tête.

— Je suppose que vous aviez déjà les mains pleines pour ne pas l'avoir fouillée.

— Disons que j'ai été distraite par la tentative d'évasion de ce débile.

Se rendant compte que sa main était toujours posée sur lui, elle la retira.

— Heureusement, vous avez été rapide. Je venais juste de demander les renforts.

— J'étais déjà en route. Dès que j'ai su pour ce rendez-vous, expliqua-t-il en voyant sa réaction, j'ai pensé qu'il valait mieux que je vienne couvrir vos arrières. Des réclamations peut-être ?

— Aucune. Comment avez-vous su, alors ? demanda-t-elle.

— C'est Yardley Bell qui m'en a parlé.

— L'agent Bell ? Comment était-elle au courant ?

Il ramassa le sachet et se leva.

— Je n'ai pas posé la question. J'ai supposé qu'elle l'avait appris par votre petit ami.

***

Rook franchit la porte à tambour de l'entrée de l'hôpital Bellevue et cria son nom dès que le tourniquet l'eut recraché dans le hall. Son « Nikki ! » résonna dans le haut atrium, une véritable châsse de verre posée lors de la rénovation des lieux, cinq ans auparavant, sur un bâtiment ancien ainsi transformé en musée vivant. Lorsqu'il l'eut rattrapée, Rook prit Heat dans ses bras et la serra fort.

— Bon sang, Nikki ! Parfois, tu me fiches de ces trouilles, lui murmura-t-il à l'oreille.

La sentant sur la réserve pendant qu'ils s'embrassaient, il la scruta du regard.

— Tout va bien ?

Elle réfléchit un instant.

— Sacrée soirée ! se contenta-t-elle de répondre. Glen Windsor est en train de se faire recoudre le mollet là-haut. Dès qu'il sera sorti, je l'interroge.

Ils trouvèrent un canapé où s'installer pour patienter près des urgences et elle reprit l'enchaînement des événements en commençant par l'appel téléphonique de Salena Kaye qui lui avait mis la puce à l'oreille : non seulement elle lui avait paru droguée ou contrainte, mais elle lui avait fait passer un message codé.

— Mais comment as-tu fait le lien avec Arc-en-ciel ?

— Ça, c'était digne de tes grandioses théories : en fait, la rapidité avec laquelle Kaye avait disparu de la circulation après la poursuite chez le traiteur m'étonnait.

— Après ma grandiose interpellation ?

— J'aurais mieux fait de me taire !

Elle lui posa un index sur les lèvres et continua d'expliquer la localisation du monospace gris métallisé qui rendait le lien avec Glen Windsor probable.

— Je ne pouvais pas en être certaine, mais je me suis dit que, s'il voulait me piéger, il me suffisait d'arriver là-bas à l'avance pour l'avoir.

— Et si ça n'était pas un piège d'Arc-en-ciel ?

— Au pire, je pouvais toujours appréhender Salena Kaye.

Il réfléchit.

— Beau boulot. Grandiose ! devrais-je dire.

— Ne commence pas.

— Mais Hinesburg, dis donc !...

— J'avoue que ça m'a surprise, moi aussi. Je crois que je commençais à avoir des soupçons, mais je refusais de les regarder en face... Elle était quand même barjo... C'est cette vidéo de sécurité du Coney Crest qui m'a ouvert les yeux. Toutes ses petites étourderies et ses négligences ont alors pris des airs de sabotage : me dire que la bombe chez Wynn était un système à retardement alors qu'elle était télécommandée...

— Parce que c'est elle qui l'avait déclenchée...

— Bousiller le tuyau du type de l'agence de location de voitures qui avait repéré Salena Kaye...

— Pour pouvoir la prévenir...

— Etc., etc.

— C'était ingénieux. User d'incompétence comme subterfuge. Et dire qu'elle était là bien en vue au milieu de la brigade.

Il réfléchit.

— En tout cas, tu as débusqué la taupe. Plus besoin de regarder derrière toi avant de dire la moindre chose.

— J'espère bien que non.

Son manque d'enthousiasme attira l'attention de Rook.

— Quoi ?

— Tu sais pourquoi Callan est arrivé si vite à l'héliport ? Parce que Yardley Bell lui avait parlé de mon rendez-vous.

Il réfléchit.

— Et comment était-elle au courant ?

Nikki lui adressa un regard inquisiteur.

— À toi de me le dire.

— Attends, tu ne crois quand même pas que je... Nikki, sérieusement ?

Elle ne répondit rien, d'une part parce que cela faisait partie de sa technique pour les interrogatoires, de l'autre parce qu'elle préférait ne pas envisager la possibilité.

— Bon, je veux bien admettre des tas de choses. Oui, je suis allé avec elle à Nice. Oui, je lui ai dit que j'essayais de pister Tyler Wynn grâce à ses... achats de vin et de chaussures sur mesure.

— Tu lui as aussi parlé des boutiques éphémères de Barrett.

— Oui, mais quand tu me dis que quelque chose doit rester entre nous, ça reste entre nous.

— Alors, comment a-t-elle su ?

— Aucune idée, mais je peux te dire droit dans les yeux que ce n'est pas par moi.

Ils soutinrent chacun le regard de l'autre pendant quelques secondes. Puis, un signal sonore notifia à Heat qu'elle avait reçu un SMS sur son téléphone portable.

— C'est le résultat de mon passage au détecteur de mensonge ? s'enquit-il.

— Pas besoin de ça. Tu as de la chance, mon pote : je te fais confiance.

Elle brandit le téléphone.

— Glen Windsor est sorti de chirurgie.

— Tu viens ?

— Et comment !

Rook se leva et sortit son portable.

— J'appelle Yardley d'abord, ajouta-t-il avec un sourire en coin.

***

L'agent posté devant la chambre individuelle de Glen Windsor au deuxième étage jaugea Rook de la tête aux pieds.

— C'est bon, elle est avec moi, monsieur l'agent, fit Rook.

Le flic s'esclaffa et, sur un hochement de tête de Heat, leur fit signe à tous les deux d'entrer.

Ils trouvèrent le prisonnier en train de regarder le journal télévisé de minuit, sa jambe bandée posée sur un oreiller. La visite ne parut pas le surprendre.

— Ouah ! Jameson Rook, souligna-t-il. Vais-je figurer dans votre prochain article ?

— Absolument. Un dossier spécial sur les déjections.

— Vous me pardonnerez de ne pas me lever.

Il tira sur la menotte qui le maintenait au montant du lit.

— Mais je peux vous saluer de la main.

Il fit un doigt d'honneur à Rook et éclata de rire. Nikki éteignit la télévision.

— Hé ! C'est moi qui fais les gros titres. Je voulais revoir ça.

— Vous en entendrez certainement parler encore longtemps, Windsor, dit-elle.

— Le reste de votre vie, oui, ajouta Rook.

— Pourquoi ce manque de respect, Rook ? Ce n'est pas vous que j'essayais de tuer.

Il sourit de toutes ses dents.

— À ce qu'il paraît.

En s'approchant une chaise, Heat fit signe du regard à Rook de lever le pied. Alors, il s'adossa au montant de la porte.

— Comment va cette jambe ? demanda-t-elle.

— Vous devriez passer un peu plus de temps au stand de tir, inspecteur.

— J'ai mis cette balle à l'endroit exact où je le souhaitais, croyez-moi. Si j'avais voulu vous tuer, nous ne serions pas là à bavarder ensemble.

Elle s'assit et se tut un instant afin de mieux prendre les rênes en main. L'inspecteur Rhymer lui avait envoyé le dossier de Windsor par e-mail ; elle ouvrit donc la version imprimée qu'elle en avait faite en bas, au secrétariat.

— Nos enquêteurs ont trouvé des choses intéressantes chez vous.

— Ah oui ?

— À commencer par l'appareil électronique permettant de modifier la voix au téléphone.

— Je ne l'utilise que pour commander mes pizzas, se moqua Windsor. Vous seriez surpris de voir la rapidité à laquelle ils livrent quand l'appel vient de Dark Vador.

Nikki décida de ne pas prêter attention à ces digressions désinvoltes et continua :

— Dans votre bureau, ils ont découvert quantité de dossiers sur moi. Pas seulement l'article paru l'automne dernier…, largement souligné et surligné. Aussi des articles sur des affaires qui m'ont occupée ces dernières années ainsi que des photos de moi…, pas découpées dans les journaux. On a vérifié votre appareil. Ces clichés ont été pris à mon insu. Au supermarché, pendant mon jogging, par les fenêtres de chez moi.

— Ne m'en voulez pas, je suis un fan.

— L'historique de votre ordinateur indique que vous avez fait des tas de recherches sur moi, sur Rook et sur d'autres personnes de mon entourage, y compris mes parents, mes collègues, et même des criminels arrêtés par mes soins.

— Inspecteur, tout le monde conserve des articles découpés dans les journaux et fait des recherches sur des trucs qui l'intéressent sur son ordinateur. Ce n'est pas comme si j'avais un placard secret tapissé de photos de vous partout.

— Non, ce serait dingue, dit Rook.

Nikki le tança d'un regard noir et il fixa le sol.

Comme Heat se tournait de nouveau vers lui, Windsor reprit :

— Il n'y connaît rien. Dire que c'est dingue.

— Que diriez-vous, vous ? demanda-t-elle.

— Que c'est de la préparation.

Il soutint son regard, la laissant mariner un instant avant de continuer.

— Je vous ai découverte dans son premier article. « Vague de chaleur et vague de criminalité », vous vous souvenez ? Je l'ai lu et relu ; je me disais : « Celle-là, elle est... Cette enquêtrice... est différente. Un défi. »

À ces mots, Heat sentit une oppression au niveau du plexus solaire, car ils ravivaient le souvenir des autres enquêteurs que Windsor avait affrontés... et tués au fil des ans. Or, voilà qu'elle était désignée comme « celle-là ». Il devait savoir exactement ce à quoi elle pensait, car il la regardait, la tête posée sur son oreiller, et il reprit :

— Alors, l'automne dernier, j'ai eu envie de me mesurer à vous, mais c'est surtout la pub que j'ai vue en ligne pour le nouvel article de Rook à votre sujet qui m'a donné envie de passer à l'action.

Il s'interrompit, laissant le temps à Nikki de réfléchir à ce besoin classique du psychopathe de partager la vedette avec l'objet de sa fixation, voire de se l'arroger.

— Où voulez-vous en venir, qu'on avance un peu ?

— Je voulais vous mettre à l'épreuve à la parution de l'article. Quand toute l'attention aurait été tournée vers vous. En pleine vague de succès, déclara-t-il, un large sourire aux lèvres. Ne me dites pas que je n'ai pas le sens de l'à-propos.

À deux doigts de perdre son sang-froid, Heat luttait pour ne pas offrir ce plaisir à ce type. Toutefois, son principal objectif dans l'immédiat, avant de monter un dossier contre le tueur en série, était de découvrir le moindre élément qu'il ait pu obtenir en torturant Salena Kaye, afin d'empêcher l'attentat bioterroriste.

— Parlez-moi de cette conversation que vous avez eue avec la morte dans l'hélicoptère.

— Maintenant ? Moi qui ne voulais pas manquer mon émission préférée à la télé.

Laisser sa rage exploser ne la mènerait nulle part. Elle décida qu'il était temps de le tourmenter à son tour. Or Heat pensait savoir dans quelle plaie retourner le couteau.

Dès que Glen Windsor lui était apparu suspect, elle avait lâché Malcolm et Reynolds sur son passé. Heat tenait les résultats de ces recherches sur ses genoux. Elle choisit la seule page qui, elle l'espérait, lui permettrait de faire pencher la balance à son avantage.

— Ça vous plaît d'être serrurier, Glen ?

— Drôle de question ! C'est juste un boulot. Alimentaire.

— D'accord, mais vous ? Un… serrurier ?

Nikki respectait toutes les professions, mais, pour arriver à ses fins, elle prononça ce mot comme s'il s'agissait d'un métier méprisable. Il se tortilla dans son lit et se concentra sur son épais bandage.

— Ce n'est pas exactement ce que vous aviez en tête, n'est-ce pas ?

Il lui lança un bref coup d'œil ; elle jouait avec la feuille qu'elle tenait entre les mains. Patiente, Nikki faisait durer le plaisir.

— Nous avons fait quelques recherches… Eh oui, nous aussi, on sait se servir d'un ordinateur… Et vous voulez savoir ce qu'on a trouvé ? Que vous avez été renvoyé de l'académie de police de New York.

— C'est de l'histoire ancienne ! explosa-t-il, ne considérant manifestement pas la chose comme telle.

— Peut-être, mais c'est plutôt intéressant. Selon les archives, vous auriez raté l'évaluation psychologique.

— C'était un putain de test truqué.

Sa respiration s'accéléra. Il eut un éclair sauvage dans les yeux.

— Vous l'avez passé, vous, ce test ?

— Absolument, répondit-elle posément. Je l'ai passé. Avec succès.

Elle asséna le coup avec un sourire qu'elle conserva.

— Le truc, avec cette évaluation, c'est que les débiles en remettent toujours en cause la valeur.

Ses menottes tintèrent contre le montant en inox et il tenta de s'asseoir.

— Allez vous faire foutre ! Débile, mon cul. J'étais trop

brillant pour ces gros nazes de l'académie. Comme ils se sentaient menacés par mes dons particuliers, ils se sont arrangés pour me foutre à la porte, cette bande de connards jaloux !

— Je parie que sinon vous auriez fait un grand enquêteur.

— Putain que oui, c'est sûr !

— Sauf qu'il n'y a pas qu'à la police de New York que vous avez échoué, à ce que je vois. Je n'ai pas toute la liste ici, Glen, mais vous avez été viré de plusieurs grandes entreprises de sécurité et vous avez enchaîné une kyrielle de petits boulots jusqu'à ce job de... serrurier. Oh ! J'oubliais les systèmes de sécurité. Vous aviez au moins ça pour entretenir le rêve, ajouta-t-elle.

— C'est des conneries. Je sais de quoi je suis capable. Je sais qui je suis. Je connais mon destin. Je suis plus futé que tous ces connards et je l'ai prouvé.

Rook intervint :

— En tendant une embuscade à la Terreur des punaises de lit ?

— Oh ! Allez vous faire foutre, vous aussi.

Cette fois, la vulgarité de leur interlocuteur ne dérangea pas Heat.

— Rook n'a pas tort.

— Putain que si.

— C'est ça, votre destin ? poursuivit-elle. Prendre en traître des innocents alors que vous prétendez valoir mieux qu'eux ?

— Je suis plus futé. Vous le savez parfaitement. J'ai pratiquement dû vous faire un dessin pour que vous restiez dans le jeu.

— Parce que je ne vaux pas tripette non plus, à vos yeux ?

Aussitôt, son attitude défensive céda la place à la folie pure.

— Non, non, non, inspecteur. Vous avez permis que tout..., comment dire..., se concrétise. Grâce à vous, la partie est montée d'un cran.

— Eh bien, elle est terminée, Glen, conclut Heat.

— C'est vous qui le dites !

Nikki se contenta d'allonger le bras pour prendre la chaîne de ses menottes entre le pouce et l'index et la secouer. Puis, elle referma le dossier, remit sa chaise en place et se dirigea vers la porte.

— Vous ne voulez rien savoir sur Salena Kaye ? s'écria alors Windsor.

Nikki s'immobilisa.

— Je sais des choses. J'ai appris des trucs sur ce complot bioterroriste.

Heat se tourna vers Rook.

— Et grâce à l'inspecteur Windsor, l'affaire est résolue.

— Je lui ai tout soutiré à cette salope en la travaillant au corps, clama Windsor tandis qu'elle se détournait. Et croyez-moi, Heat, ça vous intéresse au plus haut point.

— Je vous écoute, dit-elle sans quitter la porte.

— Non. Je veux d'abord passer un marché.

— Vous voulez rire ? Vous êtes un tueur en série.

— Ce n'est pas censé se terminer comme ça.

Il se mit à pousser des cris si forts en secouant son poignet entravé que l'agent en faction vint voir ce qui se passait. Après le départ du policier, Arc-en-ciel reprit :

— Vous auriez dû me tuer, Heat. Je mérite de partir en beauté.

Encore le destin, songea-t-elle. Il resta un instant pensif avant de poursuivre :

— Vous savez où me trouver. Proposez-moi quelque chose. Une vie ailleurs, sous des climats peut-être plus cléments, au lieu d'une prison de merde, pour commencer. En Californie. Ou en Arizona.

— L'heure tourne, Windsor. Si vous voulez négocier, vous feriez mieux de nous donner du grain à moudre.

Il réfléchit un instant, puis, d'un signe de tête, l'invita calmement à revenir près de lui. Lorsqu'elle fut à ses côtés, il sourit.

— Quand je serai prêt. Revenez demain ; j'ai eu une rude journée.

Puis, il ferma les yeux et roula la tête de l'autre côté comme pour dormir.

En redescendant l'escalier, Heat se tourna vers Rook.

— Ne dis rien.

— Comme « La partie n'est pas terminée » ? « Ne quittez pas le niveau » ?

— Tu m'énerves.

***

Lorsqu'il avait repoussé leur rendez-vous, Rook avait suggéré à Puzzle Man d'attendre son appel. C'est pourquoi, tandis qu'il traversait le hall du Bellevue avec Nikki, il sortit son portable.

— Maintenant ? fit Heat en consultant sa montre. C'est plutôt l'heure des dealers de drogue, il ne va pas…

Rook leva la main.

— Keith ? C'est Rook. J'ai une colle pour toi ! Toujours partant ?

Un large sourire aux lèvres, il fit signe à Nikki que tout allait bien.

Fatiguée, Heat sentait ses yeux la brûler. Pour le sommeil, il lui faudrait patienter encore, mais, en attendant, elle aurait dévoré un lion tellement elle avait faim.

— Est-ce qu'il peut nous rejoindre quelque part où on peut manger ? demanda-t-elle.

Le Tavern 29, à deux pas, servait toute la nuit, et Nikki mourait d'envie de déguster un de leurs hamburgers au bacon, qu'elle commanda d'ailleurs avant même de s'asseoir. Une bière aurait été parfaite en accompagnement, mais, pour ne pas se brouiller l'esprit, elle opta pour une eau gazeuse. Ils finissaient leur repas lorsque Keith Tahoma arriva, balançant sa queue de cheval grise, sans cesser de jacasser de la porte à leur table au sujet de la super ambiance nocturne de la Grosse Pomme. Heat était moins intéressée par son blabla que par ce qu'il tenait dans la main : le tube en carton d'un rouleau d'essuie-tout vide.

Il commanda un café et, une fois servi, répéta son rituel des six sucres suivis d'un remuage compulsif. Comme Heat lui demandait si ça l'aidait à ne pas s'endormir, il s'esclaffa.

— Pour l'instant, ça va.

— Keith, dit Rook, désolé de te mettre la pression, mais on attend ce moment depuis longtemps et on aimerait bien savoir ce que tu as trouvé.

— Oui, bien sûr.

Lorsque Puzzle Man prit le tube en carton sur ses genoux et le posa sur la table, Nikki retrouva toute son énergie.

— Toutes mes excuses pour cette réponse tardive. Ça m'a donné du fil à retordre.

— Mais vous l'avez déchiffré ? fit Heat avec plus d'espoir – ou d'enthousiasme – que d'interrogation dans la voix.

En guise de réponse, il caressa doucement le tube et lui adressa un clin d'œil.

— Bon, juste histoire que vous n'ayez pas de regrets de ne pas l'avoir fait tout seuls, ces petites lignes et gribouillis n'avaient absolument aucun sens. J'ai passé en revue tous les codes possibles et imaginables, mais en vain. Et je les connais tous. J'en ai même inventé quelques-uns au fil des ans. Et puis ce matin, alors que j'étais assis dans le parc, à travailler sur mes parties d'échecs en attendant que les autres pauvres cloches se rendent compte que j'avais six coups d'avance, j'ai levé le nez et j'ai vu passer un oiseau. Ensuite, au-dessus, j'ai aperçu un avion, probablement en manœuvre d'approche afin d'atterrir à JFK. Il volait cinq mille pieds plus haut que l'oiseau, mais, pour moi, on aurait dit qu'ils allaient se rentrer dedans. Vous pigez ?

Ses deux interlocuteurs firent non de la tête.

— Attendez, vous allez comprendre. C'était un effet d'optique. L'illusion envoyait un message à mon cerveau.

Il posa ses mains à plat l'une sur l'autre comme deux crêpes devant ses yeux. Heat commença à y voir plus clair.

— Vous vous êtes dit que le secret serait peut-être révélé en superposant toutes les pages de la partition.

— Non, dit-il.

Il frappa la table et sourit.

— Pas toutes, mais certaines. Après quelques tâtonnements, j'ai réussi à trouver quatre pages qui, empilées l'une sur l'autre, me donnaient un message par transparence quand je les soumettais à la lumière. Ce n'était même pas codé, c'était là sous mes yeux, aussi parfaitement lisible qu'un livre pour enfants. La vache, ce que je me suis senti doué !

— Est-ce que vous, euh…

D'un geste, Nikki indiqua le tube en carton.

— Absolument.

Il le lui remit avec un moulinet du bras.

Nikki prit le tube, vérifia rapidement autour d'elle que personne ne les regardait et en sortit le document. Après avoir déroulé les quatre feuilles, elle en redressa les coins, puis, le cœur battant, les superposa avant de les placer devant la bougie allumée sur la table. Dans l'écriture soignée de sa mère, elle lut : *Sortir le dragon.*

Son regard passa du casseur de code au message. Heat feuilleta les pages, puis les scruta de nouveau à la bougie, dans l'espoir d'y découvrir autre chose.

— C'est tout ?

— C'est tout, circulez, y a rien à voir, si vous me passez l'expression.

— Je peux ? demanda Rook.

Elle lui remit le paquet et il chercha à son tour un éventuel supplément de texte. Tandis qu'il étudiait les pages à la faveur de la lumière, Nikki réfléchit au Dragon. Le mot, forcément un nom de code, avait surgi dans cette affaire quelques jours seulement auparavant, lorsque le passager de l'hélicoptère détourné avait entendu Salena Kaye appeler quelqu'un par ce nom au téléphone. Qu'avait-elle dit ? « Dragon, c'est moi. » Dragon était donc le chef de Salena Kaye. Et de Tyler Wynn, selon sa déclaration sur son lit de mort. Mais voilà que sa mère le mentionnait aussi dans ce code issu du passé. Tout cela indiquait à Heat que, onze ans plus tard, Dragon était toujours aussi vivant.

Cynthia Heat n'avait aucun moyen de savoir que ce message mettrait autant de temps à parvenir à sa fille. Cependant, sa teneur laissait Nikki toujours aussi perplexe. Or elle n'avait pas onze ans devant elle pour comprendre.

Elle n'avait même pas onze jours.

— Vous avez l'air un peu moins enthousiastes que je ne l'aurais imaginé, tous les deux, fit remarquer Puzzle Man.

— Non, non, assura Heat, c'est du beau boulot, c'est juste que…

Rook acheva sa pensée à sa place :

— On ne sait pas ce que ça veut dire.

— Alors là, c'est autre chose, dit Puzzle Man. Dans ces cas-là, je m'en réfère à la sagesse de mon s*hi'nali*, le messager du vent. Mon grand-père disait qu'il existe toujours un code qu'on ne peut casser.

— Lequel ? s'enquit Nikki en regardant de nouveau les mots à la lumière.

— Celui que seules deux personnes peuvent comprendre : l'expéditeur et le destinataire.

***

Cynthia Heat tenait à sa fille des propos absurdes, comme le font les apparitions qu'on voit parfois dans son sommeil. Nikki la voyait comme cela lui était arrivé un nombre incalculable de fois au cours des onze dernières années, le plus souvent au milieu de la nuit, même si cela se produisait aussi parfois à des moments importuns aussi ordinaires que lorsqu'elle cherchait sa carte dans le métro ou qu'elle souriait en lisant une bande dessinée du *New Yorker*. En général, sa mère baignait dans son propre sang sur le sol de sa cuisine. Au fil des ans, elle lui avait dit bien des choses, aussi incohérentes toutefois que ses apparitions. Cette fois, depuis les profondeurs de plomb que seul son matelas semblait posséder, Nikki voyait sa mère assise au piano – celui qui se trouvait dans la pièce au bout du couloir – et elle lui répétait les deux mêmes mots en boucle, tel un avatar de jeu en ligne. « Tu sais. Tu sais. Tu sais… », ne cessait de répéter Cindy Heat à sa fille.

Une main sur son épaule la réveilla doucement. Heat cligna des yeux. Il faisait encore nuit. Assis à côté d'elle, Rook lui tendait son téléphone portable qui sonnait. Heat se racla la gorge et donna son nom. Puis, elle écouta et gémit.

— Quoi ? demanda Rook.

— Il a fichu le camp. Arc-en-ciel s'est échappé.

***

Heat se rendit à Bellevue en un temps record, car elle n'eut pas à se changer. À 2 heures du matin, compte tenu de son état de fatigue, Nikki s'était effondrée tout habillée sur son lit. Quatre petites heures plus tard, tous deux dans leurs vêtements de la veille, elle et Rook pénétraient dans la chambre de Glen Windsor au deuxième étage de l'hôpital.

— Quelqu'un voudrait-il bien m'expliquer ? fit-elle devant le lit vide.

Un policier se tenait là avec deux agents de sécurité de l'hôpital, les yeux baissés. Elle se dirigea vers lui.

— Comment vous appelez-vous ?

— Conan.

— Prénom ?

— Bruce.

Elle inclina la tête de façon à pénétrer dans son champ de vision.

— Écoutez-moi, Bruce. Je sais combien c'est pénible, mais vous allez devoir mettre votre mouchoir dessus. Ce type est plein de ressources ; alors, allez-y mollo sur la culpabilité. Dites-moi juste comment c'est arrivé.

— Vers une heure trente, l'infirmière de nuit est venue prendre sa température, commença Conan. Elle ne s'en est pas rendu compte tout de suite, mais elle avait une paire de lunettes dans sa poche de devant, qu'il a dû lui piquer quand elle s'est penchée sur lui pour changer son pansement.

L'agent indiqua les lunettes sur le comptoir. Rook les regarda de plus près.

— Les branches ont été démontées.

— Oui, on pense qu'il s'est servi du bout métallique pour ouvrir ses menottes.

— Il n'a pas lacéré quelqu'un au visage pour se faire un masque et sortir en toute discrétion, j'espère, fit Rook.

Les trois flics le dévisagèrent.

— *Le Silence des agneaux* ? suggéra-t-il alors.

— Continuez, Conan.

— Il a maîtrisé l'aide-soignant qui est venu après, il a enfilé sa blouse et attendu un changement d'équipe pour passer devant moi. Je ne l'avais même pas vu à son arrivée, alors, comment j'aurais pu savoir à quoi il ressemblait ?

Une fois dans l'ascenseur, Rook ne put retenir une remarque.

— Je regrette, Nikki, mais quand on s'appelle Conan, on devrait en avoir un peu plus dans le pantalon. Je dis ça...

— Ravie que tu t'amuses autant, coupa-t-elle. J'ai vingt-quatre heures pour déjouer un complot terroriste. On n'a toujours rien à se mettre sous la dent et mon meilleur espoir de trouver une piste était ce maudit tueur en série de serrurier qui vient de s'échapper... Et toi, tu plaisantes ?

Il marqua une pause.

— Quand même, si tu t'appelais Conan, ne me dis pas que tu ne ferais pas au moins un peu de muscu !

Dans le taxi qui les ramenait vers le nord de Manhattan, Heat appela Feller pour lui demander de faire amis-amis avec les enquêteurs de la dix-septième circonscription, dont relevait l'hôpital Bellevue. Elle le chargea en outre de s'assurer que le nouvel avis de recherche de Glen Windsor s'étendait aux gares, aux aéroports et aux compagnies de bus bon marché de Chinatown.

— J'ai réfléchi, annonça Rook lorsqu'elle eut raccroché.

— À d'autres gags pour ton solo de comique ?

— Non, à l'affaire. Un peu de concentration, que diable !
Puis, il reprit son sérieux.

— Je ne crois pas que tu aies besoin de cet avis de recherche.

— Pourquoi ?

— Parce qu'Arc-en-ciel va venir à toi.

— Bien sûr.

— Nikki, regarde comme il fonctionne… et les preuves.
Pense à l'interrogatoire d'hier soir. Windsor ne fait pas juste
une fixation sur toi, il souffre d'un vrai trouble de la personnalité. Il est narcissique, c'est sûr, et mégalo, je parie. Clini-
quement, c'est un ego qui se nourrit d'être le centre de tout.

— Tu veux donc dire que je devrais annuler les recherches ?

— Non, je dis qu'il va chercher à te joindre comme il l'a
déjà fait. Forcément. C'est son heure de gloire et il a besoin
de t'affronter pour la savourer pleinement.

— C'est pour ça qu'il disait que j'avais fait monter la
partie d'un cran ?

— Exactement. Peut-être que je me trompe, peut-être
qu'il ne prendra pas contact. Mais, au cas où, je réfléchirais
à mon jeu.

— Décidément, je déteste ça, les jeux, dit Heat.

— Non seulement il faut que tu joues cette partie, Nikki,
mais tu dois trouver le moyen de le battre.

C'était tout Rook, ça, songea-t-elle. Tantôt clown, tantôt
sage.

— Puisque tu es si malin, dit-elle, pourquoi tu ne me dis
pas comment faire ?

Il regarda par la vitre de son côté un instant, puis prononça des mots qui firent écho à son rêve.

— Tu sais.

***

Heat et Rook pénétrèrent dans une salle de briefing bai-
gnée d'un calme inquiétant. Une tension palpable émanait

du seul bureau vide : celui au nom de l'inspecteur S. Hinesburg. Tout le monde continuait de travailler, mais le regard creux, pas tant à cause du chagrin que de la désillusion. L'un des leurs avait mal tourné.

C'était différent de la corruption ; les pots-de-vin étaient une réalité à New York comme ailleurs, mais, là, c'était différent. C'était une trahison.

Le bureau vitré du chef était éteint. Rhymer informa sa supérieure que le capitaine Irons avait envoyé un e-mail pour dire qu'il se trouverait au One Police Plaza pour une durée indéterminée ce matin. La brigade spéculait sur son retour après ce cauchemar de double malédiction.

— Ce n'est pas une bonne journée pour Iron Man, affirma l'inspecteur Malcolm, usant à son habitude d'un doux euphémisme.

— Déjà qu'il avait tenu dans ses bras un tueur en série lors de sa conférence de presse, voilà maintenant que sa maîtresse se révèle être une espionne au service du bioterrorisme.

— L'erreur ! clama Reynolds.

— Monumentale ! renchérit Feller.

Raley et Ochoa arrivèrent après leur nuit passée chez Hinesburg. Benigno DeJesus les suivait dans son coupe-vent bleu marine marqué POLICE SCIENTIFIQUE avec deux cartons d'éléments recueillis sur les lieux par son équipe.

Il indiqua que le tout partait au labo, puis aux Affaires internes. Mais comme il devait aussi mettre le bureau de Hinesburg sous scellés, il avait apporté les cartons à Heat afin qu'elle puisse y jeter un œil avant.

— N'oubliez pas les gants, rappela-t-il.

Rook et la brigade se rassemblèrent autour de Nikki qui souleva les rabats et fouilla le contenu des cartons en remettant soigneusement chaque chose en place après examen. Elle parcourut la pile de courrier et de factures ouverts sans rien y découvrir d'utile. Sous une trousse de toilette remplie de médicaments courants, elle trouva une arme de poche qu'elle brandit.

— Un Smith & Wesson M&P9 Shield, récita l'inspecteur DeJesus avec la précision d'un conservateur de musée.

À travers le sachet de cellophane qui le contenait, Heat examina le 9 mm, une arme de prédilection pour les missions en civil en raison de ses dimensions plus que compactes.

— Hinesburg avait une arme de secours de secours…, pour ce que ça lui a rapporté, se moqua Feller.

Ce commentaire fit réfléchir Nikki, qui remit ensuite l'arme dans le carton.

— Quelqu'un a-t-il vérifié cet ordinateur ? demanda-t-elle en brandissant un portable flambant neuf.

L'inspecteur Raley ouvrit la machine.

— J'ai passé quelques heures dessus, dit-il pendant que le système démarrait. Il n'y avait rien de juteux sauvegardé sur le disque. Ni plan ni heure marquée sur le calendrier pour samedi. Mais elle était abonnée à un service cloud et, comme elle avait coché l'option RESTER CONNECTÉ, j'ai pu y accéder. Des reçus d'achats sur Internet pour l'essentiel, mais il y avait un e-mail dans la boîte ENVOYÉS que Hinesburg devait avoir oublié d'effacer.

Il marqua une pause pendant que la messagerie s'ouvrait.

— Regardez.

Il retourna l'écran vers Nikki qui, sous l'effet de la surprise, relut le message deux fois. L'adresse du destinataire ne comportait pas de nom, mais un mélange alphanumérique.

Néanmoins, le domaine se terminait par « .fr », ce qui signifiait qu'il se trouvait en France. Le sujet indiquait : *Heat*. Et le message lui-même disait : *Arrive aujourd'hui. Hôtel Opéra, rue de Richelieu.*

— C'était notre hôtel ! s'exclama Rook. Et elle l'a envoyé la veille de notre arrivée à Paris, le mois dernier. Donc, du jour où on a retrouvé Tyler Wynn.

— Prête pour la preuve irréfutable ? intervint l'inspecteur Ochoa, qui s'excusa avant de passer le bras devant Heat pour le plonger dans le second carton.

Il en sortit un banal téléphone portable qu'il brandit.

— C'est bien ce que je pense ? fit Heat.

Ochoa le lui tendit.

— Incroyable, non ? Notre génie avait en fait gardé le portable jetable. La foireuse, elle aura vraiment tout bâclé jusqu'au bout.

Tandis que Heat ouvrait la liste des appels sortants, Raley tira un morceau de papier de sa poche de veste.

— Les deux derniers correspondent à ces numéros. Ils collent avec les appels qui ont prévenu et Salena Kaye et Vazha Nikoladze. Vous constaterez que deux autres numéros figurent dans les appels récents. L'un correspond à la ligne fixe de Tyler Wynn. L'autre, j'ai bien essayé de l'appeler pour voir, mais il n'était plus attribué.

— Je le reconnais…, affirma Heat. Du moins, il me semble.

Les sourcils froncés, elle sortit son propre téléphone et fit défiler quelques secondes les écrans jusqu'à ce qu'elle eût trouvé ce qu'elle cherchait. Alors, elle attrapa ses clés et se rua vers la porte en criant :

— Les Gars, Feller ! En route, suivez-moi !… Illico.

DIX-NEUF

En cette fraîche matinée, des radiateurs d'appoint installés en hauteur réchauffaient l'atmosphère sous le dais devant l'immeuble de l'Upper East Side. Heat et les Gars attendaient derrière les conifères en pots qui flanquaient les deux côtés du hall d'entrée. Une limousine noire était garée dans l'allée pavée en demi-cercle. Au volant, l'inspecteur Feller avait remplacé le chauffeur, et le moteur cliquetait en refroidissant.

— Dans le vestibule, chuchota-t-il dans son talkie-walkie. Le concierge et, derrière, le suspect.

Postés derrière les cyprès, Raley et Ochoa adressèrent un hochement de tête à Heat. Au son du mécanisme d'ouverture de la porte intérieure dans le vestibule, elle posa la main sur son holster. Puis, les portes vitrées extérieures au cadre en laiton se séparèrent, et le concierge en uniforme sortit le premier. Il fit signe à la limousine d'avancer pour son locataire. Dès que le second homme fut passé, les enquêteurs s'avancèrent de part et d'autre pour le prendre en sandwich et le menotter.

— Mais qu'est-ce que ça veut dire ?!

— C'est nous qui vous conduisons aujourd'hui, monsieur Maggs, annonça Heat.

***

Dans la salle d'interrogatoire, Carey Maggs était assis les mains croisées devant lui sur la table, dans une attitude détendue.

— Vous ne pouvez pas me retenir sans motif. Je ne suis peut-être pas citoyen américain, mais j'ai droit à un traitement en bonne et due forme.

Malgré son air cultivé d'Oxford et son costume sur mesure de millionnaire, devant le silence de pierre que Nikki opposa à ses protestations, le Britannique réagit comme tous les voyous, qu'ils fussent chefs de bande ou sous-fifres. Son regard se tourna lentement vers le miroir sans tain, se demandant qui se cachait derrière pour l'observer, vérifiant sa mise… ou les deux. Maggs ne semblait pas aussi incommodé par son silence qu'elle l'aurait aimé. D'ailleurs, lorsqu'il reprit la parole, il n'avait pas l'air le moins du monde alarmé.

— J'ai entendu parler de ces tactiques d'intimidation aux infos, mais je dois dire, inspecteur Heat, que jamais je ne me serais attendu à ces façons de faire de votre part.

— Eh bien, on a tous quelques surprises en réserve.

— Peut-être pourriez-vous mettre un terme à cet insoutenable suspense et me dire pourquoi vous m'avez kidnappé ainsi, tel un vulgaire criminel.

Heat avait les cartes en main. L'expérience lui avait appris à ne pas précipiter les choses, à laisser l'interrogatoire se construire malgré la terrible pression du temps qu'elle ressentait. Si elle allait droit au but, à savoir quand et où aurait lieu l'attentat, Maggs flairerait son attente désespérée, et la balance pencherait de son côté à lui. S'il continuait de s'inquiéter de savoir ce qu'elle savait exactement, il en avouerait davantage et plus vite. Au lieu de répondre à sa question, Nikki adopta donc la même posture détachée que lui.

Il s'écoula un moment, puis elle sortit une photo de Petar Matic du dossier devant elle.

— La dernière fois que nous nous sommes parlé au téléphone et que je vous ai demandé si vous pouviez identifier l'homme sur cette photo, vous m'avez déclaré ne pas connaître son nom. Néanmoins, vous l'aviez vu rôder près de chez vous la semaine où Ari Weiss était sous votre toit. La semaine où ma mère a été assassinée.

Il ne prit pas la peine de regarder la photo.

— C'est exact.

— Vous disiez également que vous le suspectiez et que vous l'aviez signalé à la police.

D'un haussement de sourcils et d'épaules, il marqua son accord.

— Nous avons vérifié au poste de votre quartier, dans la dix-neuvième circonscription. Aucune trace de votre appel, ni de plainte ni de déplacement chez vous.

— Peut-être qu'ils n'ont rien enregistré. Ou alors, qui sait ?...

Enfin, elle distinguait une fissure dans la façade de calme qu'il affichait.

— Peut-être que je n'ai pas appelé moi-même, improvisa-t-il. Il est possible, en fait, que j'aie laissé le portier s'en charger.

— Décidez-vous, monsieur Maggs !

Il haussa les épaules.

— C'était il y a onze ans, trésor.

De l'autre côté de la table, Heat sourit à l'homme qui, elle en était convaincue, avait ordonné l'assassinat de sa mère après qu'elle eut découvert ses projets terroristes.

— Inutile de me le rappeler.

Son sourire désarmait Carey Maggs. Cela plaisait à l'enquêtrice. Toutefois, juste au moment où elle allait passer à la question suivante, la porte s'ouvrit brusquement, et Bart Callan fit irruption, suivi de Yardley Bell.

— Heat, on prend la relève, déclara Callan.

— Excusez-moi, dit Nikki en se levant.

D'un geste du bras, elle leur indiqua la sortie.

Carey écarquilla les yeux.

— C'est qui, ça ?

Personne ne sortit. Au contraire.

— Agent Callan et voici l'agent Bell, du département de la Sécurité intérieure. Nous avons quelques questions à vous poser concernant votre complot terroriste.

À ces mots, l'expression de Maggs fit comprendre à Nikki que le château de cartes qu'elle avait pris tant de soin à édifier venait de s'écrouler, et elle jura en son for intérieur.

— Messieurs-dames, peut-être pourrions-nous nous voir un instant ? demanda-t-elle.

Les bras croisés, Bell lança un regard noir à Heat. D'un geste brusque, Callan attrapa la chaise de Nikki par le dossier afin de la rapprocher et de poser le pied sur l'assise, puis il prit appui sur son genou et se pencha de manière menaçante vers la table.

— Si vous commenciez par nous dire ce que faisait votre numéro dans le téléphone d'une espionne arrêtée pour complot bioterroriste.

— Dois-je comprendre que vous m'accusez de terrorisme parce que quelqu'un se trouve avoir mon numéro dans son téléphone ?

Il se retourna vers Heat :

— Je veux mon avocat.

Nikki demanda un temps mort. Ils laissèrent Maggs mariner à sa table tandis qu'ils passaient dans la salle d'observation. Les cris éclatèrent dès que le sas se fut refermé.

— Vous auriez quand même pu avoir la courtoisie de me prévenir avant de faire irruption en plein interrogatoire !

— C'est vous qui parlez de courtoisie ? Franchement ! fit Bell.

— Je vous ai avertis pour l'arrestation.

— Un e-mail après coup…, souligna Callan.

— C'est justement parce que vous ne nous avez pas avertis que vous avez tout foutu en l'air à l'héliport hier soir, ajouta l'agent Bell. On aurait dû être là pour l'interpellation. Pas arriver après la bataille.

Heat indiqua Maggs de l'autre côté de la vitre.

— Son numéro de téléphone figurait parmi les appels récents dans le portable jetable de Sharon Hinesburg. Je ne voulais pas qu'il m'échappe.

Yardley Bell vint se coller nez à nez avec Heat.

— Foutaises. Vous avez encore pris une décision unilatérale afin de nous court-circuiter. Alors que c'est notre affaire, bon sang. Pourquoi ?

— Parce qu'il y a trop de variables, répondit Nikki.

— Ça veut dire quoi ? Que vous ne nous faites pas confiance ?

Sans sourciller, Heat ne répondit pas. Callan reprit finalement la parole, sur un ton plus civil cette fois.

— On verra tout ça plus tard. On n'a pas que ça à faire. Qu'avez-vous obtenu de lui jusque-là ?

Nikki s'écarta de Bell.

— Il feint l'innocence. Je commençais juste à le démonter quand vous êtes arrivés.

Yardley s'écarta en marmottant.

— Bon, soyons pragmatiques, dit Callan. D'abord, pas d'avocat.

— Je peux peut-être invoquer l'article 9 et le retenir pour une évaluation psychologique, suggéra Nikki. J'aimerais laisser le temps à mes enquêteurs de me faire part de leurs résultats. Certains sont partis fouiller son domicile et son entreprise tandis que Rook épluche ses finances.

— Quel genre de finances ? demanda Callan.

Bell intervint avant que Nikki ne puisse répondre :

— Pourquoi perdre son temps avec une excuse bidon quand la loi autorise les officiers fédéraux à garder en détention tout suspect d'acte terroriste pour une durée indéterminée ?

Elle brandit le badge de la Sécurité intérieure qui lui pendait autour du cou.

— Maintenant, peut-on travailler en équipe ?

***

Dans ce nouvel – quoique fragile – esprit de coopération, l'agent Callan envoya ses meilleurs experts rejoindre les enquêteurs de Heat chez Carey Maggs, dans l'Upper East Side, ainsi qu'à la brasserie-pub-restaurant de South Street Seaport. Tout comme lors des fouilles menées à la planque de Salena Kaye, à Coney Island, au domaine de Vazha Nikoladze, dans le nord de l'État et dans le studio de Sharon Hinesburg, ils cherchèrent des indices matériels parmi les ordinateurs, les e-mails et les factures, ainsi que toute trace d'agents biologiques.

Alléguant qu'il « serrait les fesses » en voyant l'heure tourner, car il était près de midi, la veille de la date prévue pour l'attentat, Callan mit également en œuvre des moyens militaires pour stopper et fouiller le moindre camion entrant dans Manhattan, et augmenter les barrages de police déjà mis en place aux endroits clés autour de l'île. Il enclencha aussi le déploiement de la force d'intervention médicale de la Garde nationale, dont il avait été question au quartier général de la Sécurité intérieure. L'arsenal du fort Washington, dans Washington Heights, au nord de Manhattan, ainsi que les deux armureries à chaque extrémité de Lexington Avenue se transformeraient en vastes centres de triage médicaux. Sous le pont de Triborough, les terrains de football de Randall's Island deviendraient du jour au lendemain, et en toute discrétion, une ville de toile militaire permettant d'accueillir la masse des personnes infectées.

Sous prétexte qu'à défaut de plus amples détails, cela ne ferait que déclencher la panique, la hiérarchie maintenait sa décision de ne pas annoncer la menace en cours. En cet instant, tout le monde au poste savait cependant de quoi il retournait. Il fut décidé que l'inspecteur Heat continuerait à diriger l'interrogatoire. Malheureusement, Carey Maggs décida, lui, de continuer à jouer les innocents indignés.

Au bout de plusieurs heures d'obstruction obstinée de la part du suspect, l'inspecteur Rhymer se glissa en salle d'interrogatoire pour remettre à Heat le dossier qu'il avait compilé après ses visites aux banques. Elle le lut avec attention, puis adressa à Maggs un regard lourd de signification.

— Parlons un peu de Salena Kaye. Ce nom vous dit bien quelque chose, non ?

— Oui, mais seulement parce que vous ne cessez de me le balancer à la figure comme si on avait gardé les vaches ensemble. Comme je l'ai déjà indiqué clairement, je ne saurais pas la reconnaître si je la croisais.

— Nous savons que Salena Kaye s'employait ces derniers temps à contacter les djihadistes radicaux, qu'elle cherchait des volontaires pour jouer les martyrs. Il n'était pas question de bénévolat puisqu'elle offrait cent mille dollars aux familles de ceux qui acceptaient.

— Si vous le dites. Je ne vois toujours pas le rapport avec moi.

— Cent mille dollars. Comment une simple kiné comme Salena Kaye pourrait-elle mettre la main sur cent ou deux cent mille dollars ?

— Posez-lui la question.

— Elle est morte. Et vous le savez, n'est-ce pas ?

Maggs conserva un regard passif durant le silence qui suivit. Son expression ne trahissait rien.

— Je veux que vous me disiez qui elle a engagé et où ils se trouvent.

— Une vraie colle, se contenta-t-il de commenter.

Habituée aux refus, elle insista et brandit une page scannée du dossier apporté par Rhymer.

— J'ai des renseignements intéressants, là. Cette semaine, le compte personnel de Salena Kaye a reçu un virement de deux cent mille dollars d'une certaine Clune Worldwide Holdings.

Elle posa la feuille et sortit la suivante.

— Voici une copie du relevé de la carte bancaire utilisée par Salena Kaye l'autre jour chez Surety Rent-a-Car pour la location d'un camion. On a creusé et il s'avère que le compte est approvisionné par la Clune Worldwide Holdings.

Elle marqua une pause. Comme il ne manifestait aucune réaction, elle prit une autre page.

— Le relevé bancaire personnel de Sharon Hinesburg.

— Encore un nom que je devrais connaître, selon vous ?

— Vous voyez ces éléments surlignés en jaune ?

Elle brandit le relevé ; il lui accorda à peine un regard. Ce sont des virements électroniques de mille dollars émis par la Clune Worldwide Holdings directement sur le compte de Hinesburg.

— Et alors ?

— Alors, reprit-elle en écho, en tournant une nouvelle page, la Clune Worldwide Holdings est une banque offshore située dans les îles Caïmans – autrement dit la Suisse sous les palmiers en matière de blanchiment d'argent –, le même établissement qui se trouve abriter le compte de Mercator Watch, l'œuvre caritative que vous financez.

— Ça ne veut rien dire, affirma-t-il. La banque où je vais gère l'argent d'autres personnes ! Des tas de banques gèrent l'argent d'autres personnes. D'après la pub à la télévision, il y en a même une qui gère celui des Vikings, apparemment. Est-ce que ça fait des autres clients des Vikings aussi ? gloussa-t-il.

***

Ils accordèrent une pause à Maggs pour se faire accompagner aux toilettes et, à son retour en salle d'interrogatoire, il trouva Rook assis à côté de Heat. S'il en fut déconcerté, il n'en montra qu'un peu plus de nonchalance.

— Ravi d'avoir la compagnie d'un journaliste d'investigation dans cette procédure. S'ils m'embarquent pour Guantanamo, j'aurai besoin de quelqu'un pour témoigner de cette injustice.

— En toute honnêteté, je ne suis pas là pour faire campagne pour vous libérer, mais pour aider l'inspecteur Heat à vous empêcher d'assassiner des innocents.

— Eh bien, au moins, nous nous comprenons.

— De mieux en mieux, assura Heat.

— On peut même dire que j'ai tout compris, Carey, continua Rook. Absolument tout.

Le regard de Maggs se posa aussitôt sur les documents que le reporter avait apportés.

— Voyez-vous, l'un des avantages quand on est journaliste d'investigation, c'est qu'on bénéficie de sources au plus haut niveau. Ce sont des relations intéressantes. Parfois, je dois leur rendre des services, mais parfois ce sont eux qui me sont redevables. Je connais justement quelqu'un de haut placé au sein de l'autorité de surveillance des Bourses et, hourra, c'était son tour de régaler. Comme dit l'adage depuis le Watergate : « Suivez l'argent. » En l'occurrence, il s'agissait plutôt de demander : « Qu'y a-t-il dans votre portefeuille[1] ? » commenta Rook avec un clin d'œil. Or, avec l'aide de mon ami de la SEC, il ne m'a pas fallu plus de deux heures pour me faire une idée de la répartition de vos investissements. Je sais exactement où se trouve toute votre fortune. Du moins, la part que vous ne glissez pas au fond de vos chaussures quand vous prenez l'avion pour les Caïmans.

Maggs s'efforçait de lire à l'envers les pages que Rook était en train de classer dans l'ordre qui lui convenait avant de continuer.

— Mercator Watch. Votre fondation internationale de lutte contre le travail des enfants. En fait, c'est plutôt un fonds de placement. Mais passons. Voyons donc vos investissements. Tous rentables, félicitations.

Il tourna une page.

— Pranco Corporation, des contrats avec les gouvernements européens pour construire des logements bon marché dans les villages du tiers-monde décimés par la guerre. Nevwar Enterprises, une multinationale multimillionnaire employant d'anciens prisonniers politiques des régimes totalitaires.

Il leva les yeux.

— Et ça continue comme ça encore et encore, Carey. Chacune de ces sociétés engrange de solides bénéfices grâce à des idéaux et des causes radicales.

— Rien de tout ça ne fait pour autant de moi un terroriste, non ?

— Au contraire, c'est comme la Brasserie Boz fondée

---

1. Slogan de la banque Capital One (*What's in your wallet ?*) utilisé dans les publicités, comme les Vikings mentionnés plus haut.

pour dénoncer les injustices sociales, sur le principe défendu par Charles Dickens.

— Et l'avidité des industriels ! explosa Maggs. Mon portefeuille repose entièrement sur le capitalisme éthique, et je bats ces putains de « un pour cent » à leur propre jeu. Ce n'est pas un crime, que je sache.

C'était la première fois que Heat le voyait s'emporter. Rook hocha la tête avec scepticisme et tourna la dernière page.

— Très bien, mais là, nous avons..., comment dirais-je ?

Il se retourna vers Heat :

— Une chaussette dépareillée ? souffla-t-elle.

— Voyons. Vous êtes l'actionnaire principal de la BeniPharm Corporation.

Ils virent Carey Maggs cligner des yeux deux fois plus vite.

— Alors, la chaussette dépareillée, c'est que BeniPharm est le seul de vos investissements qui ne s'inscrive pas dans ce cadre radical.

Rook retourna aux données fournies par la SEC.

— Il est dit ici que la société a été constituée en 1998 avec vos fonds et la participation mineure d'un associé du nom d'Ari Weiss..., un médecin désormais mort. La société suivait son bonhomme de chemin, ne fonctionnant, en fin de compte, que sur le papier jusqu'à ce qu'elle se démarque, il y a deux ans, avec un produit très particulier. Voulez-vous que je vous laisse le soin de nous dire ce que c'est ?

Maggs se racla la gorge.

— Un médicament contre la variole, dit-il d'une voix piteuse.

— Intéressant, commenta Heat.

— Selon son prospectus, BeniPharm s'est taillé la part du lion dans le monde comme fournisseur leader de l'antiviral contre la variole. Je ne m'en étais pas rendu compte avant que l'inspecteur Heat n'en ait besoin, mais, si vous prenez ce médicament dans les cinq jours suivant l'exposition au virus, vous n'attrapez pas la variole.

— Exactement, confirma Maggs.

— Pourquoi tant d'efforts pour un médicament contre une maladie disparue ? demanda Heat.

— Pure paranoïa, dit Rook. Nous vivons à une époque où des dingues peuvent se livrer à des actes bioterroristes. En fait, à en croire ceci, BeniPharm est en contrat avec le gouvernement pour un demi-milliard de dollars d'antivariolique.

— Il n'y a rien de mal à ça. Je…, nous… assurons un service public.

— Et qu'adviendrait-il de vos profits en cas d'épidémie de variole ? fit Heat.

— Vous allez chercher…

— Ou si on se servait de la variole comme d'une arme pour un attentat terroriste ? Dans une grande métropole ?

— C'est un piège.

— Qu'adviendrait-il ? demanda Nikki. Vous doubleriez… ? Tripleriez vos profits ? D'autres pays vous solliciteraient. Dites-moi, qu'y gagneriez-vous ? Dix fois la mise ?

Heat se leva et cria en tapant de la paume sur la table :

— Cela mérite-t-il de tuer des milliers d'innocents ? Est-ce cela qui a coûté la vie à ma mère, espèce de salaud ?

Épuisée, Heat s'interrompit, hors d'haleine. Le silence s'installa dans la pièce. Enfin calmée, elle reprit :

— Faites au moins une bonne action, Maggs. Dites-moi quand et où.

Il remua la tête.

— Je vais vous dire, commença-t-il pour s'assurer toute leur attention. Vous n'en êtes encore tous qu'à des suppositions.

***

Heat ouvrit la porte d'un geste si violent qu'elle vola contre le mur de la salle d'observation.

— Je n'arriverai pas à le faire plier.

— Vous vous êtes très bien débrouillée, déclara Callan.

— Tous les deux, ajouta Bell à l'adresse de Rook. On n'aurait pu faire mieux.

De l'autre côté de la vitre, Maggs s'affala sur sa chaise, la tête basculée en arrière, et ferma les yeux.

On aurait plutôt dit un banlieusard endormi dans le train le ramenant dans le Connecticut que le principal suspect d'un attentat terroriste de masse.

— Il ne manque pas de couilles, affirma Rook. Juste au moment où on pensait qu'il allait craquer, hop, il nous envoie balader.

— Qu'a-t-il à perdre ? fit Bell. Tu l'as souligné toi-même : s'il la ferme, il lui tombe une manne de quelques milliards dans le bec, alors que, s'il soulage brusquement sa conscience, c'est la prison à vie.

— Il est cinq heures passées, annonça Callan. Je propose qu'on laisse tomber la méthode traditionnelle et qu'on l'emmène faire un tour à la grange noire.

Le visage de Rook s'illumina.

— Vous avez vraiment une grange noire ?

Callan fronça les sourcils et regarda Nikki.

— D'où il sort, lui ?

— Alors, vous en avez une ou pas ? insista Rook.

— Vous ne l'emmènerez nulle part, s'opposa Nikki. On ne pratique pas ce genre de choses.

Derrière elle, Yardley Bell gloussa doucement.

— Elle a raison, dit l'agent Callan à Rook. Malheureusement, nous sommes sur le territoire américain. Même si ça ne m'aurait pas déplu d'attendrir un peu ce connard, on va devoir continuer à le travailler dans le respect de la Constitution.

Il s'avança vers la vitre.

— On vous laisse encore cinq minutes. Ensuite, je m'y essaierai à mon tour.

***

À son retour dans la salle de briefing, Heat trouva sa messagerie pleine. Lauren Parry lui faisait savoir qu'elle avait des choses intéressantes à lui communiquer au sujet de l'autopsie. Nikki décida cependant de rappeler d'abord l'inspecteur Ochoa.

— Où êtes-vous, les Gars ?

— À la Brasserie Boz dans South Street. Comment ça se passe avec Maggs ? Vous avez quelque chose ?

— Rien pour l'instant. Il n'arrête pas de faire comme s'il allait obtenir de me faire figurer sur la liste d'Amnesty International juste après la Corée du Nord.

— Malheureusement, on ne va guère pouvoir vous aider, déclara Ochoa. Pourtant, croyez-moi, on a fondu sur son appartement et la brasserie comme la vérole sur le bas clergé. Le labo, aussi. Les petits génies de la maison et ceux de la Sécurité intérieure ont reniflé partout avec leur R2-D2.

— Le ménage avait été fait ?

— De fond en comble !

Aussitôt après avoir raccroché, alors qu'elle allait mettre Rook au courant, une des assistantes du poste déboula et l'interrompit.

— Arc-en-ciel, annonça-t-elle simplement.

**

Nikki allait décrocher lorsque, à sa grande surprise, Rook posa la main sur la sienne pour lui faire reposer le combiné.

— Rook.

— Prends ton temps. Fais-le attendre.

— Il a peut-être quelque chose à me dire à propos de l'attentat. Je ne vais pas attendre.

— C'est comme pour Maggs : s'il le sent, c'est mort.

Il lui pressa légèrement la main avant de la relâcher.

— N'oublie pas : tu as joué selon ses règles, à ton tour d'imposer les tiennes.

Heat réfléchit, puis, même si cela allait à l'encontre de tout ce qu'elle sentait – tout ce dont elle avait tant besoin en ces derniers instants où il était encore possible d'agir –, elle en convint. S'il percevait son désespoir, Arc-en-ciel aurait la main. Elle attendit trente longues secondes d'agonie avant de décrocher.

— Heat.

— Quoi ? Vous me faites attendre pour essayer de me localiser ?

Reconnaissant la voix de Glen Windsor, elle confirma l'identité de son interlocuteur d'un signe de tête à Rook.

— Je ne suis pas idiot. Je sais régler un téléphone pour qu'il ne soit pas tracé.

Nikki eut une inspiration à faire froid dans le dos. Sans réfléchir, sans peser son geste, elle suivit son instinct. Et lui raccrocha au nez.

— Oh putain ! s'exclama Rook.

Alors qu'une nausée lui soulevait le cœur à l'idée qu'elle venait peut-être de commettre une erreur fatale, la sonnerie retentit de nouveau. Heat enclencha l'enregistrement sur la boîte de raccordement et laissa sonner encore une fois avant de répondre. Windsor ne lui laissa même pas le temps de parler.

— À quoi vous jouez ?

Il avait la voix très agitée. L'excitation du jeu, songea-t-elle.

— Glen, je suis débordée, dit-elle en s'efforçant de paraître détachée.

— Rien à foutre. Il faut qu'on parle.

— Attendez une seconde.

Elle couvrit vaguement le combiné et clama dans le vide.

— Vous m'attendez, hein ? J'arrive dans deux secondes.

Deux secondes. Rook serra les poings en guise d'encouragement. Engagée sur cette voie, elle s'en tint à sa stratégie.

— Écoutez, si vous voulez me parler, venez plutôt ici, sinon, il vous faudra attendre.

— Ça va pas, la tête ?

— Si, au contraire, pour une fois, je me sens les idées parfaitement claires, en fait. Mais je n'ai vraiment pas le temps pour l'instant. Je suis occupée à quelque chose de plus important, là, tout de suite.

— Plus important ?

Elle entendit sa respiration s'accélérer.

— Quoi, ce fameux complot ?

— Vous allez devoir patienter. Vous avez raté le coche, Glen.

— Vous n'êtes qu'une idiote, vous savez ?

Plus il s'énervait, plus elle se montrait catégorique.

— Ce n'est sincèrement pas le moment, je vous assure.

— Vous avez que dalle. Vous ne savez même pas où ils vont lâcher ce truc.

Elle attendait, au cas où il aurait des velléités de l'informer.

— Non, mais ça va venir, dit-elle. Je vais empêcher cette folie et, quand ce sera fait, vous ne serez plus qu'un moucheron.

— Conneries.

— Ça n'a rien à voir avec vous, Glen, c'est comme ça, c'est tout. On a attrapé un plus gros poisson.

— Non, c'est mon heure. À neuf heures demain matin, je ne serai plus là, mais tout le monde saura que c'est moi. J'entrerai dans l'histoire et il faudra bien vous y faire.

— On verra. Si vous me disiez où ?

Mais il avait raccroché.

Heat sortit en courant de la salle de la brigade.

— À neuf heures. Il faut prévenir Callan.

Rook la rattrapa dans le couloir.

— Pour quelqu'un qui déteste jouer ! Rappelle-moi de ne jamais te contrarier.

Nikki se précipita dans la salle d'observation, qu'elle trouva déserte. Un doute s'immisça en elle. Elle se rua vers la vitre pour vérifier. La salle d'interrogatoire était tout aussi déserte.

— Maggs n'est plus là, annonça-t-elle à Rook en revenant au pas de course. Callan et Bell non plus.

***

Le sergent à l'entrée les avait vus sortir avec Maggs, mais ne s'en était pas alarmé. Pourquoi l'aurait-il fait ? Ces deux agents fédéraux escortaient juste un prisonnier. Bien que sachant que cela ne servirait à rien, Nikki et Rook sortirent sur le trottoir. Tout ce qu'ils trouvèrent dans la 82ᵉ Rue fut la flaque laissée par le système de climatisation à l'endroit où Callan avait garé son 4 x 4. La rue était vide entre le poste et Columbus Avenue.

— Encore une variable, constata Rook.

Heat passa l'heure qui suivit à essayer de les joindre. D'abord en appelant leurs portables, évidemment : celui de Callan, puis celui de Yardley Bell. Elle leur laissa des messages dont elle savait au fond qu'ils ne tiendraient aucun compte, à condition déjà qu'ils les écoutent. Rook enchérit par des e-mails et des SMS à Bell, allant jusqu'à poster un tweet masqué pour qu'elle le rappelle. L'heure se prolongea par une soirée tout aussi infructueuse. Nikki appela tous les numéros qu'elle connaissait à la Sécurité intérieure, même si d'instinct elle se savait crier dans le vide. En essayant l'unité antiterroriste, elle réussit néanmoins à joindre son collègue de l'unité opérationnelle chez lui. Le commandant McMains promit de s'en occuper. Autrement dit, traduisit-elle, les fédéraux avaient toute latitude pour bousculer Maggs.

— Au cas où vous n'auriez pas remarqué, nous sommes à la veille du jour J, Heat.

En désespoir de cause, Rook appela Paris et réveilla son copain Anatoli Kijé, juste au cas où il aurait des numéros ou des adresses e-mail privés.

Après quelques jurons russes, l'agent secret conseilla à Rook de revenir sur terre : son carnet était très limité en ce qui concernait les espions américains. Une fois toutes leurs options épuisées, ils refirent un tour pour rien.

— Le plus terrible dans tout ça, conclut Heat, c'est que tout ce temps qu'on perd à courir après ces gens, c'est autant d'énergie qu'on ne consacre pas à contrecarrer les événements de demain.

Rook consulta sa montre.

— D'aujourd'hui, tu veux dire. Il est minuit passé.

— Encore mieux.

— D'un autre côté, peut-être qu'ils y parviendront mieux que nous. Enfin, si on met la question éthique de côté.

— On ne met pas la question éthique de côté, Rook, rétorqua Heat d'un ton sec. On ne fonctionne pas comme ça. En tout cas, ce n'est pas comme ça que je fonctionne, moi. Imagine bien que j'adorerais passer dix minutes seule à seul avec Carey Maggs !

— Pour résoudre le meurtre de ta mère ou arrêter l'attaque de variole ?

— J'imagine que j'ai le luxe de ne pas avoir à connaître la réponse, dit-elle après réflexion.

Un silence s'installa.

— Et ta mère ? s'enquit-elle alors. Est-ce que Margaret a quitté la ville ?

— Oui, oui, elle est partie pour Oswego il y a des heures. Je crois que la Grande Dame de Broadway savoure en ce moment même son troisième cocktail au bar du théâtre, au grand dam du comité du festival qui se demande dans quoi il s'est fourré.

— Tu sais qu'on a fait de notre mieux, Rook. Je ne t'en voudrais pas si tu voulais partir maintenant. Tu pourrais toujours aller dans cette maison que tu as dans les Hamptons.

Il lui prit les deux mains et plongea les yeux dans les siens.

— C'est ça, j'me tire.

Après en avoir ri tous les deux, ils s'embrassèrent. Et puisqu'ils étaient seuls, ils en profitèrent. Le reste de la nuit, Heat n'osa pas quitter son bureau. S'accordant un somme toutes les dix minutes sur sa chaise, elle régla son téléphone portable sur la sonnerie au lieu du vibreur afin d'être sûre de ne rater aucun appel. Raley et Ochoa se manifestèrent juste après 4 heures, après en avoir terminé à la Brasserie Boz. Par acquit de conscience, elle leur demanda de passer voir s'il y avait du mouvement au QG de la Sécurité intérieure, dans Varick Street. Ils rappelèrent une heure plus tard sans bonne nouvelle. Au lever du jour, le commandant de l'unité antiterroriste appela de la base installée dans l'arsenal du

69ᵉ régiment, près de Gramercy Park. Pour rassurer Heat sur le fait qu'il l'avait prise au sérieux, il lui expliqua qu'il avait appelé partout pour savoir où étaient passés les deux agents de la Sécurité intérieure et Maggs. Heat lui répondit que c'était gentil de sa part et lui demanda de la tenir au courant.

— Et que Dieu nous garde, conclut McMains.

Après tant de jours et de nuits passés dans les mêmes vêtements, Nikki s'octroya cinq minutes pour prendre une douche rapide dans les vestiaires avant d'affronter la journée qui s'annonçait, ce qui lui fit le plus grand bien. Une fois séchée, elle sourit, amusée d'avoir à enfiler les vêtements de rechange rangés dans son sac de secours, et se demanda s'il ne lui faudrait pas prévoir un sac de secours de secours.

De retour dans la salle de briefing, elle suspendit au portemanteau la veste en cuir brun qu'elle portait, car elle lui semblait un peu chaude pour la météo prévue et, à la place, prit le blazer que Yardley Bell lui avait rapporté après son analyse par la Sécurité intérieure.

C'est alors qu'elle remarqua un sachet en plastique transparent accroché au cintre. Les experts de la Sécurité intérieure avaient pris soin de vider ses poches et de lui rendre le contenu accompagné d'un inventaire. Nikki regarda à l'intérieur. Elle trouva un rouge à lèvres, ses lunettes de soleil, un calepin accompagné d'un petit crayon et un paquet ouvert de coupes en chocolat fourrées au beurre de cacahuètes. Sans grande envie de terminer ces friandises, elle les sortit pour les jeter. Sa main s'immobilisa au-dessus de la poubelle.

— Rook, appela-t-elle.

Les ressorts du canapé de la salle de repos grincèrent et il apparut sur le pas de la porte, le cheveu en bataille et un pan de chemise sorti du pantalon.

— Quoi ?

Elle brandit le blazer.

— Je sais où j'ai été contaminée. Viens.

VINGT

La Crown Victoria de l'inspecteur Heat traversa la 79e Rue Ouest toutes lumières et sirène dehors. Afin de permettre à l'enquêtrice de garder les mains sur le volant tandis qu'elle rameutait ses troupes, ainsi que l'unité anti-terroriste, à la manifestation sponsorisée par Carey Maggs, Rook fut chargé d'appuyer sur le bouton correspondant au numéro abrégé du central. Lui tenant le portable d'une main, il s'agrippait de l'autre à la poignée de la portière tandis qu'elle zigzaguait entre les voitures plus lentes, freinait ou accélérait aux feux. Comme il n'y avait guère de circulation à cette heure, en ce samedi matin, Nikki gagna en un temps record l'autoroute de la Henry Hudson Parkway en direction du sud de Manhattan.

Dans son appel au central, elle décrivit ce qu'il fallait chercher : un chariot rouge des pompiers de Londres datant des années 1870 et transportant une grosse chaudière en cuivre.

— Je crois que c'est elle qui contient l'agent biologique. Il faut donc agir avec la plus grande prudence.

Voyant l'autoroute dégagée devant eux, Rook en profita.

— Qu'est-ce qui t'a mise sur la piste ? s'enquit-il en élevant la voix pour se faire entendre par-dessus la sirène.

— Les coupes, dit-elle. Je me suis rappelée avoir mangé

des coupes au beurre de cacahuètes le matin où je suis allée voir Maggs à la brasserie.

— C'est incroyable. Comment as-tu pu te souvenir d'un détail pareil ?

— Parce que ce n'était pas un détail. J'étais très fâchée contre toi quand tu as appelé de Nice. À cause de Yardley.

— Et le rapport avec ces friandises ?...

— La rage. J'étais furieuse contre toi parce que je te trouvais vraiment stupide et totalement insensible.

Elle marqua une pause pour doubler un camion-poubelle.

— Voilà : certains renversent les poubelles, moi je passe mes nerfs sur le chocolat.

Ils roulèrent un instant en silence.

— Ravi d'avoir apporté ma contribution, finit par lâcher Rook.

***

Il ne fallut à Heat et Rook que quatorze minutes pour rejoindre Battery Park, à la pointe sud de Manhattan, mais, à leur arrivée, les services d'intervention, la brigade Hercule et l'unité antiterroriste avaient déjà installé leur base sur la petite place du musée, entre State Street et Bowling Green. Nikki se faufila parmi les policiers antiémeute et les rangées de tulipes rose vif que le printemps avait fait éclore, jusqu'au commandant McMains, qu'elle trouva penché sur ses cartes.

— Difficile d'envisager pire scénario, inspecteur.

Ils étudièrent la situation de Battery Park. De l'autre côté de la rue, plusieurs milliers de manifestants s'étaient rassemblés derrière une gigantesque banderole tendue devant le mémorial pour les victimes du sida. Sous l'inscription MARCHE CONTRE L'OPPRESSION MONDIALE, Heat repéra le logo de la Brasserie Boz parmi les sponsors.

— Carey Maggs a passé l'année à promouvoir cet événement. Il s'est donné un mal de chien pour attirer les foules, dans le seul but de transmettre la variole à un maximum de gens.

— Ciel bleu, douce brise, un temps hélas idéal, commenta McMains. D'après les dernières estimations aériennes, il y aurait quatre mille manifestants. Enfants compris.

Le commandant secoua la tête.

— Et il continue d'en arriver.

— Pourquoi ne pas les arrêter ? demanda Rook. Ou simplement les faire partir.

— Grande idée, allez-y.

Le responsable des opérations lui tendit un mégaphone, puis le reprit.

— Désolé, mais j'imagine que vous n'avez guère d'expérience en la matière. Les manifestants ont tendance à ne pas se laisser faire, et ce groupe n'a rien de différent.

Cooper McMains porta son attention vers Heat.

— À mon arrivée, j'ai reçu l'autorisation d'annoncer la menace bioterroriste aux organisateurs. Ils croient à un mensonge, un simple prétexte pour les disperser.

Nikki balaya du regard les environs et vit plusieurs centaines de policiers antiémeute ajouter un masque à gaz à leur équipement.

— Des nouvelles de la Sécurité intérieure ?

— On est là, intervint l'agent Callan.

En se retournant, ils le virent arriver en compagnie de Yardley Bell.

— Qu'est-il arrivé à mon prisonnier ? demanda Heat.

— Bravo, biaisa Callan. Apparemment, vous avez mieux réussi que nous, en fin de compte.

— Je vous ai demandé ce qu'il était arrivé à Maggs.

— Ce n'est pas le problème pour l'instant, inspecteur. Occupons-nous d'abord de la situation présente, d'accord ?

Sans attendre de réaction de sa part, il poursuivit :

— Bien. Maintenant, décrivez-nous ce camion de pompiers qu'il faut chercher.

Une fois de plus, Heat ravala sa colère pour le bien de la mission.

— C'est un vieil attelage londonien que Maggs a restauré pour promouvoir l'événement.

— Apparemment, il l'a équipé pour asperger la foule, ajouta Rook.

Lorsqu'il eut terminé de pianoter sur son iPhone, il brandit l'écran.

— En voici une photo tirée du site Internet de la Brasserie Boz.

— Envoie-la-moi par SMS que je la fasse circuler à tout le monde, demanda l'agent Bell.

Quelqu'un dans le parc cria au mégaphone : « Pas de justice, pas de business ! Pas de justice, pas de business ! » La foule reprit en chœur.

— Merde, à quelle heure ont-ils prévu de défiler ? demanda Callan.

— D'ici trente minutes, à neuf heures, précisa le commandant McMains.

À ces mots, Heat entreprit de scruter le quartier, se demandant si Glen Windsor rôdait par là et, si c'était le cas, ce qu'il avait en tête. Ils se réunirent autour du plan que McMains déplia sur le capot d'une voiture de patrouille.

— D'après l'autorisation qu'ils ont obtenue, ils vont démarrer de là, puis remonter Broadway pour terminer dans le parc de la Mairie.

— Les rues adjacentes ? s'enquit l'agent Callan.

— Toutes bouclées. Et on a placé des barrières sur les trottoirs. J'ai aussi fermé les stations de métro pour réduire les arrivées.

McMains sortit un stylo de la poche poitrine de son uniforme et dessina des crochets à mi-chemin.

— La plupart de nos hommes sont postés là, au cas où ils auraient idée de prendre par Wall Street ou par la place de la Bourse.

Au même moment, le chœur reprit : « Pas de justice, pas de business ! Pas de justice, pas de business ! »

Callan ferma les yeux, l'air de se parler à lui-même, puis il frappa dans ses mains.

— C'est là qu'il faut mettre le paquet. Wall Street est notre talon d'Achille. Si le virus est lâché là-bas, non seulement on aura des blessés en masse, mais il faudra mettre la Bourse en quarantaine, peut-être même la Banque centrale. Vous imaginez les répercussions ?

— Je n'en ai pas envie, rétorqua l'agent Bell.

Comme personne n'avait repéré l'attelage de la Brigade Boz, pas même les hélicoptères, Callan et McMains décidèrent d'envoyer des hommes sur le trajet de la manifestation ainsi que dans tout le quartier de Wall Street pour fouiller les parkings et les garages à la recherche du véhicule. Tous les enquêteurs de la brigade de Heat, arrivés sur place, se joindraient à l'opération.

— Et qu'on ne me demande pas de rester dans la voiture, dit Rook.

— Absolument, répondit Heat. Parce que tu vas rester ici.

— Tu crois vraiment que je vous gênerais ?

— Pas vraiment. Mais je ne veux pas de toi là-bas si quelque chose tourne mal. On s'en occupe, point final.

— Tout ira bien, j'ai ce qu'il faut.

Il plaça le masque à gaz sur son visage et respira fortement. Luke, je suis ton père…

Elle lui retira son masque.

— Tu restes là, déclara-t-elle avant de partir avec les autres.

***

Rook se rangea sur le côté et regarda un contingent en tenue antiémeute et masque à gaz tenter de faire barrage au cortège avec du filet plastique orange tandis qu'un lieutenant haranguait la foule en demandant à chacun de se disperser pour sa propre sécurité. Il fut noyé sous les huées.

À 9 heures tapantes, un organisateur fit longuement retentir sa corne de brume. Des acclamations jaillirent, et la foule s'avança lentement vers les lignes de police, qu'elle franchit en direction de Broadway.

Formés aux tactiques de désobéissance civile, certains des manifestants se jetèrent par terre en se donnant le bras pour s'interposer entre le défilé et la police qui tentait de le contenir. Voyant les policiers s'apprêter à s'occuper de la chaîne humaine, Rook décida qu'il valait mieux ne pas rester à proximité de toute cette agitation. Il se dirigea donc vers le parc pour remonter vers l'arrière de la procession.

En traversant la rue, il passa devant un mime couvert de fard verdâtre pour les besoins de sa « statue vivante ». Avec un accent chinois, cette Liberté éclairant le monde lui proposa de prendre la pose pour seulement dix dollars. Alors, il poursuivit son chemin sur la bande de bitume qui serpentait dans le parc jusqu'au Castle Clinton, un fort en grès construit pour abriter la batterie de canons qui devait protéger Manhattan des Britanniques durant la guerre de 1812. Des toilettes mobiles installées pour la manifestation étaient alignées le long du mur nord de l'édifice, près de poubelles débordantes et d'environ deux douzaines de retardataires que le partage d'un bon joint séduisait davantage qu'une longue marche. Entre les cabines traînaient quelques bouteilles d'eau et pots de crème glacée abandonnés à moitié pleins. La langue pâteuse après sa longue nuit au poste, Rook ne put se retenir de se servir avant de s'installer, dos au mur, pour observer l'arrière de la manifestation.

À environ quatre rues de là, deux hélicoptères de police survolaient les gratte-ciel du quartier financier à des altitudes différentes. Le journaliste sentait le soleil sur son visage et entendait les vrombissements de leurs moteurs se mêler aux cris lancés par les mégaphones et aux slogans repris en chœur. À sa droite, il perçut un claquement, semblable à celui d'un drapeau dans le vent. En se retournant, il constata qu'on venait simplement d'ouvrir le battant de toile blanche de la tente des premiers secours. Il observa encore les hélicoptères, imaginant Heat et les autres en train de passer les rues au peigne fin et de vérifier tous les garages au sol. Alors qu'il ruminait ses regrets de ne pas participer à l'action, un autre bruit attira son attention du côté de la tente.

Cette fois, il s'agissait d'un hennissement.

***

Un bruit de sabots suivit et un cheval de trait sortit d'un pas tranquille de la tente de réception. Rook lâcha sa bouteille d'eau. Il avait déjà sorti son téléphone portable lorsque l'attelage rouge de la Brigade Boz surgit derrière le cheval et s'immobilisa.

Un homme à pied sortit de la tente du côté bloqué par l'attelage. Toutefois, le boitement qu'il aperçut sous le châssis fournit à Rook la confirmation dont il avait besoin.

Nikki répondit à son téléphone sans un allô.

— Non, le scribouillard, tu ne bouges toujours pas.

— Il est là, murmura-t-il.

— Où ?

— Castle Clinton.

À peine Rook eut-il prononcé ces mots que le tueur en série, grimpé sur le marchepied de la voiture, croisa son regard.

— C'est Arc-en-ciel.

Dans Whitehall Street, Nikki allait transmettre l'information à l'agent Callan lorsque les deux hélicoptères lancèrent leur appel radio : « Camion rouge en vue. On le tient : au fort, dans le parc. »

Heat n'attendit pas. Elle courut vers une voiture de patrouille garée moteur tournant le long du trottoir et ouvrit la portière du passager à la volée.

— Foncez ! exhorta-t-elle le conducteur.

Sa blessure par balle ralentissait Glen Windsor ; il avait du mal à glisser les deux jambes à la place du cocher, mais il ne lâchait pas Rook des yeux. Ce dernier lui permit d'ailleurs de gagner un peu de temps en marquant une hésitation au moment où il jetait un œil à l'intérieur de la tente. Par terre, les corps de deux djihadistes volontaires baignaient dans leur sang, égorgés. Ils s'étaient effectivement sacrifiés, songea Rook. Mais pour une cause différente, une cause qui n'était pas la leur. Il se détourna des deux cadavres pour courir vers la voiture de pompiers. Windsor qui, entre-temps, avait décidé de ne plus lui prêter attention, le vit se diriger judicieusement vers le cheval et non vers lui. Alors, il s'empressa de saisir les rênes et, d'un claquement sec, fit démarrer l'animal.

***

Le sergent au volant savait quelles ruelles n'avaient pas été bloquées afin de servir d'issues de secours, ce qui lui permit de conduire Nikki à l'entrée de Battery Park en un rien de temps. Comme un groupe de joyeux manifestants se donnait le bras pour leur barrer le passage en hurlant des insultes, Heat descendit de voiture en laissant sa portière ouverte et courut à travers la foule.

D'un claquement de langue, Arc-en-ciel fit avancer le cheval afin de rattraper le défilé. Il se contorsionna sur son siège pour jeter un œil par-dessus son épaule et, à sa grande surprise, ne vit plus Rook près de la tente blanche. C'est alors que le chariot fut pris d'une secousse, les suspensions grincèrent sous le poids d'une charge soudaine. Windsor se retourna de nouveau sur son siège. Tandis que la voiture traversait la pelouse, il aperçut une main s'agripper à l'arrière, derrière la chaudière en cuivre remplie de virus. Jameson Rook se hissait pour venir le rejoindre en rampant.

Arc-en-ciel tira sur les rênes et actionna le frein pour essayer de faire lâcher prise à Rook en s'arrêtant brusquement. Mais cela ne lui donna que plus d'élan pour se rapprocher. Windsor donna alors du fouet, et Rook faillit tomber à la renverse, car le cheval tira la voiture d'un bond qui fit s'écarter les retardataires paniqués autour d'eux.

La large chaudière ventrue représentait le principal obstacle. Tandis que le chariot avançait en cahotant, Rook dut se déporter légèrement vers l'extérieur pour la contourner. Au moment où il se révéla le plus vulnérable, Windsor lui asséna un coup de fouet. Mais Rook s'empara de l'une des lanières et lui arracha l'instrument des mains.

Lancé au galop sur la pelouse, Windsor se rapprochait de l'arrière-garde des manifestants. Il chercha alors à attraper le câble électrique orange enroulé sur la rambarde devant lui. Rook sentit son cœur se serrer en découvrant le dispositif qui pendait à son extrémité. Aussitôt, il comprit que ce devait être le bouton de déclenchement du vaporisateur. Il suivit des yeux le fil jusqu'à l'endroit où il sortait à l'arrière du siège ; il serpentait ensuite entre les tubes en cuivre jusqu'aux vannes de la cuve de la chaudière, elles-mêmes dotées d'embouts modernes d'aérosol en plastique, situés à côté de sa tête, sur la cheminée.

Rook tira dessus d'un coup sec. Le câble ne céda pas. Il regarda à l'avant. Windsor le tenait. L'interrupteur était presque à sa portée.

Parvenue à s'extirper de la foule, Nikki Heat dégaina son Sig, posa le genou gauche dans l'herbe et prit appui sur le droit pour tirer, puis visa la voiture de pompier qui lui fonçait dessus. Il ne fallait pas toucher le cheval. Non seulement l'animal était innocent, mais, s'il tombait, la voiture pouvait se retourner, et le virus, se renverser. La même prudence s'imposait pour la cuve. Il lui fallait attendre le bon angle de tir pour ne pas risquer de percer le cuivre de la chaudière si elle ratait Windsor ou si la balle le traversait.

Le voyant prêt à se saisir de l'interrupteur sur le câble, elle se demanda s'il ne valait pas mieux tirer. C'est là que Rook bondit sur Windsor et le retint par l'épaule. Heat rengaina son arme et courut jusqu'à l'attelage.

D'un geste brusque, Rook fit tomber le câble des mains de Windsor. Le serrurier lâcha alors les rênes pour se pencher en avant et le récupérer. Tandis que le cheval livré à lui-même se mettait à courir en rond sur la pelouse en faisant fuir les manifestants qui hurlaient, Rook escalada Arc-en-ciel pour éloigner l'interrupteur. Comme Windsor était à deux doigts de mettre la main dessus, Rook changea de tactique. Le poing fermé, il entreprit de marteler la plaie par balle toute fraîche de son adversaire. Arc-en-ciel gémit de douleur, mais ne lâcha pas le fil. Rook ne cessait de lui frapper le mollet. Au moment où Windsor se tourna pour rendre les coups, Rook en profita pour lui arracher le câble des mains et en jeter la dangereuse extrémité derrière le siège, où il resta à pendre, hors de portée.

Arc-en-ciel retira les mains de son mollet en sang et lui envoya un coup de coude dans le nez. Tandis que Rook s'affalait sur le côté, Windsor dégaina le couteau qu'il portait à la ceinture. À travers les larmes qui lui montaient aux yeux, Rook aperçut le scintillement de la lame et leva l'avant-bras. Au moment où l'arme allait heurter le poignet, l'attelage fut ballotté par le franchissement de la bordure en pierre du sentier du parc. Le couteau échappa des mains d'Arc-en-ciel et tomba par terre. Désarmé, Windsor se redressa violemment et tenta, avec l'énergie du désespoir, de se pencher derrière le siège pour atteindre le câble qui se balançait.

Mais l'attelage fit une nouvelle embardée, car Heat, qui les avait rattrapés, venait de bondir à bord. Elle attrapa Windsor par l'arrière de sa ceinture et le fit basculer cul pardessus tête. Il tomba entre le siège et la chaudière et atterrit directement sur l'herbe. Lorsque les roues arrière lui passèrent dessus, la carriole vacilla. Nikki sauta alors à terre.

Reniflant son sang, Rook s'empara du câble et le ramena à l'abri à l'intérieur de la voiture. Puis il fit « Oh ! » et tira sur les rênes. Docilement, le cheval s'arrêta parmi une centaine de manifestants. Sur la pelouse, il entendit Arc-en-ciel, face contre terre dans l'herbe, implorer Heat qui se tenait au-dessus de lui.

— Achevez-moi ! Putain, merde, allez-y, je vous en supplie !

Mais tel n'était pas son destin. Nikki mit un terme à la vague de meurtres sur-le-champ. Elle le menotta, rengaina son arme et attendit ses collègues, tandis que Rook enroulait soigneusement le câble orange.

C'est alors que, malgré le bourdonnement des appareils qui tournaient au-dessus d'eux et le hurlement pressant des sirènes, un calme étrange enveloppa Nikki, comme si l'ombre de la catastrophe avait été dissipée par la brise printanière qui soufflait sur le port. Dans le silence ouaté apporté par la délivrance, elle regarda les visages dans la foule autour d'elle ; tous ces gens allaient vivre. Baissant les yeux sur Arc-en-ciel, elle prit conscience du fait qu'elle aussi.

Après dix ans, vingt-trois semaines et quatre jours d'agonie, l'inquiétude et le doute s'étaient envolés en un instant. Elle repensa à la décennie écoulée. Sa vie entière d'adulte avait été marquée par la perte, la foi, la préparation, le sacrifice et l'obstination. Mais aussi la bonne fortune, car, sans ce tueur en série, sans ces deux affaires avec lesquelles elle avait eu à jongler, l'inspecteur Heat n'aurait pu déjouer ce complot mortel.

***

Le lundi soir, c'est avec un sentiment de soulagement mêlé d'angoisse que Nikki rentra chez elle après la mise en accusation de Carey Maggs par les fédéraux.

— Tu sais, on dit que rien ne vaut de parvenir à tourner la page, dit-elle à Rook lorsqu'il l'appela de sa suite au SLS de Beverly Hills, à Los Angeles, pour prendre de ses nouvelles. Pourtant, je commence à penser que je préférerais en avoir terminé pour de bon. J'imagine qu'il est naturel que je porte toute ma vie cette blessure concernant ma mère ; mais je t'assure que ça ne me dérangerait pas que ça cesse.

— Et le fait que Maggs plaide non coupable n'aide pas.

— C'est sûr. Ça veut dire encore des mois et des mois de procès. J'en ai assez, Rook.

— Au moins, l'enquête est terminée, elle.

— C'est vrai, concéda-t-elle. Tu aurais dû le voir aujourd'hui avec sa Dream Team de poids lourds du barreau. On l'aurait cru assis parmi les présidents du mont Rushmore.

— Les fédéraux ont de quoi le faire plonger, tu le sais.

— Mais pas sans un long combat. Ses avocats ont déjà demandé à ce que les aveux de Glen Windsor ne soient pas considérés comme preuves. Ils prétendent que son témoignage n'est que le fruit d'un arbre pourri.

— C'est terrible, dit Rook. Où va-t-on dans ce pays si on ne peut plus avoir confiance en la parole d'un tueur en série ?

— J'en rirais s'ils n'avaient pas raison. J'ai participé à assez d'affaires pour savoir comment ça marche, moi aussi. Le procureur négociera si la défense n'engage pas de poursuites contre la Sécurité intérieure pour son interrogatoire douteux de Maggs.

— Ils ont donc bien une grange noire, je le savais !

— Alors, parle-moi un peu de tes rendez-vous. Tu n'as pas la tête qui tourne avec tous ces paniers gourmands ?

— À vrai dire, Nikki, j'ai plutôt la tête vide... Après avoir sauvé le monde d'un claquement de doigts comme je l'ai fait, tu sais...

— Eh bien, tu devrais peut-être former un groupe de soutien avec Batman et Lame solitaire, s'esclaffa-t-elle.

— Absolument, on pourrait l'appeler..., je ne sais pas..., les Anonymes de la cape. Mais les super-héros sont en général anonymes ; alors, disons plutôt : les Anonymes anonymes de la cape.

— Bonne nuit, Rook.

— Bonne nuit ? Mais tous mes sens de Spider-Man sont affolés.

— Rappelle-moi de t'en reparler plus tard.

Seule à la maison, sans aucune obligation après ces semaines difficiles et une telle fatigue accumulée qu'elle pensait ne jamais pouvoir la réparer par le sommeil, Nikki envisageait une soirée avec bain moussant, bougies parfumées et divas de la soul dans les oreilles.

Mais cela lui parut être une distraction, une envie superficielle par rapport à la guérison intérieure dont elle avait tant besoin. De plus, elle savait que jamais elle ne parviendrait à se détendre sans avoir réuni toutes les pièces du puzzle.

Elle sortit donc le tube en carton et le posa sur la table basse. Malgré sa personnalité extrêmement déconcertante, Puzzle Man avait réussi à craquer le code. Le message lui donnait toujours l'impression d'être incomplet, mais, avec l'arrestation de Carey Maggs à la tête du complot, il était peut-être temps de lâcher prise.

Toutefois, elle n'y parvenait pas.

Elle en revenait toujours à sa mère. À l'impossibilité de tourner la page.

Pourquoi se donner la peine de concevoir un message codé, se demandait-elle, si ce n'était pour révéler des informations ? Sa mère avait l'esprit plus pratique que cela. Elle n'était pas du genre à gaspiller son temps ; avec elle, tout avait un but. Or les chiens ne faisaient pas des chats.

Nikki sortit les documents du tube et les étala devant elle, puis elle empila les feuilles et les leva à la lumière. Y lisant toujours le même message, *Sortir le dragon*, elle réfléchit à n'en plus finir à la signification de chacun de ces mots. Son attention se portait surtout sur le verbe « sortir », car il lui semblait comme un appel à l'action. Il lui donnait l'impression qu'il restait quelque chose qu'elle n'avait pas fait et c'est pourquoi elle s'obstinait. Nikki n'avait rien sorti.

Cela faisait onze ans qu'elle retournait cet appartement à la recherche de serrures ou de boîtes secrètes. Son père l'avait laissée fureter dans ce qu'il avait emporté chez lui, à Scarsdale, et elle n'y avait rien trouvé non plus. Il n'était donc plus question de fouiller la maison.

Heat fixa le message jusqu'à en avoir la vue brouillée. Puis, elle sépara les quatre pages et s'en voulut de se retrouver ainsi à la case départ. Tant pis.

Pourquoi était-ce si difficile ? Qu'avait dit Puzzle Man ? Que le code le plus difficile à craquer était celui que seules deux personnes connaissaient ? Son auteur et son destinataire.

Si le message lui était destiné, pourquoi elle ? se demanda Nikki. Lorsque sa mère avait été assassinée, Heat était étudiante en art dramatique à Boston, pas flic, et rien ne laissait entendre qu'elle le deviendrait un jour. Mais peut-être sa mère la connaissait-elle mieux qu'elle. Ou peut-être avait-elle simplement entière confiance en elle.

— Entre nous, maman, dit-elle à voix haute, si tu me disais juste de quoi il retourne ?

Elle s'efforçait de ne pas visualiser sa mère étendue sur le sol de la cuisine, comme dans ses cauchemars. Son regard se posa à l'autre bout de la pièce, et le fantôme de son rêve récent se présenta de nouveau à elle : Cynthia au piano lui disant : « Tu sais… » Tandis qu'il commençait à s'insinuer en elle, elle baissa de nouveau les yeux sur les quatre pages. Cette fois, son regard glissa sur les signes du code pour se concentrer sur la partition elle-même. Un souvenir lui revint du fond de sa mémoire.

Ces quatre morceaux faisaient partie de l'un des récitals que Nikki avait donnés quand elle avait seize ans. Elle se précipita vers la banquette du piano et en sortit le programme correspondant. Ces quatre morceaux figuraient bien sur la liste.

Pourquoi les choisir pour le code ?

Nikki revoyait très bien ce récital. Elle se rappelait le trac et la seule erreur de jeu qu'elle avait commise, ce qui (une première) n'avait toutefois pas ébranlé sa confiance en elle. Et quoi d'autre ? Ah oui ! Sa mère était si fière que, le soir, elle avait emmené Nikki au restaurant et lui avait fait boire son premier verre pour célébrer l'événement. Elles avaient dîné au club dont sa mère était membre.

L'établissement se trouvait à deux pas de chez elles, mais il avait une histoire et il était spécial aux yeux de Nikki. Sa mère avait demandé au sommelier de déboucher une bouteille particulière qu'il devait sortir de son casier privé.

Après avoir vidé le verre d'eau de sa fille pour lui verser un peu de ce vin de fête, Cynthia lui avait servi juste un demi-verre. Pour la jeune Nikki de seize ans, c'était royal.

Heat consulta sa montre et se leva. Une nouvelle chaleur l'envahissait, car elle venait d'avoir plus qu'une révélation.

Plus qu'une possibilité de tourner la page, elle avait le sentiment d'avoir déniché un lien.

Nikki enfila sa veste et sortit.

***

Le sommelier avait les cheveux blancs, mais il se rappelait miss Heat, comme il se rappelait le moindre membre ou invité d'honneur au club. S'il avait travaillé au restaurant à l'époque où Samuel Clemens venait jouer au billard, à la table qui s'y trouvait encore, George aurait retenu tous les coups, toutes les boutades et tous les jurons de M. Twain.

Il saisit les clés suspendues au crochet au-dessus du bar et conduisit Nikki à la cave.

— Votre père vient encore de temps en temps. Enfin, moins depuis…

Le visage de George s'assombrit. Il poursuivit son chemin. Au fond de la pièce, derrière les caisses d'alcools forts et de vins de la maison, un mur était couvert de placards intégrés.

— Voilà les réserves privées, annonça-t-il.

Chaque casier, de la taille d'un petit vestiaire de gym, portait une plaque de laiton ovale gravée au nom d'un membre. Nikki en reconnut beaucoup ; la plupart appartenaient à des acteurs célèbres, mais il y avait aussi quelques compositeurs, journalistes et romanciers.

Bien qu'ils ne fussent pas classés par ordre alphabétique, le sommelier connaissait par cœur l'emplacement réservé à chacun. Il introduisit la clé dans la serrure de la porte marquée CYNTHIA HEAT, puis recula. D'une discrétion presque maladive, George sourit.

— Je vous laisse l'honneur, dit-il avant de disparaître vers la salle de restaurant.

Heat ouvrit la porte et ne trouva aucune trace de vin. Le placard ne contenait qu'une seule bouteille de bière : de la Durdles' Finest blonde. Sur l'étiquette, on pouvait lire : DÉSORMAIS PRODUITE AUX ÉTATS-UNIS PAR LA BRASSERIE BOZ,

SOUTH STREET SEAPORT. Nikki souleva la bouteille et vit son nom écrit sur l'enveloppe où elle avait été posée.

Elle effleura de l'index l'écriture de sa mère, puis ouvrit l'enveloppe, que Cynthia Heat n'avait pas cachetée.

Le mot adressé à Nikki était bref. Elle l'assimila avec surprise, en raison de son contenu, mais aussi du sentiment inattendu d'apaisement qu'elle croyait ne jamais trouver. À la vue des mots sous la signature, ses yeux se noyèrent de larmes : *Souviens-toi toujours que maman t'aime.*

Elle laissa la bière, prit le mot et repartit avec du concret, cette fois.

***

Ses muscles protestèrent lorsque Nikki s'étira sur le tapis de la salle de gym, le lendemain matin aux aurores. Les courbatures dues à l'épreuve physique des semaines passées, combinées au manque d'entraînement et aux nuits de sommeil trop courtes, avaient sérieusement entamé sa forme. Malgré ses grimaces, Heat sourit, ravie de fréquenter le seul gymnase de Manhattan dépourvu de miroirs.

À son tour, Bart Callan entra un large sourire aux lèvres.

— Ce n'était pas de la blague, Heat. On ne peut faire plus nu que cette salle. On s'attendrait presque à voir Rocky Balboa cogner sur une carcasse de viande.

— J'aime bien. C'est sans frou-frou, ni poseurs. Si on ne veut pas bosser, on ne vient pas là.

— C'est pour ça qu'on est tout seuls ?

Il laissa tomber son sac de gym dans un coin, puis retira son survêtement pour se retrouver en short ; son t-shirt de la Sécurité intérieure, dont les manches avaient été déchirées, révélait d'imposants biceps. Elle se demanda s'il l'avait modifié exprès pour elle.

Au centre du tapis, Heat et Callan échangèrent un salut rituel avec les deux poings. Prête à combattre, Nikki faisait basculer son poids d'avant en arrière sur ses pieds afin de tester les réactions de son adversaire.

L'instant suivant, elle eut le résultat de son évaluation. Après une feinte sur la gauche, il lui attrapa la taille par la droite et l'envoya au tapis.

— Enfin, dit-il. Contact.

— Mince ! Je suis rouillée, dit-elle en se relevant.

Cette fois, c'est elle qui attaqua. Au moment où elle s'avança, il se laissa tomber sur un genou pour la faire basculer sur le dos, et elle retomba lourdement sur le tapis.

— Je vous rappelle que c'est vous qui m'avez appelé. Vous êtes sûre de vouloir continuer ?

— On va voir. Je n'ai pas beaucoup dormi hier soir.

— La mise en accusation ?

Il balaya la chose d'un geste de la main.

— Ne vous en faites pas pour ça.

Ils se tournaient autour, se livrant à des leurres et des feintes, sans qu'aucun d'eux n'engage le combat.

— Ça ne me pose aucun problème. Si je n'ai pas dormi, c'est parce que j'ai fini par comprendre le message codé que ma mère m'avait laissé.

Épaule baissée, elle lui fonça dessus à hauteur de la taille. Comme il ne réagit pas à temps, il s'affaissa. Cette fois, elle l'aida à se relever. Elle détenait une preuve irréfutable contre Carey Maggs.

— Bravo, mais c'est un peu tard maintenant que l'affaire est close.

Heat secoua les bras pour se dégourdir.

— Bart, quand je vous ai demandé de vérifier pour Maggs, vous m'avez bien répondu par e-mail qu'il n'avait aucun antécédent ?

Il devait croire qu'elle avait baissé la garde, car, soudain, il se laissa tomber sur les fesses et lui fit une balayette. Cependant, Nikki évita ses jambes en bondissant par-dessus comme à la corde à sauter, atterrit sur ses pieds, puis se mit à danser sur place en le laissant se relever seul.

— Je n'en reviens pas d'avoir raté ça.

De nouveau sur ses pieds, il secoua la tête, surpris par cette déculottée.

— Vous avez bien dit que Maggs était blanc comme neige ?

Il s'essuya la sueur sur le front.

— Tout n'est pas noté dans la base de données.

— Il semblerait, en effet, dit-elle.

Il tenta de la tacler d'un coup d'épaule à la taille, mais, d'une roulade, elle reprit le dessus et bondit sur ses pieds.

— Au fait, j'ai une question au sujet de l'héliport, l'autre soir, reprit-elle tandis qu'il sautillait sur place.

— Heat, vous êtes ici pour papoter ou pour vous battre ?

— Comment avez-vous réussi à arriver le premier ?

— Je vous l'ai dit : c'est Yardley Bell qui m'a informé.

Il se déplaça pour l'attaquer par la droite. Elle s'attendait à une feinte, mais il porta l'attaque et la plaqua au sol grâce à la prise de la corde à linge.

— Rook affirme ne lui avoir rien dit, objecta-t-elle.

— Et qui d'autre m'aurait mis au courant ?

— Hinesburg, peut-être ?

Une fois redressée, elle le regarda attentivement.

— Hinesburg ? Pourquoi aurais-je parlé à Hinesburg ?

Ils chargèrent en même temps et s'immobilisèrent mutuellement par une clé de bras. Impasse. Ils se séparèrent de nouveau et entamèrent une ronde en pas chassés, face à face.

— C'est curieux, dit Heat. En fouillant ses affaires, on a retrouvé son arme de secours. Chez elle.

Il effectua un autre pas chassé.

— Elle en avait une autre, et alors ? Ça veut dire quoi, ça ?

— Par ailleurs, mon amie, la légiste, m'a appelée ce week-end. Elle a trouvé des résidus de poudre et des traces de brûlure sur Hinesburg. Autour de l'orifice d'entrée de la balle.

— Que dire ? Mon canon attaque.

Il fit mine d'avancer vers elle, mais recula dès qu'elle se montra prête à contrer. Puis, alors qu'elle abandonnait, il l'envoya rouler sur le tapis d'une bascule sur sa hanche. D'une main tendue, il l'aida ensuite à se relever.

— Autre chose. Dans son message, à part Maggs, ma mère avait des choses intéressantes à dire sur… Dragon.

Elle marqua une pause.

— Combien vous payait Carey Maggs ?

Le poing de Callan fusa avec une telle rapidité qu'elle fut prise par surprise et n'eut pas le temps de le contrer. Il heurta si fort sa mâchoire que Nikki en vola du tapis et atterrit sur le flanc sur le parquet. Avant qu'elle n'ait repris ses esprits, il se retournait déjà et fonçait dans l'angle où il avait déposé ses affaires. De son sac de gym, il sortit alors son arme de service.

Cependant, Heat était plus rapide qu'il ne l'aurait cru. Avant qu'il n'ait eu le temps de la mettre en joue, elle le fit tomber d'un tacle par-derrière. Il se râpa le visage contre les parpaings juste au-dessus du plancher.

Le nez en sang, Callan se retourna et lui bloqua la tête entre les genoux. Comme elle sentait son bras armé se baisser vers elle, elle chercha à s'en emparer en agitant la main à l'aveuglette, lui attrapa le poignet, puis enfonça les talons dans le sol pour se redresser.

Dans son élan, elle parvint à rouler sur elle-même pour lui retomber à genoux sur le torse en lui enfonçant les rotules dans les côtes. Il laissa échapper un cri et relâcha sa prise. Nikki bondit alors à quatre pattes et le retourna face contre terre. Enserrant toujours d'une main son poignet droit, elle détourna l'arme.

Son adversaire eut beau se débattre comme un diable, Heat tint bon. Enfin, les forces de Callan commençaient à faiblir. Cependant, il donna un brusque coup de tête en arrière. La base de son crâne vint s'écraser contre le menton de Nikki. Elle sentit la tête lui tourner, et son champ de vision se rétrécit. Puis, ce fut le noir complet.

Il n'avait pas dû s'écouler plus d'une seconde ou deux ; pourtant, le temps qu'elle récupère et se remette debout, Callan était déjà sur ses pieds, lui aussi, et il braquait son Sig Elite sur elle.

Elle se prépara à ce qu'il tire, mais il hésita.

— Je n'ai jamais voulu ça, implora-t-il. Quand le hasard vous a placée au cœur de cette affaire, j'ai essayé de vous éloigner. Et plus vous creusiez, plus je tentais de vous écarter.

Du revers du poignet, Callan s'essuya le sang qui lui coulait du nez tandis que son autre main tenait solidement l'arme.

— Nikki, vous ne m'étiez pas indifférente. J'ai fait tout ce que j'ai pu... Mais là, je suis obligé de vous tuer.

— Non, objecta-t-elle, mais tous les deux savaient bien que si.

Elle évalua la distance. C'était près mais risqué. Le canon en face d'elle semblait aussi large qu'un tunnel.

— N'y songez même pas, dit-il.

— Dites-moi au moins pourquoi.

Elle plongea les yeux dans les siens et y lut des sentiments contradictoires. De la tristesse même. Alors, elle soutint son regard et implora à son tour en usant de son prénom.

— Bart, s'il y a jamais eu quoi que ce soit entre nous, laissez-moi au moins rejoindre ma tombe en sachant pourquoi.

Nikki voyait bien qu'il réfléchissait.

— Bart, je vous en prie ! Je sais qui. Je mérite bien le pourquoi !

Il passa de nouveau le poignet sur son nez en sang, l'air pensif. Son regard se porta alors vers la porte, puis de nouveau sur elle.

— Vous avez déjà tout compris. Le complot bioterroriste était financé par Maggs.

— C'est lui qui vous a payé ?

— Oui.

— Et Tyler Wynn ? Comment Maggs l'a-t-il retourné ?

— C'est moi qui l'ai retourné. Il était mûr. Profil classique. Un agent dépassé avec des besoins onéreux.

— Mais pourquoi Wynn ?

— Recrutement européen. Quand Ari Weiss est devenu un problème, on a cherché un biochimiste à la moralité malléable.

— Tyler a trouvé Vazha ?

Callan ne lui répondit pas ; c'était inutile.

— C'est pour ça que le complot est resté en sommeil pendant onze ans ? Le temps de retrouver un biochimiste ?

— Pas seulement. Maggs avait aussi besoin de monter son laboratoire pharmaceutique. Puis d'obtenir le contrat avec le gouvernement. De s'assurer de ses capacités de distribution. Ça a pris du temps. Des années. La perspective de gagner quelques milliards, ça aide à se montrer patient.

Le ronflement du moteur d'une moto dans la rue le fit sursauter. Heat le bombarda de nouveau de questions avant qu'il ne décide de passer à l'action.

— Pourquoi tuer Nicole Bernardin ?

— Vazha avait attiré son attention dernièrement avec ses allers et retours en Russie pour se procurer la souche de variole. On n'attendait plus que ça. La dernière pièce du puzzle. Il lui fallait le virus pour préparer l'attentat. Nicole travaillait trop bien et...

Sa phrase restée en suspens était de mauvais augure pour Nikki. Callan ne semblait toutefois pas impatient non plus de passer à l'étape suivante.

— Bart, reprit-elle en usant d'un ton personnel, mais dans le but de le ramener à la raison cette fois. Avez-vous bien réfléchi ? Même si vous me tuez, il vous faudra fuir. Or, vous pouvez aussi choisir de ne pas me tuer avant de fuir.

Il secoua la tête.

— Ce n'est pas ce qui est écrit.

— Sinon, vous pouvez toujours négocier. Vous n'avez qu'à faire porter le chapeau à Maggs. Allons, ce ne serait pas la première fois. Vous l'avez déjà fait, moi aussi...

Heat crut entendre le coup de feu partir, mais il s'agissait en fait de la porte métallique qui avait claqué contre le mur du gymnase à son ouverture. En se retournant, Nikki vit Yardley Bell, l'arme au poing. Aussitôt, Callan se tourna pour braquer sur elle son Sig Elite. Nikki en profita pour se jeter sur lui. Elle lui saisit le poignet et le força à pointer l'arme vers le plafond. Un coup de feu partit, et des flocons de peinture tombèrent sur eux. Heat lui replia alors le bras gauche dans le dos jusqu'à ce qu'elle entendît l'écœurant bruit du cartilage qui cédait à l'intérieur de son épaule. Le cri de Callan résonna dans la salle, et son Sig Elite valdingua par terre.

Nikki lui fit basculer le visage en avant et lui plaça un genou dans le dos en attendant que l'agent Bell se précipite pour le menotter.

Heat se tourna alors vers elle :

— Vous êtes en retard.

***

Sur le trottoir devant le gymnase, Nikki Heat et Yardley Bell devisaient ensemble tandis qu'à l'arrière de l'ambulance, les auxiliaires médicaux immobilisaient l'épaule démise de Callan et lui nettoyaient le sang sous le nez et sur le menton.

— Vous pensez qu'il nous livrera Maggs si on lui propose un marché ? demanda Heat.

— Il pose déjà des jalons.

Bell scruta Nikki.

— Ça ne vous dérange pas de raconter des craques, vous ?! fit-elle remarquer.

— Il le fallait. Dans son mot, ma mère disait seulement le soupçonner d'être Dragon, mais elle n'avait rien pour le prouver. Je voulais l'enfumer pour voir comment il réagirait.

— Et ?

Toutes deux gloussèrent.

— J'ai toujours eu des doutes concernant Callan. Déjà à l'époque où il s'occupait de l'affaire de votre mère, au FBI, mais ils étaient trop minces et j'étais encore une bleue.

Heat se rappela les propos d'Algernon Barrett concernant la conversation surprise entre sa mère et une femme qui avait l'air d'un flic ; elle comprit que ce devait être Bell.

— C'est gentil de votre part de m'avoir prévenue, agent Bell.

— Comme vous pour le code de votre mère, inspecteur !

— Je vous l'accorde, admit Nikki.

— Quand Nicole Bernardin a été tuée, continua Bell, j'ai demandé une faveur en haut lieu pour qu'on m'envoie collaborer à cette affaire. Mais en réalité, c'était pour pouvoir suivre Callan de l'intérieur.

— Lui croyait que vous étiez là pour piétiner ses plates-bandes.

— Et vous, vous me preniez pour Dragon. Ou du moins la taupe. Allons, avouez-le.

Comme Nikki ne répondait pas, elle corrigea.

— Ou peut-être l'espériez-vous simplement.

Nikki sourit.

— Disons que j'envisage toutes les options jusqu'à preuve du contraire.

Callan cria lorsque l'urgentiste posa l'attelle, et toutes deux se retournèrent vers lui.

— Qu'est-ce qui vous a mise sur la voie ? s'enquit Bell.

— Vous savez comment c'est… Des petites choses qui s'accumulent. Au début, je crois que c'est à cause de son ingérence dans mon affaire. Comme vous, sauf votre respect, j'ai trouvé Callan très perturbant. Mais le plus révélateur pour moi a été l'héliport. Trop de contradictions. Et Hinesburg, abattue, comme ça, d'une balle dans la tempe.

— À bout portant.

Heat regarda de nouveau vers l'ambulance.

— Sharon a sans doute cru qu'il venait à son secours. Mais, comme elle travaillait pour lui, il lui fallait l'empêcher de parler.

— Vous savez très bien qu'il vous voulait, vous.

— Vous voulez dire dans son équipe, pour mieux me tenir en laisse ?

— Allons, Heat, j'ai bien vu la manière dont il vous regardait. Vous n'avez pas remarqué ?

Nikki avait mené suffisamment d'interrogatoires pour flairer l'hameçon. Elle minimisa.

— Je n'y ai jamais cru. Enfin, rien de ce qu'il disait ne m'a jamais paru très romantique.

— Peut-être n'étiez-vous simplement pas réceptive, suggéra Yardley.

Heat marqua une pause, puis regarda l'ex de Rook dans les yeux.

— Sans aucun doute.

***

Rook ouvrit la porte de chez Heat et laissa tomber son bagage à main à côté du porte-parapluie. Puis, il attendit.

— Ohé ? Je suis de retour. Il y a quelqu'un ?

— Par ici ! cria-t-elle.

Il posa sa veste sur le dossier d'une chaise et se dirigea vers le salon, où il trouva Nikki allongée par terre sur une couverture ornée d'un motif de plage tropicale, un punch dans une main, le seizième opus des aventures de Stephanie Plum[1] dans l'autre.

— C'est bien ce que tu avais à l'esprit ?

— Plus ou moins.

Il s'assit sur la couverture à côté d'elle.

— Tu es nue.

— Comme un ver.

— Je vois.

Il jeta un regard circulaire autour de lui.

— Mais c'est quoi, ça ?

— L'île fantastique.

Elle posa son verre et son livre et lui tendit les bras. Rook se mit à genoux pour se pencher vers elle, et ils échangèrent un long baiser langoureux. Alors, il s'allongea sur Nikki et elle l'attira tout contre sa peau pour mieux sentir son poids et s'envelopper de la chaleur de son corps, même à travers

---

1. *Sizzling Sixteen* de Janet Evanovich, non traduit en français. Seuls les neuf premiers tomes de la série l'ont été.

ses vêtements. Ils se fondirent l'un en l'autre. Très vite gagnés par le feu du désir, ils éprouvèrent le besoin pressant de caresses et de frottements et s'unirent au plus profond. La délivrance de toute responsabilité, la proximité de leurs corps et la faim de l'autre les propulsèrent, le cœur battant, dans le tourbillon frénétique de leur passion.

Plus tard, paresseusement enlacés au lit, ils somnolaient de bien-être au calme. Nikki caressait du bout des doigts la barbe de deux jours de Rook, sa respiration calée sur la sienne, lorsque son portable vibra par deux fois.

Elle consulta dûment le message, puis reposa le téléphone sur la table de chevet.

— Pas déjà un autre meurtre, j'espère, fit Rook sans ouvrir les yeux.

— Pire. Yardley Bell veut qu'on déjeune ensemble demain.

Aussitôt, il ouvrit les yeux.

— Et tu vas y aller ?

— J'ai déjà une meilleure amie.

— Tu devrais y aller.

— Je ne l'aime pas.

— Tu ne la connais pas.

— Je sais ce que je veux, dit Heat. Et ce que j'aime.

— Moi aussi.

— Fais voir.

Et il s'exécuta.

FIN

REMERCIEMENTS

Voici une grande occasion pour votre humble serviteur. Oh ! je ne parle pas de ce livre que je termine aujourd'hui, mais de quelque chose de plus important. En effet, c'est aujourd'hui l'un des deux seuls jours de l'année où nous autres, New-Yorkais, éreintés, nous prenons le temps de nous arrêter pour nous émerveiller devant un phénomène astronomique : le Manhattanhenge ! Quoi, serais-je le seul fada ici à savoir qu'à 20 h 15 précises ce soir, le soleil couchant s'alignera avec les rues de Manhattan orientées est-ouest, sur lesquelles il braquera un œil céleste qui les illuminera tel un rayon laser ? Bonté divine ! Prends-toi ça, Stonehenge !

Vous m'excuserez si je garde un œil sur la baie vitrée de mon loft qui donne à l'ouest tandis que je rends hommage à un alignement d'étoiles tout aussi miraculeux sans lequel ce roman n'aurait vu le jour. La plus brillante dans ce firmament n'est autre qu'un corps céleste nommé Kate Beckett, qui motive mon cœur et l'emplit d'encouragements par la grâce et l'élégance de sa vie exemplaire. Je remercie aussi le reste de la brigade de la douzième circonscription. Javier Esposito et Kevin Ryan m'ont généreusement accepté comme partenaire d'entraînement, collègue et, j'ose espérer, ami. Certes, le capitaine Victoria Gates place la barre très haut, mais elle sait fermer les yeux lorsque je ne suis pas tout à fait à la hauteur.

Ne le lui dites pas, mais je crois qu'en secret, elle m'aime bien. Quant à la légiste, Lanie Parish, elle me ramène sur terre chaque fois que je pars un peu trop loin dans les nuages. J'apprécie sa tolérance autant que son expertise.

Grâce à ma mère, Martha, je n'oublie pas que chaque jour est une fête, et le lever du soleil, un instant à célébrer, bien qu'elle n'en profite jamais à cause du masque pour dormir que Kitty Carlisle lui a offert dans les années 1950, lors d'un jeu télévisé. Si mon étudiante de fille Alexis a atteint une saine indépendance, je ne la remercierai jamais assez d'avoir choisi de ne pas partir trop loin.

Terre à terre comme je suis, c'est avec admiration que je lève les yeux vers les déesses et les seigneurs empyréens qui sont les véritables étoiles tout là-haut. Je veux parler bien sûr des fabuleux Nathan, Stana, Seamus, Jon, Molly, Susan, Tamala et Penny. L'équipe du Clinton Building, aux studios Raleigh, qui continue de faire preuve d'une grande maîtrise de la magie astrale. Ils savent ce qu'est un voyage mesuré en années-lumière et je leur en suis éminemment reconnaissant. Terri Edda Miller brille comme une aurore boréale. Rayonnante et chaleureuse, elle tient mon cœur entre ses mains.

À jamais. Jennifer Allen n'aura de cesse de me décrocher la lune pour me permettre de jongler avec les étoiles. Il n'est pas une autre épaule sur laquelle je poserais ma tête pour contempler un lever de lune rousse sur le détroit de Long Island.

Je salue bien bas Elisabeth Dyssegaard, directrice d'édition chez Hyperion Books, qui aplanit toujours toutes les difficultés. Melissa Harling-Walendy et son équipe chez ABC m'ont une fois de plus apporté tout leur soutien. Sloan Harris, mon agent chez ICM, me représente depuis le tout début et scrute l'horizon de sa longue-vue avec une grande perspicacité. Encore une fois, Ellen Borakove, de l'institut médicolégal, s'est révélée d'une aide inestimable pour ma documentation sur les autopsies. Outre la passion et la compassion dont elle témoigne dans son travail, elle sait faire preuve d'une indulgence exceptionnelle face aux questions ignares.

Mention spéciale au grand chef Alton Brown, à la fois pour ses conseils culinaires et la plume trempée au vitriol de Mark Twain qui ont accompagné l'écriture de ce livre. Comme toujours avec ce grand bonhomme, on se régale.

Les copains du poker – Connelly, Lehane, Patterson et feu M. Cannell – continuent de m'aider à rester en alerte.

Encore merci à la merveilleuse Janet Evanovich pour son coup de pouce à la télévision. Et au blogueur de haut vol qu'est Ken Levine pour ses compliments. Notre ami scénariste Don Rhymer nous a quittés trop tôt. L'homme qui a inspiré le personnage de l'inspecteur Rhymer joue désormais les Opossum au paradis… et poursuit sa vie à la vingtième.

Enfin, ce livre n'aurait pu voir le jour sans la Grande Andrew, mon étoile du Berger. Chaque fois que je suis perdu dans les méandres et les trous noirs de l'intrigue, j'ai le réconfort de savoir que je ne suis pas seul. Je peux toujours compter sur Tom pour tenir la boussole, mais c'est Andrew qui m'indique le nord. Maintenant, si vous voulez bien m'excuser, j'ai rendez-vous avec le solstice de Manhattan.

RC
New York, 20 h 14, le 29 mai 2013

RICHARD CASTLE

VAGUE DE CHALEUR

Thriller

"Castle n'a pas perdu la main. Coup de chaleur est certaine les autres best-seller du maître du thriller : c'est chaud !"
- JAMES PATTERSON -

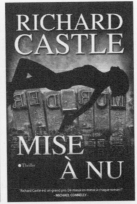

RICHARD CASTLE

MISE À NU

Thriller

"Richard Castle est un grand prix. De mieux en mieux à chaque roman !"
- MICHAEL CONNELLY -

RICHARD CASTLE

FROID D'ENFER

Thriller

"Castle est aussi habile à résoudre des meurtres qu'à les écrire !"
- DENNIS LEHANE -

RICHARD CASTLE

COEUR DE GLACE

Thriller

City

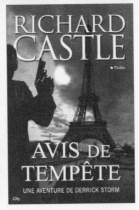

RICHARD CASTLE

Thriller

AVIS DE TEMPÊTE

UNE AVENTURE DE DERRICK STORM

City

Du même auteur

Vague de chaleur

Dans la fournaise new-yorkaise, les esprits s'échauffent, les passions se déchaînent et une série de meurtres entraîne la police dans le monde opaque de l'immobilier, des paris, de l'argent douteux.

Mise à nu

La plus célèbre des chroniqueuses mondaines est retrouvée morte à son domicile. Assassinée. Nikki Heat est chargée de cette enquête qui s'annonce délicate... D'autant que Heat et Rook ne sont pas encore remis de leur rupture...

Froid d'enfer

Un prêtre est retrouvé assassiné dans un club fétichiste. Pour Nikki Heat, c'est l'affaire la plus dangereuse de sa carrière. Elle se retrouve aux prises avec un baron de la drogue, un agent véreux de la CIA, et un mystérieux escadron de la mort...

Cœur de glace

Le cadavre d'une femme battue à mort est retrouvé dans une valise, au milieu des rues de Manhattan. Pour Nikki Heat, c'est une évidence : ce meurtre a des liens avec l'assassinat de sa propre mère, dix ans plus tôt.

Avis de tempête

Avec l'aide d'une belle et mystérieuse espionne étrangère – sur laquelle Storm ne tarde pas à faire jouer son charme légendaire – il traque Volkov, son vieil ennemi, de Paris à Manhattan. Et découvre un complot qui vise la survie de l'économie mondiale...

« Richard Castle est un grand pro : il fait
de mieux en mieux à chaque roman.
Une grande réussite ! » (Michael Connelly)

ISBN : 978-2-35288-483-5 / 978-2-35288-715-7 / 978-2-35288-801-7 / 978-2-8246-0198-4 / 978-2-8246-0297-4

www.city-editions.com